四萬公里長途都坐在這個位置上。

每天清晨出發前。

●與埃及盧克索的擎天石柱一比，希臘、羅馬的廊柱就不算什麼了。

千年一嘆

人，渺小而又偉大。

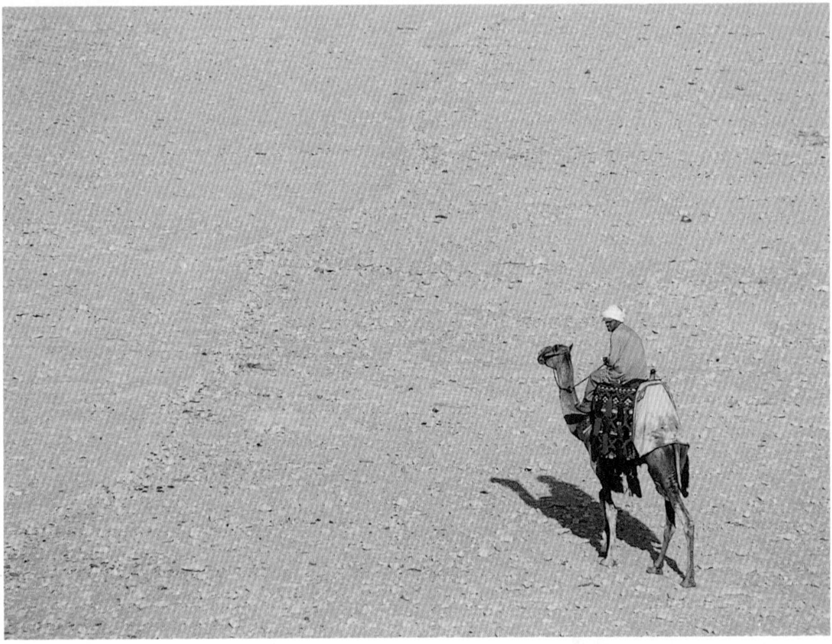

千古沙漠，千古駝影。

歷史與後人。

妻子趕到金字塔下來陪我。(作者提供)

這些中東的孩子，難道注定要成為士兵？(作者提供)

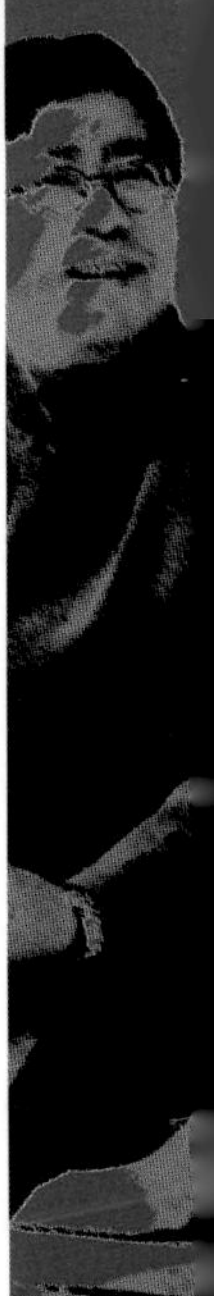

●在大多數危險的路段上不能這樣從容拍攝，真是可惜。

●孩子的容貌沒有國界，沒有年代。

請容我暫時插足。

傳統就這樣交接。

●偉大的祖先使後代無所事事。

新人間
42

千年一嘆

余秋雨◎著

【目錄】

埃及。

【目錄】

千年一嘆

約旦。

伊拉克。

【目錄】

伊朗。

巴基斯坦。

【目錄】

印度。

千年一嘆

尼泊爾。

到達。

【自序】

這是我在千年之交隨香港鳳凰衛視「千禧之旅」越野車隊跋涉數萬公里考察人類最重要的幾個古文明發祥地的日記。

我在半路上已經作出決定，這部日記交付出版前不作整理修改。只等春節那天車隊進北京後立即把這包稿子交給出版社，讓印刷機的轉動與車輪的轉動完全銜接起來。

這種做法有點像現代的行爲藝術，一切只在行爲過程中完成，不再在行爲之外作修補和塗佈；也有點像中國書法，大筆一揮總有諸多遺憾，卻不宜在收筆之後再描來描去。文章與書法不同，本應多改幾遍，但能不能允許作一個小小的實驗，讓一些記錄特殊行爲的文章保持原生狀態和粗糙狀態？其實我從《文化苦旅》開始的寫作，就已經是一種實地尋訪行爲，承受過大量的肢體冒險和思維冒險，可惜「做文章」的痕跡太重，容易碰擦到那些我早已廢棄的地域的邊界。

終於有機會洗去這些痕跡了。在如此艱難危險的長途上見縫插針地塗幾句，既做不了文章也做不了學術，剩下的只是一個稍有知識貯備的當代中國文人面對異域文明時的讚嘆、驚嘆、感嘆和悲嘆。一切嘆息都是粗糙的，我不願讓過多的文采和資料來掩蓋它。

現在我眼前就放著這包日記。沿途購買的紙張各色各樣，由於很多住宿地無法寫作，我只能趴在車上寫，蹲在路邊寫，所以多數字跡歪歪扭扭。曾經把它放在一個印有以色列希伯來文的洗衣袋裡，忘了伊拉

克的一項禁令：不管在誰的行李裡查出一點到過以色列的蛛絲馬跡都會受到懲罰，幸好在離伊拉克幾步之遙的約旦沙漠裡突然想起，緊急停車更換。後來路途越來越嚴峻，每天晚上不知該把這包文稿放在車上還是房裡。

在穿越伊朗、巴基斯坦、阿富汗邊境這個目前世界上最危險的數千里地段時，天天都是外國人質被綁架、政府軍警被殺害的消息，我們一行全都作好了遭遇橫禍的準備，我把書稿放在離身體最近的背包裡，連做夢也都是抱著這包書稿在荒山間奔逃。

每天深夜筋疲力盡到達一個地方，即使已經一整天沒有任何東西下肚，伙伴們也都累得不想吃飯，倒頭便睡。大家可憐我還要連夜寫作，又幫不上忙，只能眼巴巴地看著我，勸我注意身體。同車的趙維知道我不抽煙，寫作時卻要喝茶，而沿途十個國家沒有一家旅館的客房有開水供應，她便每天端著自己的保溫瓶，滿面笑容地到餐廳向侍者討半瓶剩餘的紅茶，討來後就倒給我，你看稿紙上還有不少褐色的茶漬。稿紙背面另有一些奇怪的污痕，立即想起陳吉勇、崖國賢他們知道我最喜歡吃水蘿蔔，每到一個地方就到處找，在伊朗給我買來了一堆黑蘿蔔，這是我在稿紙背面切黑蘿蔔的印跡。不過那種黑蘿蔔實在太難吃了。

我們這次一直在尋訪人類文明的早年座標，幾經實地對比，深感中華文明歷久不斷的強韌，產生了一種兒孫重新認識祖先的激動。這是由衷的，但並不因此而否定中華文明在其座標前所顯現的弊病。只是那種對比一百年來已經作過很多，總該允許我們以生命冒險的代價，在一百年之後增加一個方位吧？

據說國內已經有人在報刊上嘲訕，說你們專門去找一些蒼老貧窮的國家，來爲中華文明尋找廉價的安慰。

對此必須申辯。我們這次所走的路線，沒有經過「專門尋找」，而是全部重要的文明古國，幾乎沒有遺漏；它們的文明曾與中華文明一起輝煌，輝煌的程度一點也不比中華文明差；直到今天，它們依然水草丰美，並未蒙受特殊的自然災難；它們衰敗的每一個原因，中華文明都會遭遇到，但居然都被一一避開，這種千古奇跡，難道不值得後代子孫認眞思考，倒反而要廉價的安慰嗎？

不錯，我們這次看到的只是世界的一個片面，但這個片面至少可以彌補原先很多人心目中的那個片面吧！記得在巴基斯坦的一個鐵路岔道口巧遇兩位剛從北京過來的一家中國公司職員，都是中年女性，她們已經在車上一連看了兩天路邊的景象，此刻還在長時間發呆，一再自語：「這也是外國？」她們告訴我，在北京街頭連老大娘與人家吵架都喜歡大聲嚷嚷：「人家外國……」自負的民族主義迷思歷來與盲目的自卑意識相輔相成。

她們的話這幾天在國內得到進一步證實。我們車隊回國後每到一個城市，爲了避免過于招人耳目，活動時經常改乘計程車。很多計程車司機喜歡向乘客發表宏觀議論，動不動就是中國外國。就在昨天下午我與劉星光、陳吉勇坐一輛計程車出門，那位年輕司機指著西安的古城墻憤怒地說：「爲什麼不把這些破城墻拆了造高架路？人家外國……」又說外國，還要拆城墻，我氣不打一處來，不得不喝斥：「請你住嘴，我們才從十多個外國過來。」

不僅僅是一般百姓。我覺得即使是文化人也應該以更爲全面的實地考察來校正腦子裡根據各種文本建立起來的文化圖像。這次我與各位主持人、編導的共同感受是：儘管我們以前對這些地方並非一無所知，但一到實地總是大大地出乎意料之外。由此不能不產生警覺：我們年年月月在相信、論述、講授的內容，很可能包含著大量根本性的偏差。不同空間的文化圖像是這樣，不同時間的文化圖像也是這樣。難怪現代國際間有那麼多歷史學家對以往的文本記載深表懷疑。

爲此，我越來越感到這次數萬里的歷險非常値得，也願意早一點把這部未經整理修改的書奉獻給讀者。如果要我自己來評價這本書，那麼我要說，這本書在文筆和資料上還比較粗疏，但爲寫作一本書而跋涉這樣一條路線的舉動卻並無前人。在那樣很難的行途中堅持每天一篇，也是我從未體驗過的一種寫作狀態。這種寫作狀態不會再重覆，因此我把它看成自己的壓卷之作。

是的，除了正在進行的自傳寫作和舊著整理，這很可能是我的最後一本書。對此我需要約略交代幾句。

我對自己的人生喜歡作很乾脆的階段性了斷。新時期以來做過十年學術研究，寫了四部學術專著計一百五十餘萬字；然後明確中止，擔任六年大專院校負責人；再徹底擱斷，以二十餘次的辭職終獲批准，隨即從零開始，集中投入以實地考察爲基礎的文化隨筆寫作；這種寫作也已出了四本書，即《文化苦旅》、《山居筆記》、《霜冷長河》、《千年一嘆》，起承轉合，正好結束。

親愛的海內外讀者，八年來因你們的支持，我的幾本書長期位居中國大陸和全球華文書籍排行前列，對此我深表感謝，但這種現象不宜繼續下去。我自己想從排行榜上下來了，以前的幾次攔斷，也都是在那些領域工作狀態最好的時候。每次我都是自拆樓台、自棄名位、自離積累，目的是避免異化，回歸生命的質樸本位。

安適的山寨很容易埋葬憧憬，豐沛的泉眼很容易滯留人生，而任何滯留都是自我阻斷，任何安頓都是創造的陷阱，任何名位都會誘發爭鬥，任何爭鬥都包含著毀損。大而言之，許多偉大文明因此衰敗，小而言之，許多學術藝文因此而沈淪。這是廢墟的哲學，我剛從那麼多廢墟回來，當然比過去更加清醒。

即從排行榜這件事爲例，國際間顯然過於重視，日本《朝日新聞》在全世界找十個人談世紀過渡而選上我，主要依據就是全球華文書籍的排行榜；但在尚未經歷眞正轉型的國內文化界，這種排行榜就顯得很麻煩。第一，它會觸犯一系列固有的文化價値系統而引起多方喧鬧；第二，它又會吸引神通廣大的盜版集團而促成系列犯罪；第三，它還會誤導廣大讀者的閱讀慣性而形成逆勢期待。這幾種結果，不管哪一種，我只要稍有關注便永遠無以脫身，因此唯一的辦法只有離開，離開排行榜，離開寫作，繼續走路。《朝日新聞》中國總局局長加籐千洋先生辛辛苦苦趕到印度攔截我進行採訪，最後問我發表時用什麼頭銜，我說：中國旅行者。我用腳步寫作。

然而，事實又一次超出了我的預計，我們的車隊剛剛進入國內，就發現這包我一直抱在身邊的日記稿已經被盜。盜版集團從網站上竊取了它，初印五十萬冊，已經賣完。沿途各省前來歡迎的學界同行還告訴

我，在我外出歷險的這幾個月，盜版集團爲了逃脫我回來後追究他們的刑事罪行，一直在製造與我有關的名譽事端，試圖以名譽官司來掩蓋刑事官司。我私人的兩位常年法律代表，中國律師協會副會長朱洪超和「上海十大名律師」之一的江憲，是法律界何等英武的人物，早就在搜集罪證、磨拳擦掌，但我在電話裡與他們商量，能不能先把名譽官司擱下。這不僅僅爲了避免上當，更重要的是，我在這次考察中明白了一個道理：許多文明都敗落在它們的轉型期，因此每一次文化轉型都生死攸關、非常殘酷。除了那些文化盜賊，很多響應者雖然聲色俱厲，其實都是沒有著落的可憐人。他們不知從何處沾染了冬烘的腐酸和文革的惡習，在轉型的檔口上作一次訣別性的發洩，如此而已。想到中華文化可能會又一次新生，多麼值得慶賀，過多的追究和懲罰，容易掃了大家的興。

我相信，也許是時間的力量，也許是文化的力量，遲早會幫助他們。有位社會學家指出，在轉型時期，會有一些文化方式因無效而走向無聊，因無聊而走向無恥。但是，中華文化往往有一種平靜的排毒功能，何況現在面臨全面轉型，一定會阻止最後一種可能的出現。我雖擱筆，卻對它的前途抱有信心。信心來自何處？就近而言，正來自數萬公里的路程，來自腳步，來自車輪，來自留在這部日記紙頁間的多種嘆息聲。

一月三十一日夜——二月一日晨

——這篇自序，寫于二〇〇〇年一月三十一日深夜，時在黃河壺口。隔窗俯視，見萬千激浪全被凍住，無風無雪，無聲無息，但寒氣徹骨，吐氣呵手，方可寫作。時離「千禧之旅」結束還有五天。

出發。

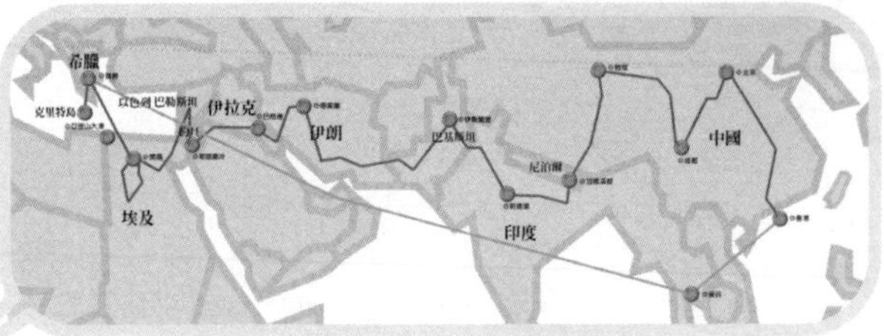

一 選擇荒涼

一九九九年九月二十七日，深圳

今天開始動筆的，是一份眞實的考察日記，記錄我在二十世紀最後幾個月的數萬里行程。明天先從香港飛希臘。這是考察的第一個重點，將會停留較長時間，然後越過地中海去埃及。從埃及開始，整個旅程將在吉普車上完成。大致是：沿尼羅河南下到盧克索，再穿過阿拉伯沙漠北上到蘇伊士運河，過河後進入西奈沙漠；到了西奈沙漠的盡頭，就要叩擊疑雲重重的以色列和巴勒斯坦大門了，如能叩開，則要仔細考察，尤其是對耶路撒冷，然後，沿約旦河到戈蘭高地，進約旦，稍作休整，以後便進入舉世注目的危險地區。想進伊拉克很難，到現在還沒有獲得批准，但一定要闖進去，因爲那裡有完全無法省略的底格里斯河、幼發拉底河兩河文明和巴比倫。如能成行，那就得寸進尺，穿越兩伊戰爭的戰壕去伊朗，伊朗的重要性在於它集中體現了伊斯蘭文明的嚴格形態，更在於還埋藏著湮滅已久的波斯文明。如果「走通兩伊」之夢能圓，接下來就必須面對至今還在進行著激烈核競賽的巴基斯坦和印度了，這繞不開，因爲在古代，幾大異域文明中對中國影響最大的是印度河——恆河文明。考察印度結束後，應該進入尼泊爾，那兒還有不少佛教文化的重要遺留。從尼泊爾往北，在喜馬拉雅山腳下，開始國內旅程。

如果這樣一個計劃能夠一步步實現，那麼，我們的車輪將要滾過整整十個國家的腹地。據目前了解的情況，除開頭的希臘外，其他九個國家都存在著相當嚴重的行路安全問題。大量的地段不在政府的有效控

制之內，宗教極端主義分子、反政府武裝、販毒集團和多種土匪比比皆是。我們無法避開這些地段，因爲它們如此遼闊地橫亙在必經之路上，而一切恐怖力量又都不會放過必經之路。

只有坐飛機或火車才會躲過這些危險，但這違背了我們這次文化考察的主旨。飛機、火車大多停靠在現代都市，現代都市是現代文明的交點，卻未必是古代文明的穴位。古代文明的經絡已被淹埋，與現代的交通線路很難重疊。例如，以現代的交通方式，去伊朗必到德黑蘭，擴而大之到伊斯法罕，但在那裡怎麼找得到波斯文明呢？同樣，如果以爲可以在伊斯蘭堡考察印度河文明，在新德里考察恆河文明，也大錯特錯。

什麼是荒涼？首先不在於自身形態，而在於通達的艱難。古代文明的衰落和荒涼，也以難於通達作爲主要標誌。這次我們既然選擇了這樣一個考察目標，那麼也就是選擇了荒涼，只能竭盡全力把難於通達的地域一一走通。

早年在故鄉山坳裡遊玩，常常看著那些荒墳發怔，尤其是那些占地很寬、氣勢宏偉的荒墳，居然也蔓草覆蓋，路斷石坍，不能不猜想墓主的家族承傳已經中斷。我們這次是去尋找幾宗更大的荒墳，同樣，也會以通達的險夷來判斷它們與後代的關係，以及後代的興衰。

由此看來，通達方式本身，也是我們的考察內容，因此豈能害怕艱險。

那麼，爲什麼偏偏要選在世紀之交去尋訪這一系列人類文明故地呢？

這次世紀之交也是千年之交。在即將跨越這道千年山梁時，不能不回頭看看以前的那幾道千年山梁。這一看不要緊，發現滿世界的熱鬧其實都發生在腳底下最近的山谷裡，美國、澳大利亞這些特別年輕的地方姑且不論，即使是銅鏽斑剝的歐洲，一個個國家數過去，絕大多數話題也只在千年之內。因此，眺望第一道千年山梁已是人跡寥落，更不待說第二、第三道了。

本來，這麼寥落的遠景也不必仔細去張望了，但問題是，每一道千年山梁上都有中國人的腳印，而且這排腳印沒有中斷，一直排到今天中國人的腳下。當年我們的祖先身邊應該有一些陌路人吧，他們都到哪裡去了？他們的腳印消失在何處？他們的身影飄逝於何時？也許，他們還有行李寄放在哪個山洞裡？

幾千年來中華文明有沒有必要一直走到底？硬把腳印延續至今究竟是福還是禍？要回答這個問題，就要去辨別一下別人的腳印，研究一下他們離去的原因。

這就必須去遠山，地理的遠山和時間的遠山。

請不要指責我們不務正業。中國文化人千年走一回，並不嫌多。如果把比喻的格局縮小一點，那麼不妨說，世界本是一所文明的學校，今年是這所學校的盛大校慶。我們中國，屬於最早入學的那幾屆，需要在返校之日尋訪一下早年同窗的蹤跡，捕捉幾許早已遠逝的下課鐘聲。這是一種天然使命，不必讓誰來批准。

這個考察計劃不是我想出來的，真正的實施者是香港鳳凰衛星電視，他們把這個計劃稱之為「千禧之

旅」，我是他們特邀的嘉賓。一個月前，一九九九年八月二十八日，我在中央電視台爲國際大專辯論賽的總決賽作點評，被到處都在找我的鳳凰衛視發現了下落，台長王紀言先生從機場直接來到我下榻的賓館，三言兩語把計劃說得清清楚楚。我開始有點猶豫，因爲匆忙間無法推掉四個月的工作，但最後還是點頭了。於是先回上海安排好我指導的博士研究生的課程，然後立即飛到美國舊金山，矽谷地區有不少華人工程師讀我的書，多次邀請我去談談中華文化的世紀命運，我原先答應的時間與「千禧之旅」重疊了，只能提前。沒想到矽谷講完了又接到美國其他地區的大量邀請，我只得把即將開始的旅行考察計劃告訴他們，他們一聽，都說這個考察計劃重要，也就放走了我。

至於鳳凰衛視爲什麼選擇我，儘管他們說了很多讓我汗顏的理由，又說是「一致通過」，但最讓我高興的理由是這一條：他們經過多年觀察，信任我在面對艱苦和危難時的身心承受能力。

二　雨中的白髮

一九九九年九月二十八日，香港

今天就要從香港出發，我先到鳳凰衛視作客。

沒想到堂堂鳳凰衛視的工作空間竟如此省儉，只相當內地的一個縣級電視台。走廊上人來人往，很多都是大家熟悉的臉。過一會兒要爲我們舉行壯行儀式，所以一片熱鬧。這次數萬里行程要在電視上天天出現，全台著名的女主持人要逐段輪班。許戈輝到希臘、埃及、以色列；陳魯豫到約旦、伊拉克、伊朗；孟廣美到巴基斯坦和印度的一部分；李輝到印度和尼泊爾，直到進入中國邊境；在國內，曾靜漪從西藏到青海、甘肅、四川，吳小莉則從四川到陝西、山西、河北直至北京。

這個安排理所當然地引起了那幫可愛的男主持人的冷嘲熱諷。美國籍的猶太人方保羅先生幾經爭取而失敗，宣布將立即去做變性手術。竇文濤積極響應，以變了性的口氣與女主持人們依依惜別，說自己會操持好家務，望夫早歸。

我還完全不知道沿途的拍攝怎麼進行，將會做成個什麼樣的節目，但心裡明白，這些女主持人即將面臨的艱苦，遠遠超過現在的想像。她們必須每天面對大量深奧難解或恐怖混亂的一切後才會面對鏡頭，這與她們平日的主持是完全不一樣的。許戈輝和陳魯豫在流著眼淚擁抱告別，照理她們分別時間不會太長，難道她們已有什麼預感？

壯行儀式在海灣的一艘木船上舉行，兩位船民在張羅。純中國式的風俗，一頭烤得金黃的乳豬，供著香燭，壓著一串串吉祥符。由鳳凰衛視董事長劉長樂先生領頭，每人向著海天焚香告祖：我們捧著你們的香煙星火遠行了，敬祈保佑。

風急浪高，木船在醉酒般搖晃，兩岸的青山樓宇也跟著搖晃，誰也站不住，全在船舨上跌跌撞撞。這又是一種什麼樣的預兆？

不管怎麼說，以焚香告祖的方式來壯行，非常恰當。當年絲綢之路上的中國商人出行前也是以差不多的方式告祖的吧？我們的祖先，自有獨特的天下觀念，對同時處於一個地球的其他文明不太在意。史籍中也留下了大秦、大食、條支、安息、身毒等等地名，但他們不知道，正是這些奇怪的地方，與中華文明進行著生命力的競賽，而這種競賽的每一個周期都很長，須千年爲度。很難簡單判定這種競賽的勝負，但中華文明幾千年來的生存狀態，就是在這種不自覺的競賽中顯現出來的。任何一種文明的本質只能從它的存在過程中來看，而任何一種過程的優劣也只能從它與其他過程的比較中來看。

這場比賽後來出現了異常情況。很多賽手半途失蹤，而堅持跑下來的，卻不得已闖進了一個百米短跑賽場，起步不久的年輕運動員們在身邊健步如飛，裁判員也按照短跑規則在衡量。這場比賽關及現實生存尊嚴無法迴避，也使遠途而來的選手略感委屈，但是委屈什麼呢？尋找不到當初的賽場和對手，就什麼也說明不了。

我在十幾年前就已隱約的感覺到此間也許有一種文化意義上的不公正，開始以一個西方藝術思想研究

者的身分轉而踏訪我們祖先的腳印，爲此還辭去了大專院校的領導職務。在踏訪過程中漸漸明白，中華文化不像當時哄傳的那樣頑固和腐朽，它確實步履艱難，卻來自於歷史意志和文化倫理之間的深刻衝突。歷史意志要求強蠻、突進、超越，文化倫理則要求端莊、秩序、和諧。兩者都有充分理由卻方向相反，互相牽制，誰也無法實現自己，結果成了千年廝磨的生死冤家，「苦旅」之苦，即來自於此。後來我又深入一步，把千年廝磨中最關痛癢的部位選擷出來作系統的個案研究，讓今天的讀者一起去感受中華文化中感人肺腑的輝煌和讓人窒息的陰影，這便是《山居筆記》的寫作。這種陰影在現代有沒有可能消解呢？我反覆思考，覺得中華文化留給現代最深的陰影是複雜的人際關係和由此帶來的處世觀念，因此在《霜冷長河》中逐一進行了探討。我這麼多年的追索並不孤獨，實際上一直在精神上與很多同胞保持著某種同步，那幾本書只不過是觸及了大家都在暗暗關顧的問題，因此引起大家的一點興趣罷了，不然，光靠我個人的文體、文筆，怎麼可能在現今的煩囂中保持那麼龐大的發行量？對此我十分清醒。

近幾年，隨著中國經濟和社會生活的高速發展，試圖對中華文化進行公正評估的人越來越多，但我又覺得要眞正現實公正，還需要一些技術性的方位，例如更全面的考察中華文化與別種文化的交往關係和對比關係。我開始在世界上那些中華文化和別種文化近距離對峙的地方轉悠，一次次發表演講又一次次收集反饋，漸漸感到全球華人都在文化意義上重新尋求自我確認，不管處於中華文化圈的邊緣還是腹地，都有這種需求。

在美國、澳大利亞、馬來西亞、新加坡的華人社區演講時目睹的情景難以言狀，即便在不應太敏感的腹地，對這個問題也敏感起來了。例如今年七月十一日湖南大學所屬的嶽麓書院請我去演講，年輕的院長反覆感謝我在文章中對以朱熹爲代表的儒學教育家給予了公正的評價，這使我回想起幾年前寫作《千年庭院》時的種種艱難，而短短幾年湖南文化界的態度居然發生了翻天覆地的變化。我覺得，今天的公正已不必特別對某一個古人了，而應該對整個中華文化，因此我在演講中回顧了朱熹之後中華文化經歷的滄桑，預測了它下一個世紀在世界上的應有地位。

那天下著大雨，嶽麓書院的聽衆席是露天的，聽講者全都穿著雨衣坐在雨中。我記得，當我講到中華文化爲什麼長期在世界上處於不公正的地位時，多數聽講者爲了聽得更清楚，都把雨帽摘了下來，直接淋在雨中，這時我才看見，很多雨帽遮著的居然是瀟瀟白髮！兩位著名老教授還當場寫詩，走上台來送給我。演講結束後推開嶽麓書院大門，發現門外是大批淋在雨中的青年學生，他們憑著麥克風的依稀餘音聽了半天。我演講很多，但從來沒有像那天那樣難以忘懷，我想主要是因爲我們在古代教育家的遺跡前討論著如何讓中華文化重新獲得公正和尊嚴。

我在嶽麓書院表示，今後要進一步尋找研究的新方位，沒想到這樣的方位很快就落到了眼前。等這次旅行結束，如果身體完好無損，還應到嶽麓書院去一次，作一個彙報。

希臘。

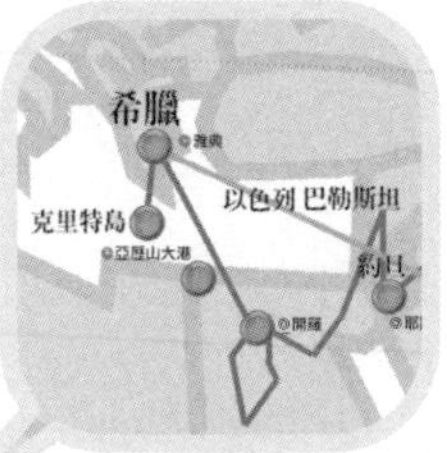

三　哀希臘

一九九九年九月二十九日，希臘雅典，夜宿Herodion旅館

昨夜十時二十分香港起飛，中停曼谷，然後抵達阿拉伯聯合酋長國的迪拜。在迪拜停留四個多小時後換飛機向雅典出發。飛機追著夜色走，只怕被黎明趕上，於是十幾個小時全是黑夜，等到不想飛了，一停，黎明和雅典一起來到。

雅典機場顯得過於狹小和陳舊，尤其是海關和出口處，像一個小城市的汽車站，這與雅典的千古美名差距太大了。也許我們沒有權利取笑它，它輝煌在二千五百年前，而到飛機出現的年代，早已悠然退出爭奪輝煌的競賽。不過，作為一個門戶，機場畢竟也反映了一個國家和城市的盛衰。人們早已習慣了國際間一般的機場格局，突然地讓人感到不習慣，不習慣於一般標準之下，多少包含著一點悲哀。

出了機場仍然不習慣，無法把眼前的一切與希臘聯繫起來。我從前遊歷歐洲總是把希臘讓開，只從羅馬看起，因為希臘這個開頭對我太神聖，不想輕易踏入。它應該是什麼樣的，倒沒有仔細想過，但肯定不應該像眼前那樣平凡得略覺寒傖，既已失去古代的格局，也沒有現代都市的規劃。

得重新找一個開頭，一把抓住希臘文明的魂魄，讓整個旅程快速地昂起頭來。於是當機立斷，不急著找旅館，立即趕到海邊。只有大海，才是希臘文明的搖籃和歸宿，而且歷久不變。我們以前從書本中約略知道，希臘海邊最美的地方叫蘇尼恩（Sounion）海岬，那裡有一個波賽東海神殿（Naos Poseidonos），於是

翻開地圖找去。

看到了愛琴海。水色景象與法國、意大利南部的地中海近似，浩大而不威嚴，溫和而不柔媚，在海邊熱烈的陽光下只須借得幾分雲靄樹蔭，立即涼意爽然。但相比之下，這裡少了很多別墅和白帆，房屋也有一些，都比較簡樸，這倒反而形成一種博大氣象，靜靜地圍護著一個遠古的海。

正是在這種氣象中，一個立著很多潔白石柱的巨大峭壁出現在海邊，這便是海神殿遺跡。白色石柱被岩石一比，被大海一襯，顯得那麼精雅輕盈，但這是公元前五世紀的遺跡，而且大部分已經斷殘，於是精雅輕盈就有了完全相反的負載。外部圖象和內在意蘊上的巨大反差，形成一種驚人的美，既是自然美，又是人文美。

在這些石柱開始屹立的時候，孔子、老子、釋迦牟尼幾乎同時在東方思考，而這裡的海邊則徘徊著埃斯庫羅斯、索福克勒斯、蘇格拉底、希羅多德和柏拉圖。公元前五世紀的世界在整體上還十分荒昧，但如此耀眼的精神星座燦爛於一時，卻使後世人類幾乎永遠地望塵莫及。

石柱群矗立在一個高台上，周圍攔著繩子，遠處有警衛，防止人們越繩而入。我與鳳凰衛視的節日主持人許戈輝小姐在欄繩外轉著圈子抬頭仰望，領略那個偉大時代遺留的光澤。突然，耳邊飄來一位導遊的片言隻語：「石柱上刻有很多人的名字，包括一位著名的英國詩人……」。

「拜倫！」我立即脫口而出。拜倫酷愛希臘文明，不僅到這裡遊歷，而且還在希臘與土耳其打仗的時候

參加過志願隊。我告訴許戈輝，拜倫在長詩《唐璜》中有一節寫一位希臘行吟詩人自彈自唱，悲嘆祖國擁有如此燦爛的文明而終於敗落，十分動人，我還能記得其中一段的大致意思：

祖國啊，此刻你在哪裡？你美妙的詩情，怎麼全然歸於無聲？你高貴的琴弦，怎麼落到了我這樣平庸的流浪者手中？

這眞是詠嘆一種文明敗落的刻骨詩情。拜倫的祖國不是希臘，但他願意把希臘看成自己的文化祖國，因此自己也就成了接過希臘琴弦的流浪者，上面幾句話完全是胸臆直瀉。這樣一位拜倫，一定會到如此壯觀的海神殿來參拜，並鄭重留下自己的名字。猜測引發了好奇，我和戈輝都想偷偷地越過欄繩去尋找，一再回頭，只見警衛已對我們兩人虎視眈眈。

我們一行的隊長郭瀅和編導劉星光看出了我們兩人的意圖，不知用什麼花招引開了警衛，然後一揮手，我和戈輝就鑽進去了。石柱很多，會是哪一柱？我靈機一動，想拜倫刻了名，一定會有很多後人圍著刻，因此只需找那個刻名最密的石柱。這很容易，一眼就可辨別，刻得最密的是右邊第二柱，但這一柱上上下下全是名字，拜倫會在哪裡？我雖然只見過他的半身胸像卻猜測他的身材應該頎長，因此抬頭在高處找，找了兩遍沒找到，剛移目光，猛然看見稍低處正是他手寫體的刻名被密密層層地包圍著。

別人，不管在他之前還是在他之後，都用大寫字母刻著自己的名字，他卻只用端正的手寫體，而且又

刻得那麼低，可以想見他刻寫時的心情。必須把自己的名字簽寫在希臘文明的肌膚上，但即使是遺跡，也必須低頭小寫，如對神明。我只奇怪，爲什麼在他之後大大咧咧地用大寫字母鐫刻自己名字到高處的人，完全沒有領悟他的心情，照理他們大多也是希臘文明的崇拜者。

由拜倫的刻名，我想起了蘇曼殊。這位詩僧把拜倫《唐璜》中寫希臘行吟詩人的那一節，翻譯成爲中國舊體詩，取名爲《哀希臘》，一度在中國影響很大。翻譯的時間好像是一九〇九年，離今年正好九十年，翻譯的地點是日本東京章太炎先生的寓所，章太炎曾爲譯詩潤飾，另一位國學大師黃侃也動過筆。蘇曼殊借著拜倫的聲音哀悼中華文明，有些譯句已充滿激憤，如「我爲希臘羞，我爲希臘哭」；有些譯句則熔鑄了強烈的中國古典情懷，如「獨有海中潮，伴我聲悲嘶，願爲摩天鵠，至死鳴且飛」，幾乎是蘇曼殊、章太炎、黃侃本身在抒發，而這種抒發，實際上也成了辛亥革命的一種情緒準備。

蘇曼殊、章太炎他們都沒有來過希臘，但在本世紀初，他們已知道，中華文明與希臘文明具有歷史的可比性。這在中國是一種超越前人的眼光。我們在世紀末來到這裡，只是他們眼光的一種延續。所不同的是，我們今天已不會像拜倫、蘇曼殊那樣痛心疾首。一種宏大文明的命運，不能完全以它發生地的國家國力來衡量。希臘文明早已奉獻給全人類，以狹隘的政治理念來呼喚它或企盼它，反而降低了它。

不管怎麼說，我們來希臘的第一天就找到了大海，找到了神殿，找到了公元前五世紀，找到了拜倫，並由此而引出了蘇曼殊和中國，已經足夠。這個頭開得很豐滿，可以回城找旅館了。

四　荷馬的邁錫尼

一九九九年九月三十日，希臘伯羅奔尼撒半島，夜宿納夫里亞（Nafpias）的King-Minos旅館

希臘是西方很多學問的源頭。在雅典住下後我一再打量著四周種種景象，心想世間有多少引經據典的高頭講章和書齋玄談，都是憑藉著這兒取得權威性的，而這兒的一切卻那麼樸實無華，沒有任何裝腔作勢的模樣。這裡的路人並不要求我們都去披上柏拉圖式的麻片，這裡的學者並不要求我們按照希羅多德的《歷史》來敘述世事，這裡的警察也不要求我們違避亞理斯多德講過學的街道，這裡的報刊並不作腐酸賣弄，這裡的青年並不端著架子好像是天生的什麼後裔。

回想希臘當初，幾乎所有的學問家都是風塵僕僕的考察者。他們行路，他們發現，他們思考，他們校正，這才構成生氣勃勃的希臘文明。希羅多德（Herodotus）從三十歲開始就長距離地在外漫遊，東到巴比倫，西到西西里，南到盧克索，北到黑海邊，後又長期參與雅典城邦的多種文化活動，這才有後來的《歷史》。

更引起我興趣的是哲學家德謨克利特（Democritus），他一生所走的路線與我們這次考察基本重合，即從希臘出發，到埃及、巴比倫、波斯、印度，而他漫遊的資金是父親留下來的遺產。等他回到希臘，父親的遺產也基本耗盡，當時他所在的城邦對於子女揮霍父輩遺產是要問罪的，據說他在法庭上以自己剛剛完成的學術著作《大世紀》爲自己辯護，終於說服法官，免予處罰。

德謨克利特在法庭上論述自己的旅行考察與自己的學術建樹的關係，一定很精采，可惜無緣讀到，但我們卻記下了他這樣的一段話：

> 在我同輩的人當中，我漫遊了地球的絕大部分，我探索了最遙遠的東西；我看見了最多的土地和國家；我聽見了最多的有學問的人的講演；勾畫幾何圖形並加以證明沒有人超過了我，就是埃及的所謂丈量土地員也未能超越我。

這位偉大哲學家的自述，其實也描述了每個文化興盛期的學者們的群像。我經常想，這些學者如果知道幾千年後將有一些自稱「做學問」的人躲避浩闊的生命歷險，一頭鑽在細微如針尖麥芒般的字裡行間顛來倒去，不知作何感嘆。這種聯想，我在遊歷山東稷下學宮遺址時也曾產生過。

正是出於這樣一個思考背景，我們這次的考察的重點就不是圖書館、研究所、大學、博物館，而是文明遺址的實地，因此經常要離開城市去野外。

希臘文明的中心是雅典，但要深入了解它，先要蕩開一筆，看看它的背景性土壤。那麼，理所當然，先去伯羅奔尼撒半島。這個半島的名字只要稍有世界史知識的人都會知道，因爲雅典城邦衰落於公元前五世紀中後期爆發的伯羅奔尼撒戰爭。伯羅奔尼撒半島地域廣闊、生態落後，其中斯巴達人更是好戰尚武，

政治保守，眞把一個發達、進步、繁榮的雅典給活活拖垮了。

這便是一切文明難以擺脫的悲劇。文明之所以稱爲文明，是與它周際的生態相比較而言的，因此，它注定與野蠻和落後爲鄰。如果兩方面屬於不同的政治勢力，必定時時起戰火；如果兩方面屬於同一個政治範圍，必定天天有內耗。伯羅奔尼撒的斯巴達人與雅典人的角逐，基本上屬於內耗，趕不走、逃不掉，直到相互拉平、兩敗俱傷，才會暫停。

但是，超出一般世界史知識的是，希臘文明的早期搖籃，也在伯羅奔尼撒半島，尤其是其中的邁錫尼（Mycenae）。邁錫尼的繁榮期比希臘早了一千年，它是一種野性十足的尚武文明，卻也默默地滋養了希臘，儘管以後成熟的希臘文明在本質上與邁錫尼文明有根本區別。

人們對邁錫尼的印象，大概都是從荷馬史詩中獲得的吧？那位無法形容的美女海倫，被特洛伊人從邁錫尼搶去，居然引起十年大戰。有一次元老院開會，白髮蒼蒼的元老們覺得爲一個女人打十年仗不值得，沒想到就在這時海倫出現在他們面前，與會者全部驚艷，立即改口，說再打十年也應該。最後，大家知道，邁錫尼人以「木馬計」取得了勝利。但勝利者剛剛凱旋就遭到篡權者的殘酷殺害……，這些情節，原以爲是傳說，卻被十九世紀八十年代一位德國考古學家的發掘所部分證實。

這就一定要去了，不是去重讀史詩，而是實實在在地追溯希臘文明的源流。須知，當時的邁錫尼是如何了得，他們爲了一個海倫與特洛伊人戰鬥，所帶領的是希臘聯軍！

在荒涼的伯羅奔尼撒半島上尋找邁錫尼，不能沒有當地導遊的幫助，找來一位，一問，她的名字也叫

海倫。不過我們的這位海倫年歲已長，身材粗壯，說著讓人困倦的嗡鼻子英語，大口抽著煙。與她搭檔的司機是個壯漢，頭髮稀少，面容深刻，活像蘇格拉底。海倫和蘇格拉底帶我們越過刀切劍割般的科林斯運河進入丘陵延綿的半島，只見綠樹遍野，人煙稀少，偶爾見到一個小村莊，總有幾間樸拙的石頭小屋掛著出租的招牌，但好像沒有什麼生意。

路實在太長了，太陽已經偏西，汽車終於停了，抬頭一看，是一個傍山而築的古劇場。對古劇場我當然有興趣，但一路上我們已見了好幾個，而海倫說，前面還有一個更美的。這使我們提起了警覺，連忙問：「邁錫尼呢，邁錫尼在哪裡？」

海倫搖頭說：「邁錫尼已經過了，那裡一點也不好看。」她居然自作主張改變了我們的路線。後來才知，她接待過不少東方來的旅遊團，到了邁錫尼都不願爬山，只在山腳下看看，覺得沒有意思，她也就悄悄取消了。

我們當然不答應，她只得叫蘇格拉底把汽車調頭，開回去。

邁錫尼遺址是一個三千三百年前的王城，占據了整整一座小石山。遠看只見滿山坡頹敗的城牆，一般遊客以爲已一覽無遺，就不願再攀登了，其實它的第一魅力在於路，而路，也是這座王城作爲戰爭基地的最好驗證。路很隱秘，走近前去才發現，深深驚嘆它那種躲躲藏藏的寬闊。我帶頭沿路登山，走著走著，突然一轉彎，見到一個巨石堆積出來的山門，仰頭一望，巍峨極了。山門的門楣上是兩頭母獅的浮雕，這便是我們以前在很多畫冊中都見到過的獅門。在猝然之間領受千古氣勢，在靜僻之中撞見世間名作，我不

能不停下步來調理呼吸。

山門石框的橫豎之間都有深凹的門臼，地下石材上則有戰車進出的轍印，當門一站，眼前立即出現當年戰雲密布、車馬喧騰的氣氛。進得山門向上一拐，是兩個皇族墓地，經過考古挖掘，現在留下層層疊疊的許多空廓。也就是說，這個王城進門的第一風景就是墳墓，這種格局與中華文明有太大的差別，卻準確地反映了一個窮兵黷武的王朝的榮譽結構。邁錫尼王朝除了對外用兵之外，還熱衷於宮廷謀殺，令人驚訝的是，考古學家在墓廓裡發現的屍體，如用金葉包裹的兩個嬰兒和三具女屍等等，竟能證明荷馬史詩裡的許多殘酷故事並非虛構。一個墳墓牽連著一串故事，盲詩人的歌聲慰撫著無數亡靈。這是荷馬的邁錫尼。

從墓區向上攀登，道路越來越詭秘，繞來繞去都是錯縱的石梯，像是進入了一個立體的盤陀陣，可見當年這裡埋藏了無數防禦機巧，只等進城的敵兵付出沉重的代價。終於到了山頂，那是王宮，現在只留下了平整的基座。眼下山河茫茫，當年的統治者在這裡盤算著攻戰方略。

由於窮兵黷武，邁錫尼王城留下了大量青銅製作的面具和武器，以及多種殉葬器皿。現在除了被博物館收藏，出土的山坡上也展出一部分，這便是考古學意義上的邁錫尼文明。這種文明被戰爭所提煉，因戰爭而規整，而在一場戰爭結束後，又通過大量俘獲的工匠而完成較大規模的交流和融匯。

但是，以戰爭推動工藝文明，畢竟代價太大，得不償失。如果把文明的含義擴而大之，由工藝而上升到人文歷史，那麼，這座山頭就很難令人喜歡。太多的征戰，太多的殺戮，最後連王城也淪落爲一個堡壘。與其他文明遺址相比，一度強悍無比的邁錫尼顯得那麼局促和單調，這眞是一個乾澀無味的悲劇。

邁錫尼文明究竟在哪些方面哺育了希臘文明，這是一個還在討論的學術問題。我想，除了聯合戰爭帶來的生態方式和工藝水平的集聚外，不應忘了荷馬史詩。荷馬從邁錫尼的血腥山頭上採擷了千古歌吟，然後與其他歌吟一起，爲希臘文明作了精神上和文學上的鋪墊。不要以爲在堅硬的青銅頑石前這些歌吟不值一提，其實，只有把邁錫尼進行審美軟化和精神軟化，才有可能出現希臘文明。

世上的古城堡大多屬於戰爭，但其中有百分之一能進入歷史，有千分之一能成爲景觀，有萬分之一能激發詩情。相比之下，詩情最高貴也最難得，因此邁錫尼的最佳歸屬，應該是荷馬，然後經由荷馬，歸屬於希臘文明。

五　閒散第一

一九九九年十月一日，希臘伯羅奔尼撒半島，夜宿納夫里亞（Nafpias）的King-Minos旅館

離開邁錫尼後，本應該直接去奧林匹亞，但路途太遠，需要半路投宿納夫里亞。這是一個海濱小城，十九世紀希臘擺脫土耳其統治後曾一度把它作爲首都。我們的司機蘇格拉底對這座小城的道路不太熟悉，七拐八彎地把車開到了海濱問路，大家齊聲要求下車，因爲眼前的景象十分誘人。

此時的海水沒有波浪，岸邊全是釣魚和閒坐的人，離岸幾百米的水中，有一個小島，島上有一個灰白石壁的古堡，斜陽照得它金光灼灼。因它，回頭看斜陽，發現西邊兩座山上還各有一座古堡，比這座更美。趕緊登山去看，其中一座叫派勒密地（Palamidi），很大，裡邊高高低低地築造著炮台、崗樓、宮室、監獄，這是土耳其統治者建造的，可見當年這裡火藥味很濃，現在卻空無一人。人們留下了它又淡然於它，只在水邊悠閒。

但在當初，像希臘這樣一個文明古國長期被土耳其統治，只要略有文明記憶的人一定都會非常痛苦。這種感覺，比一般的亡國之痛還要強烈，因爲文明早已成爲一種生態的滲透、習慣的遺傳，卻要從細尾末節開始全部拆散，用一種明知低劣的方式徹底替代。統治者也明知自己低劣，便基於自卑心理瘋狂掃蕩文明的一切精雅部位，不願留下一點點。他們不懂得高層文明，特別害怕那「一點點」逐漸蔓延開來，無法對付。爲此許多文明古國在被奴役之後往往比其他被奴役的地方更加荒涼。在這種情況下，保存一點點文

明變得十分艱難而且沒有太大意義，眞正有意義的是保存痛苦。因爲只有痛苦，才能把衰敗的過程延緩，甚至在衰敗之後種下復興的希望。

與埃及、兩河、印度等古文明相比，希臘的好處是在被奴役後較長時間地保持了痛苦。不像有些文明，被奴役後太早結束了痛苦期，即使有機會復原也不知復回何處、復回何型。

這說到底還應歸功於希臘文明本身。希臘悲劇訓練了人們崇高的痛苦意識，而高度的理性精神又使這些痛苦單純明晰、合乎邏輯。相比之下，其他文明即使有痛苦也往往比較零碎具體，缺少力度。

在各大人類古文明中，中華文明是唯一沒有被長期奴役的文明，因此有權利比較客觀地來分析其他文明的痛苦意識。其實中華文明也是有這種意識的，即使僅僅是同一民族的改朝換代，或兄弟民族的問鼎中原，都會勃發出強烈的遺民之痛、興亡之嘆。如果遇到眞正的奴役，會出現什麼情景自可想像。

但是，一般而言，我們的這種意識不如希臘單純明晰，往往交雜繁複、隱晦渾沌，使痛苦縱橫延綿，沒完沒了。毋庸諱言，這與我們的傳統思維方式有關。

在納夫里亞海濱，我又一次體味了希臘的單純明晰。這些城堡曾經給祖先帶來那麼多痛苦，現在既然功能廢棄，猙獰不再，那就讓它成爲景觀，不拆不修，不捧不貶，不驚不咋，也不藉著它們說多少歷史、道多少滄桑，事情已經過去，大家只在海邊釣魚、閒坐、看海。乾淨的痛苦一定會沉澱，沉澱成悠閒。悠閒是痛苦的終結，痛苦是悠閒的代價。

希臘並不富裕，很多地方年久失修，擁擠簡陋，卻也很少見到急切的叫賣和招徠。對物質的追慕，對

他人的防範，他們都看得很輕，閒散之間埋藏著一種無須攀比他人的自重。天底下重要的是獨立個人，這是他們二千五百年前祖先的遺訓。因此他們減少了大量不必要的人際關係痛苦和個人掙扎痛苦，使前面所說的那種有關文明衰落的痛苦更加乾淨，不著污塵。

以前我走遍意大利南北，一直驚嘆意大利人近乎無所追慕的閒散，但中國駐希臘大使楊廣勝先生告訴我：論閒散，在歐洲，意大利只能排到第三。第一是希臘，第二是西班牙。

這是令人羨慕的，只是很多方面仍然使我們不習慣，尤其是他們那種無可言喻的緩慢。在意大利時，經常遇到這種情況：幾個外國人在一個機關窗口排隊等著辦事，而窗口內辦事的先生卻慢悠悠地走過兩條街道喝咖啡去了，周圍沒有人產生異議，就像別的國家某個工作人員臨時要上廁所。在希臘，每次吃飯都等得太久，只能去吃快餐，但連快餐也要等上一個多小時。希臘人想：急什麼？吃完，不也坐著聊天？

他們很信奉那個大家都熟悉的寓言故事：一個人在魚群如梭的海邊釣魚，釣到兩條就可以收竿回家，外國遊客問，爲什麼不多釣幾條，他反問，多釣幾條幹什麼。外國遊客說，多釣可以賣錢，然後買船、買房、開店、投資……「然後呢？」他問。「然後你可以悠閒地曬著太陽在海邊釣魚了。」外國遊客說。

「這我現在已經做到。」他說。

既然走了一圈大循環還是回到原地，希臘人也就不去辛苦了。

然而如果讓我直言，希臘人的這種生活方式也包含著諸多弊病。首先是整個社會失去了精氣神，有很大一部分閒散走向了疲憊、慵懶和木然。這很容易造成精神上的貧血和失重，又難以與現代世界合拍，結

果被現代文明遺落。

閒散是曾經健康的結果，但過分閒散則會損害健康。希臘文明的重要組成部分是奧林匹克精神，但願希臘朋友和我們一起去重新尋訪。

六　永恆的座標

一九九九年十月二日，希臘伯羅奔尼撒半島的奧林匹亞（Olympia），夜宿Europa旅館

終於來到了奧林匹亞。

沒想到這個全人類的體育聖地會有這麼好的風景，在快要到達之時就已經是密樹森森、清溪淺淺，道路、房舍也變得越來越齊整，空氣間洋溢著一種不知來自何處的自然清香。一腳踏入聖地，你一定會猛然停步，因爲被一種陣勢嚇著了：無數蒼老的巨石，不管是當年的樓礎、殿基還是雕塑，全都從千年的頽弛或掩埋中踉蹌走出，整整規規地排列在大道兩旁。就像無數古代老將軍們煙塵滿面地站立著，接受現代人的檢閱。

這條大道看不到盡頭，只知道它通向一個最簡單的終點：爲了人類的健康。

見到了宙斯神殿和希拉神殿，搞清了古代每次運動會前點燃聖火的路線，抬頭仰望昂然雲天的無數石柱，不能不承認，健康是他們的宗教。

走進一個連環拱廊，便到了人類黎明期最重要的競技場。跑道四周的觀衆看台是一個綠草茵茵的環形斜坡，能坐四萬人，只有中間有幾個石座，那是主裁判和貴賓的席位。實在忍不住，我在這條神聖的起點性跑道上跑了整整一圈。許戈輝在一旁起鬨：「余老師跑得不對，古代奧運選手比賽時全都一絲不掛！」

我說：「這要怪你們，當年這裡沒有女觀衆。」

確實，當年有很長時間是不准女性進入賽場的，要看，只能在很遠的地方。據說，進門左側背後的大山坡上，可讓已婚女子觀看，而進門正前方幾乎一公里遠的山頭上，才讓未婚女子遠眺。許戈輝說：「原以為運動場是少女挑選如意郎君的好地方呢！」

聽這裡的人介紹，當年有一個母親化妝成男子進入賽場觀看兒子比賽，兒子獲得冠軍，她一聲驚呼露出女聲，上前擁抱又露出女形。照理應該懲罰，但人們說運動冠軍一半是人一半是神，我們怎麼能懲罰神的母親？此端一開，漸漸女性可以入場觀看比賽了。

漫步在奧林匹亞，我很少說話，領受著不輕的文明衝撞。我們也有燦爛的文化，但把健康的概念如此強烈地納入文明，並被全人類接受，實在是希臘文明值得我們永遠仰望的地方。古代希臘追求人的雙重健康：智力的健康和肢體的健康。智力的健康毋須多言，正如一些西方學者所說，在哲學、倫理學、邏輯學、數學、美學、醫學、法學等等領域，我們至今仍在用希臘的基礎話語在思考；肢體健康更有一系列強大的證明，例如今天全世界還在以奧林匹亞和馬拉松的名義進行體育競賽，希臘的人體雕塑至今仍是人類形體美無可企及的標本。

把智力健康和肢體健康發揮到極致然後再集合在一起，才是他們有關人的完整理想。我不止一次看到出土的古希臘哲學家和賢者的全身雕像，大多是鬚髮茂密，肌肉發達，身上只披一幅布，以別針和腰帶固定，上身有一半袒露，赤著腳，偶爾有鞋，除了憂鬱深思的眼神，其他與運動員沒有太大的差別。

別的文明多多少少也有這兩方面的提倡，但做起來常常顧此失彼，或流於愚勇，或流於酸腐，或追慕

騎士，或仿效寒士，很少構想兩相熔鑄、兩相提升的健全狀態。因此，奧林匹亞是永恆的世界座標。

我歷來認爲各種偉大文明都自成結構，很難拆開了作局部比較，但在奧林匹亞，我明確無誤地感受到了古代中華文明的差距，而這個差距的產生，不是由於局部，而是關及人的整體。中華文明較少關注個體意義和機體意義上的自我，在人際關係上做了太多的文章。結果，眞正的健全缺少標誌，缺少賽場，只有一些孤獨的個人，在林泉之間悄悄強健，又悄悄衰老。

七　全場一片哭聲

一九九九年十月二日，希臘雅典，夜宿Royal Olympic旅館

奧林匹亞讓人很難放下，這麼遠的路回到雅典，還專門找了一個奧林匹亞旅館住下。可惜這家旅館上上下下都與體育無關，讓人喜出望外的是，陽台正對著雅典宙斯神殿遺址，中間沒有任何障礙，就像棲宿在這一遺跡的瞭望台上。房內的設備非常陳舊，但又一塵不染，與對面的古蹟十分協調。

爲了把奧林匹亞的感覺延續下去，我們又到雅典市內的現代奧林匹克運動場看了看。這是現代奧林匹克運動的起點，一八九六年世界第一屆現代奧運會在這裡舉行。運動場呈馬蹄形，就像現在我們常見的體育場切去一端，橫斷面正對大街，十分奇特又十分壯觀。全部觀衆席都用大理石砌造，一百多年居然潔白如新。

這種嶄新的潔白與奧林匹亞的那一片蒼老的潔白遙相呼應，實在讓我動心。二千五百多年前的古代奧運且不去提它，把事情縮小一點，一九九六年奧運會正逢現代奧林匹克運動的一百周年，希臘想，現代世界什麼也輪不上我們，這一百周年的奧運會總該在它的發生地舉行了吧？他們按照亞理斯多德的邏輯算定那一屆的主辦權一定能爭取到，那天晚上就在這個運動場，座無虛席，全帶來了禮花和香檳，準備用希臘語向著千年的聖哲、百年前的先輩高喊一聲。

但是，他們最終聽到的勝利者是美國亞特蘭大，愣了一下，然後全場一片哭聲。

其實豈止全場，那些天整個希臘都在哭泣。從國家領導到民衆都表示，希臘再也不申辦奧運了，這句看似平常的話帶著錐心泣血般的大悲哀，就像一位老母親招不回自己的兒子，宣布要斬斷親情關係。

奇怪的是，這樣的宣布在世界上沒有引起太大的震動。今天的世界多麼現實，誰也不再理會歷史血緣和文化倫理。希臘人感嘆了幾聲「可口可樂打敗了奧運精神」，然後決定放棄以前的宣布，重新召喚離家多年的兒子，調養他被別人打傷的部位。結果，我們知道，希臘申請到了二〇〇四年奧運會的主辦權。又有一個更新更大的奧運體育場在雅典落成，但估計，開幕式還會到這個一百多年前第一屆奧運會的會場來舉行，至於聖火，當然應該在二千五百年前的奧林匹亞點燃。開幕式上的表演，不必花俏，只要狠狠地做足古代的文章，希臘有這個資本。

身邊有人在問：如此樸實的雅典，連五星級賓館都很難找到，能承受得了一次奧運會嗎？我想是可以的，理由是二千五百年前，許多國家還不知道在哪裡，希臘各邦國之間還在交戰，大規模的比賽已經被組織得井井有條，而且各個邦國心照不宣，戰爭爲體育競賽讓路。至今許多比賽規則，在當時已經制定。這種驚世駭俗的早期組織天才，不可能全然泯滅於這個人種、這塊土地。

今天中午，在阿迪庫斯音樂廳（Odeon Irodou Atikou），舉行了鳳凰電視台與雅典電視台的聯歡會。這個音樂廳已經建造了一千八百多年，舞台背景是高聳雲天的石築遺跡，頹殘而又崛強的眞實圖象超過了世界上其他所有的舞台布景。雅尼曾在這裡開過音樂會，中國觀衆在電視上都見到過。聯歡會由許戈輝和一

位希臘著名的音樂節目主持人主持，誰都看到，許戈輝漂亮的英語和機敏愉悅的台風占據了完全的優勢。鳳凰台的領導劉長樂、王紀言先生爲這次聯歡特地從香港趕來，楊廣勝大使又帶來了使館的很多朋友。

上午剛到這個音樂廳時，天上還有淡淡的一彎月影，千年的石壁灰褐斑斑地碰撞著它，一群以石壁爲巢的鴿子，盤旋穿翔。順著鴿子的翅膀，我們見到了高處的巴特農神殿。

八　雅典地震

一九九九年十月二日晚，希臘雅典，夜宿Royal Olympic旅館

還在寫上面這篇日記的時候，雅典又發生了地震，因震級不高，變得有點趣味，不妨一記。

希臘在今年九月七日發生過強烈地震，這是全世界都知道的事。震過之後，星相學家宣布，十月一日至三日仍有地震，政府對這種容易引起混亂的預言有點惱火，於是在報紙上批駁，要大家不要相信。但這種事，要大家完全不信很難，因此都等著這幾天。

前些天我們曾到達芙妮（Dafni）修道院參觀，不准進入，理由是九月七日的地震對它有損壞，正在修理。我們一看圍牆，果眞塌了，現在正在用鐵欄圍住。不甘心空來一趟，我們爬到後山從高處看，一看就難過，因爲所有的修理人員和保衛人員都住在空地的藍色帳篷裡，可見損壞確實不輕。這是一個集羅馬式、拜占庭式和哥特式建築於一體的著名修道院，一九五四年大地震時受過嚴重毀壞，今年又是一次。我們擔心星相學家對十月初的預言的應驗。

今天是十月二日，正是預言中的日子，但一忙，都忘了。許戈輝住在我隔壁，今天的主持使她很勞累，一回來就睡了。晚上八時，我感到寫字台在晃動，站起來發覺地也在動，還沒作出判斷，電話鈴已經響起，是許戈輝：「余老師，地震，逃不逃？」

「逃！」我剛說完，只聽砰的一聲，她已經從屋子裡竄出來，站在走廊上了。

這時的許戈輝與兩個小時前光彩照人的主持人完全是另外一種形象了。她已換了睡衣，衝出來時順手抓起那件淡黃色的工作服裹在身上，只穿一雙襪子，但手裡卻拎著一雙運動鞋。她急速地向我解釋：讀過一本防震知識的書，說地震過後地上有很多碎玻璃，所以要拎一雙鞋。

我問：「那麼我們下樓？」

她說：「我這個模樣怎麼下？」

我說：「那就把衣服穿好吧。」

她說：「鑰匙鎖在裡邊了。」

於是，只好到我房間，打電話給旅館客房部，請他們送鑰匙來開門。

客房部的人員很客氣，在電話裡對許戈輝說：「沒問題，你就到總台來取鑰匙吧！」許戈輝說：「現在地震啊，我下不來。」

「地震？」客房部的人好像根本沒有感覺，但他們答應送鑰匙來。

在等鑰匙的空檔裡，我和許戈輝站到了陽台上，討論起奔逃的方案。這主要是受星相大師的影響，覺得大地震果然來了，剛才只是預震而已。我的方案是：這家旅館總共才五層樓，我們在頂層，陽台又大，站在是陽台上應該沒有問題。

許戈輝說不對，地震塌樓不可能讓我們平衡下降，那是一種錯亂的扭曲，我們得去找建築中的一個牢固的小結構，躲在下面。

但這個「小結構」在哪裡呢?誰也不知道。我們又都聽到過，躲在廁所裡比較好，結構少，又有水。

正說著，一位上了年紀的女服務員拿著鑰匙來了，滿臉笑容，似乎在善意地嘲謔我們：「是啊，地震！」

許戈輝伸頭朝其他陽台一看，又朝樓下的街道望了望，發現整個雅典都不慌不忙，平安無事。她很生氣，說，難道他們眞的沒有感覺？

由此我想，只要不是直接造成傷害，大家所要的安全，其實是安全感，而人的安全感多數是以他人的表情爲依據的。希臘未必給人安全，卻永遠給人安全感，原因是它年歲太大，經歷太多，接受災難的心理彈性超過災難本身。與此相反，如果缺少心理彈性，給我們帶來最大傷害的不是災難本身，而是那種自我驚嚇，就像聽到警報踩死一片人那樣。

因此，在絕大多數情況下，我們寧肯做街道上不慌不忙、好像什麼事也沒有發生的路人，而不必去做那個預言災禍的星相學家。

愚鈍使人安定，小智使人慌亂，大智又使人安定。我們的文化，應該由小智走向大智。希臘人稍稍有這般氣韻，但願不要羼雜愚鈍。

很快有廣播，說剛才的地震不到五級。可見，並不是我們的過度敏感。戈輝還不服氣，說：「唐山地震時我已懂事，與剛才差不多。」

當然，不慌不忙也有限度，因爲人世間畢竟還有眞正的大災難。不久前台灣大地震那個晚上，我正在

台灣上空飛過，還拉起窗簾往下看了一會兒，對腳下的巨大災難完全不知，後來回想竟產生一種罪孽感。

我的諸多台灣朋友們，你們現在還好嗎？

是的，一切都可漠然，卻不能漠然於他人的災難。

九　神殿銘言

一九九九年十月三日，希臘岱爾菲，夜宿Royal Olympic旅館

今天起了個大早，去岱爾菲（Delfe）。那地方在雅典西北方向的一百七十公里，是希臘除奧林匹亞之外的第二個聖地。

在古代一段很長的時間內，希臘各邦國相信，小亞細亞的人相信，連西西里島的人也相信，岱爾菲是世界的中心，而且是世界精神文化的中心。那兒硬是有一塊石頭，被看成是「地球的肚臍」（Omphalos）。

這個在今天並不爲世人熟知的地名，爲什麼會取得如此高的地位？到了那裡就明白了。岱爾菲在山上，背景是更高的山壁，面對科林斯海灣，從氣勢看，在古代必然成爲某種原始宗教的據點。在我們說到過的邁錫尼時代，它是大地女神吉斯（Gis）的奉禮地。公元前十二世紀末，從克里特島傳過來另一位更強大的神靈，那就是大家都知道的太陽神阿波羅。阿波羅英俊而雄健，很快取代了大地女神，岱爾菲也就成了他的聖地。從此以後，周圍很大一片地域的各個執政者凡要決定一件大事，總要到這裡來向阿波羅求討神諭，連一場大戰要不要爆發，也由阿波羅決定。既然阿波羅如此重要，各邦國也就盡力以金、銀、象牙等等珍貴財物來供奉，結果，岱爾菲的財力也一時稱雄。

討神諭的手續是這樣的：在特定的時節，選出一位五十歲左右的女祭司，先到聖泉沐浴，再讓她吸入殿中薰燒的月桂樹的蒸氣，她就能讓阿波羅附身，用韻文寫出神諭。但神諭大多是模稜兩可的，史載，西

亞的里底亞王不知該不該與波斯交戰，來問神諭，神諭說，一旦交戰，一個大帝國將亡。里底亞王大喜，隨即用兵，結果大敗，便來責問祭司，祭司解釋說：「當初神諭所說的大帝國，正是您的國家。」

占卜問事，幾乎是一切古人類群落的共同文化生態方式，我們華夏民族把這一過程清楚地鐫刻在甲骨之中，但像岱爾菲這樣成爲一個歐亞廣闊地區的公用祭壇，千餘年間王公貴族和金錢財寶紛至沓來的情景，在世界上卻絕無僅有。我站在阿波羅神殿的廊柱下，環視多個遠近邦國供奉在這裡的大量藏寶室、雕像和紀念碑，心想眞的別小看了這個地方，多少寫入世界古代史的戰爭、政變、盛典、災禍，都是從這個山頭伸發出來的。不管是否合理，這一切都成了事實。

我想看看「地球的肚臍」，一問，搬到博物館裡去了。趕緊追到博物館，進門就是它，一個不高的石墩，鼓形，上刻方菱形花紋，但這已是公元之後的複製品。又想看看祭司沐浴的聖泉，回答說因被山上落下的碎石堵塞，早已乾涸。

其實，我知道，岱爾菲很早就已走向乾涸，當以人的理性爲旗幟的雅典文明開始發出光芒，它的黯淡已經注定。它的最後湮滅是在羅馬帝國禁止基督教之外的異教時期，但在公元前六世紀至五世紀，不要說世界，即使是希臘的精神文化中心，也已毋庸置疑地移到了雅典。

在岱爾菲也有明顯跡象。就在阿波羅神殿的外側，刻有七位智者的銘言，其中一位叫塔列斯，他的銘言傳遍後世：「人啊，認識你自己！」

這句話看似一般，但刻在神殿上，而且刻在被看作世界精神中心的神殿上，具有明顯的挑戰性質。它至少表明，已經有人對神諭很不信任。

該信任誰呢？照過去的慣例，換一個神，岱爾菲本身就經歷過這種轉換。但這次要換的，居然是人。也不是神化的人，而是人自身。

那麼，這句銘言就成了一個路標，指點著通向雅典的另一種文明。

原先以爲這樣的路標早已成爲世間通用路標，但經過多年觀察才發現，很多文明並沒有從它們的「岱爾菲」走出，占卜神諭在目前世界上的廣大地區仍未過時，有些還是偉大文明的發祥地。這些偉大文明沒有找到自己的「雅典」。

這麼說來，岱爾菲應該是一個不值得關顧的遺跡了，但我走在它的山間，沒有這種感覺。它把希臘文明之前的人類精神需求極大地集中並耗散了，然後退休在應該退休的時刻，絕不拖泥帶水，這種神貌，令人尊敬。何況它在尚未退休之時，安置了一個背叛性的路標，笑咪咪地把後代引上了一條更好的路程。

直到今天，幾千年過去，那句銘言還是震聾發聵：「人啊，認識你自己！」

全世界都會記得，這句銘言來自岱爾菲。

可惜，今天不巧，這些銘言刻石全都搬到了工場清理去了，我沒能看到。回到雅典後，滿心惆悵地與使館的尹亞利先生說起此事，他說前些年中國社會科學院的一位哲學家也來找過。我說那一定是葉秀山先生，我讀過他論述「前蘇格拉底哲學」的深厚論著，估計他會找去。

一〇 畏怯巴特農

一九九九年十月四日，希臘雅典，夜宿Royal Olympic旅館

奧林匹亞和岱爾菲列爲希臘最重要的聖地，我猜想一切略知希臘的人都會提出質疑：「那麼，巴特農神殿呢？」

是啊，一個國家歷史太悠久，排列各個遺址的座次就成了一個大難題，這在我們中國也經常遇到。巴特農神殿的重要性在於：全世界介紹希臘的圖片，如果只有一幅，那一定是它；如果有一本，那封面也必然是它。至少在形態上，它是希臘文明的第一象徵。

這些天來，我們不管是早上出發還是晚上回來，都能看到它，屹立在市中心的阿克洛波里斯（Akropolis）山丘上，被旭日托著，被夕陽染著，被月亮星星伴著，但我們總不敢上去，想把它留後，這裡存在著一種審美上的畏怯。

審美畏怯是一種奇特的心緒，大多產生於將見未見那些從小知名的重要物象之時。年輕時會歡天喜地直奔而去，年長後便懂得人世間這樣的重要物象並不很多，看一個少一個，因此愈加珍惜起來。不怕沒看到，只怕看到時沒有足夠的精神準備，把一種隆重的機遇浪費了。

今天終於去了。我對陪我上山的《北京青年報》記者于大公先生說，我到過世界上很多地方，但讓我一看到就倒吸一口冷氣傻然不動的文化遺跡並不很多，意大利、梵蒂崗、法國有幾個，這裡也是一個。

請設想一個，一個國家首都的市中心居然有一個陡峭的山丘，山丘頂部是一個寬大的神殿，除了山丘下面有一些綠樹，整個山丘與神殿全部都是象牙色，此外再也沒有一絲雜色；神殿只以粗壯挺拔的石柱作長方形環繞，抬頭仰望，一柱柱直入蒼穹，蒼穹間，白雲雪亮；石柱殘跡斑剝，還斷了一些，但骨架未散，有形有款地把神殿支撐了二千五百多年，到今天竟然沒有一絲衰態，這是一幅什麼景象？

巴特農神殿的魅力，在於神話，在於歷史，還是在於建築技術？我認爲，首先在於無與倫比的造型美。單色何以變成了華麗？方正何以變成了豐美？斷殘何以變成了寧靜？正是這些問號，組成了它的魅力。

從神殿正面的懸崖口我彎腰俯視，不禁大吃一驚，原來下面正是狄奧尼索斯劇場（Theatron Dionyssou）的廢墟，我一眼就能認出來是它。二十年前研究和講授世界戲劇史，總是從它開始，曾反覆地看過它的照片，又無數次地想像過它。這個劇場建於公元前六世紀，開始上演的是祭神歌舞，到公元前五世紀初，埃斯庫羅斯（Aischylos）動用了「第二個演員」，使舞台上有了對峙性的情節，又讓合唱隊退到台外，戲劇眞正產生。後來又出現了更傑出的悲劇作家索福克勒斯（Sophocles），與埃斯庫羅斯一起在這裡接受雅典市民的評選。

我當年在講授這段歷史的時候，就已經意識到必須了解雅典城內這番戲劇活動的更宏大背景，因此終於離開戲劇領域去鑽研人類的思想文化史了。今天到這裡一看，如見故人，而且還發現，這位故人居然正

好站在巴特農神殿腳下，是「天上」、「人間」的中間部位，因而更明確地領悟，戲劇藝術在希臘人心中，是天上人間的渡橋，神人之間的紐帶。

如果要對這段歷史作一個中國化的提醒，那麼，埃斯庫羅斯與孔子是同時代人，比孔子小二十幾歲。

當我背靠巴特農神殿俯視狄奧尼索斯劇場時，突然想到應該給妻子打一個電話。她一直嚮往巴特農神殿，卻也不會知道產生人類戲劇的第一個劇場就在神殿腳下。手機的聲音很清晰，她已經睡了，一聽巴特農神殿立即清醒。她因演出合同在身，不能到希臘來與我一起考察，卻可以趕到埃及，然後一起去尋訪西奈沙漠和耶路撒冷。

十一　我一定復活

一九九九年十月五日，希臘雅典，夜宿Royal Olympic旅館

早晨起來，在陽台上坐坐，想讀幾份昨天在巴特農神殿門口得到的英文資料。不想剛坐下又站起身來，原來發現巴特農神殿就在我的左前方山頂。每天早出晚歸地忙碌，只是偶爾掃一眼正前方的雅典宙斯神殿石柱，竟然沒有看到更顯目的巴特農！

我重新坐下，久久地抬頭仰望著它。

它祀奉的是雅典城的守護神雅典娜，希臘文明逐步走向繁榮的過程，是在它的庇佑下一步步完成的。它在波希戰爭中遭受過破壞，又重修於雅典的黃金時代，不知有多少稀世天才，關注過它的命運。

但是，當希臘文明的黃金時代過去之後，它還在。這是一切遺跡的大幸還是大不幸？伴隨過自己的輝煌已一去不復返，自己只能帶著悲愴的記憶竦立於衰草殘陽。它太氣派、太美麗，後世的權勢者們一個也放不過它，不會讓它安靜自處。

羅馬帝國時代，它成了基督教堂；土耳其占領時期，它又成了回教堂；在十七世紀威尼斯軍和土耳其軍的戰爭中，它又成了土耳其軍的火藥庫，火藥庫曾經爆炸，而威尼斯軍又把它作爲一個敵方據點進行猛烈炮轟。在一片眞正的廢墟中，十九世紀初年，英國駐土耳其大使又把遺留的巴特農神殿精華部分的雕刻作品運到英國，至今存放在大英博物館。

難怪世界上那麼多古代文明都一一在外部摧殘中湮滅了，你看它只因爲用了大理石材料，很難毀損，結果承受了多少屈辱！摧殘來自野蠻，也來自其他試圖強加別人的文明。因此巴特農，既是文明延續的象徵，也是文明受辱的象徵。

受盡屈辱的老祖母更受後輩尊敬。本世紀中期，第二次世界大戰臨近結束的那幾天，德國法西斯還在統治著希臘，有兩個希臘青年，徒手攀登巴特農神殿東端的垂直峭壁，升起了一面希臘國旗。這事很爲巴特農神殿爭光，那兩個青年當即被捕，幾天後德國投降，他們成了英雄。今天，這面希臘國旗還在那裡飄著，一面兒孫們獻給老祖母的旗。

記得昨天傍晚我們離開巴特農神殿很晚，已經到了關門的時分，工作人員輪番用希臘語、英語和日語催我們離開；我們假裝聽不懂，依然如飢似渴地到處瞻望著，這倒是把這些工作人員感動了。他們突然想起，眼前可能就是當地報紙上反覆報導過的那隊中國人？於是反倒是他們停下來看我們了。這些工作人員大多是年輕姑娘，標準的希臘美女，千年神殿由她們在衛護，蒼老的柱石襯托著她們輕盈的身影。她們在山坡上施然而行，除了衣服，一切都像二千年前的女祭司。

當我們終於不得不離開時，門口有人發給我們幾份資料，當時未及細看，現在拿起來一讀，眼睛就離不開了。原來，一個組織、幾位教授，在向全世界的遊客呼籲，把巴特農神殿的精華雕刻從倫敦的大英博物館請回來。理由寫得很強硬：

一、這些文物有自己的共同姓名，叫巴特農，而巴特農在雅典，不在倫敦；
一、這些文物只有回到雅典，才能找到自己天生的方位，構成前後左右的完整；
三、巴特農是希臘文明的最高象徵，也是聯合國評選的人類文化遺產，英國可以不爲希臘負責，卻也要對人類文化遺產的完整性負責……

眞是義正辭嚴，令人動容，特別是對我這樣的中國人。

突然想起，很多年前我曾寫了一篇文章表達自己對斯坦因等人取走敦煌文物的不甘心，說很想早生多少年到沙漠上攔住他們的車隊，與他們辯論一番。沒想到這種想法受到很多年輕評論家的訕笑，有一位評論家說：「你辯得過人家博學的斯坦因嗎？還是識相一點趁早放行。」我對別人的各種嘲弄都不會生氣，但這次是眞正難過了，因爲事情已不是對我個人。看到希臘向英國索要巴特農文物的這份材料，我也想仿效著回答國內那些年輕的評論家幾條：

一、那些文物都以敦煌命名，敦煌不在巴黎、倫敦，而在中國，不要說中國學者，哪怕是中國農民也有權利攔住車隊辯論幾句；
二、我們也許缺少水平，但敦煌經文上寫的是中文，斯坦因完全不懂中文，難道他更具有讀解能力？

三、在敦煌藏經洞發現的同時，中國還發現了甲骨文。從甲骨文考證出一個清晰的商代，是由中國學人合力完成的，並沒有去請教斯坦因。所以中國人在當時也具備了研究敦煌的水平。

我這樣說，並不是出於狹隘民族主義來貶斥一切來華的外國考古學家，但實在無法理解在事情發生一個世紀之後我們這些年輕評論家的內心。他們也許以為自己已經獲得了純西方化的立場，但是且慢，連西方文明的搖籃希臘也不同意。

你看這份呼籲索回巴特農文物的資料還引述了希臘一位已故文化部長的話：

我希望巴特農文物能在我死之前回到希臘，如果在我死後回來，我一定復活。

這種令人鼻酸的聲音，包含著一個文明古國最後的尊嚴。這位文化部長是位女士，叫曼考麗（Melina Mercouri）。發資料的組織把這段話寫進了致英國首相布萊爾的公開信。

十二 伏羲睡了

一九九九年十月六日，希臘雅典，夜宿Royal Olympic旅館

從鬧市一拐，立即進入一條樹蔭濃密的小街，才幾十步之遙就安靜得天老地荒，真讓人驚奇。在世界許多城市，熱鬧是本體，安靜只是附加；在雅典，安靜是本體，熱鬧是附加。

我去訪問雅典人文學院的比較哲學博士柏內塔杜（M. Benetatou）女士，一進門就約好，她講希臘語，我講漢語，由尹亞力先生翻譯，用兩種古老的語言對話，不再動用第三種語言。

她現在主要在研究和講授易經、孔子、老子、莊子，我問她何時何地開始學習中國古代哲學的，她說是十幾年前，在意大利。學的是東方哲學，從印度起步，落腳於中國，這是多數同行的慣例。

她曾到北京大學做過四個月的訪問學者，四個月當然還學不了什麼漢語，但她立足於希臘古典哲學，對中國哲學反而有一種旁觀者的清醒眼光。她認爲希臘哲學的研究重心是知識，中國哲學的研究重心是人生，一開始研習，怎麼也對不上口徑。等時間長了，慢慢發現，先秦智者中更符合國際哲學高度的是老子，他有本體論的內核，而其他則比較具體和狹窄。

我感興趣的是，希臘有多少人研究中國哲學，她說極少。我說中國研究希臘哲學的人卻很多，蘇格拉底、柏拉圖、亞理斯多德的名字和學說在知識界是常識。她說那是因爲希臘哲學已成爲整個西方哲學的基礎，而中國哲學還是內向的。

我問她，在她的希臘學生中，對中國哲學感興趣的多不多？她說越來越多，但又越來越趨向實用，學周易爲了看風水，學道家爲了練氣功。

我說在中國也向來如此，興盛的是術，寂寞的是道，因此就出現了學者的責任。但是弘道的學者也永遠是少數，歷來正是由少數人維持著上層文明。她深表贊同，給我遞過來一杯雞尾酒。

她以希臘的立場熱愛中國與中國文化，認爲這是「同齡人的愛，再老也理所當然。」書架上有很大一部分是有關中國的書，英文居多，也有中文。還有一些瓷器，瓶底上都標明是明代或清代的，但她說一定是假的，只是保存一種與中國有關的紀念品。其實，依我的目光，她那個標明萬曆年間出品，寫有《岳陽樓記》全文的瓷瓶，倒大半是眞品，因此勸她不要隨手送掉。她的書架上還供奉著幾片從北京天壇、地壇撿的碎琉璃瓦，侍候得像國寶。

「眞是撿的？」我問。

「眞是撿的。」她回答得很誠懇。

讓我一時難於接受的是，她養著兩隻小龜，一雌一雄，雌的一隻居然取名「女媧」，雄的一隻取名「伏羲」。她說自己特別喜歡它們，因此賜予最尊貴的名字。她把女媧小心翼翼地托在手掌上，愛憐萬分地給我看，又認眞地向我道歉：伏羲睡了。

問她女媧和伏羲是不是一對，她說：它們還小，等長大了由它們自己決定。現在讓它們分開住，女媧住在貯藏室，伏羲則棲身臥室的床底下，男女授受不親，儒家的規矩。

不管怎麼說，在這巴爾幹半島的南端，在蘇格拉底和柏拉圖留下過腳印的地方，每天都會響起無數次甜蜜呼喚女媧和伏羲的聲音，雖然在我聽起來實在有點不對勁。

十三　人類還非常無知

一九九九年十月七日，希臘克里特島伊雷克利翁市（Iraklion），夜宿Agapi Beach旅館

清晨四點半起床，趕早班飛機，去克里特島。

克里特島孤懸希臘南部海面，是希臘第一大島，我們去追索希臘文明更早的起點。在探訪邁錫尼時已經約略知道，那裡曾經是克里特文明開始傳播到希臘大陸的中介，那麼我們何妨順著中介回溯，去尋找真正的源頭？

這些天一直睡得太少，今天又起得那麼早，一上飛機大家都睡著了。我曾在朦朧中感到眼前一片紅光，勉強睜眼，卻從飛機的窗口看到了愛琴海壯麗的日出。還是睏，迷迷糊糊下了飛機，又上了汽車，過一會兒說是到了，下車幾步才清醒：我們站在一個千門百戶、層樓交疊的古代宮殿遺址前面。

這個巨大的宮殿多數房子有四層，有兩層埋於地下，現在挖掘之後，猛一看恰似現代豪華的軍事防空系統。但是，誰能相信，這個宮殿至遲建成於公元前十八世紀，距離今天已經整整三千七百多年！它湮滅於公元前十五世紀，也已有三千五百年。發現於本世紀的第一年，一九〇〇年，發現者是英國考古學家伊凡斯（Sir Arthur Evans），他的半身雕像，就樹立在宮殿門口。

說希臘的事，在時間上要用大概念，例如經常把公元前五世紀當作一個中點，害得我們這些天來已經奢侈地不願理會公元後的文化遺跡，但一到克里特島，時間概念還要狠狠地往前推，從公元前三十世紀說

起，然後再一步步下伸到它的黃金時代，即公元前十八世紀至十五世紀，當時統稱爲米諾斯（Minos）王朝，米諾斯是統治者的頭銜。米諾斯的所在地，叫克諾撒斯（Knossos），因此也叫克諾撒斯宮殿。

置身於這個宮殿中，我們這一幫人不斷地你拉我扯，互相告知發現了何等驚人的東西。科學的排水系統直到今天仍有不少城市建築學家前來觀摩；粗細相嵌的陶製水管據說與本世紀瑞士申請的一項設計專利沒有多少差別；單人浴缸的形態，即使放在今天雅典的潔具商店裡也不算過時；而細細勘察，當時有些浴缸裡用的還是牛奶。廁所的沖水設備、窗子的通風循環結構，都讓人嘆爲觀止。讓我更感興趣的是，皇帝、皇后的住所緊靠，共同面對一個大廳，大廳有不同的樓梯進入他們各自的臥室，而大廳一側，則又有他們各自獨立的衛生間，皇后的衛生間裡還附有化妝室。

與邁錫尼王宮相比，這裡的宮廷建築缺少戰爭攻守意識，儘管據歷史記載，米諾斯王朝已擁有規模不少的武裝船隊，但宮廷裡卻是一片富足與精緻，極其講究生活品味。這種品味不僅沒有發揚於邁錫尼，連很晚的雅典黃金時代也未必能望其項背。從出土的文物看，這裡受埃及影響很大，也有一些小亞細亞的風格，這是可以理解的，所處的地理位置使它成了古代歐、亞、非三大洲交流的聚散點。就歐洲而言，它是最早的發祥地，是後世歐洲各種文明的共同祖先。

但是，嚴重的問題出來了——

這些人是誰？什麼人種？來自何方？顯然遠不止是土著，那麼，大部分是來自於埃及，還是亞洲，或是希臘本土？考古學家伊凡斯發現了一大堆被稱之爲「線形文字A」的資料，估計能解答這個問題，但這

種文字一百年來至今未能破讀。

另一個更嚴重的問題是：這麼一個顯赫的王朝，這麼一種成熟的文明，爲什麼在公元前十五世紀突然湮滅？美國學者認爲是由於島北一百多公里處的桑托林火山爆發，火山灰六十多米厚，又引發海嘯，海浪五十餘米高，徹底毀滅了克里特島。但另一些考古學家卻發現，在火山爆發前，克里特島已遭浩劫。至於何種浩劫，意見也有不同，有的說是內亂，有的說是外敵。我本人傾向於火山爆發一說，理由之一是它湮滅得過於徹底，不像是戰爭原因；理由之二是我們看到的宮殿有一半在地下，掩埋它的應該是火山灰。

總之，歐洲文明好不容易找到了自己的源頭，但這個源頭因何而來，由何而去，都不清楚。由此應該明白，人類其實還非常無知，連自己偉大文明的關鍵部位也完全茫然。

希臘應該慶幸有一個克里特島，它以一個巨大的未知背景讓希臘文明永久地具有了探索色彩。未知和無知並不是愚昧，眞正的愚昧是對未知和無知的否認。希羅多德對於歷史事件的態度是：「我有紀錄的責任，卻沒有相信的義務。」這便是一種希臘式的高貴。如果全然相信前人的紀錄，而且還要強迫他人相信，那就把霸道和愚昧連在一起了，成爲最庸俗的文化災難。

十四　掛過黑帆的大海

一九九九年十月八日，上午在克里特島，下午飛回雅典，夜飛埃及

從昨天晚上到今天早晨，我曾一再來到海灘，脫下鞋襪，捲起褲腿，下到水裡，讓雙腳在海浪的沖激下去觸撫克里特島的邊緣。

海浪很涼，很快就把褲子打濕了。我還是站在那裡，很久很久，想把這個島體驗得更眞實一點，否則總有一種神話般的虛幻感。荷馬史詩《奧德賽》有記，克里特島是一個被酒綠色的大海包圍的最富裕的地方，但按荷馬的年代，他也是在轉述一種遙遠的傳聞。當荷馬也當作傳聞的東西突然清晰地出現在自己眼前，我暈眩了。

昨天在克諾撒斯探訪宮殿的時候，我一個人在遺址反覆徘徊，同去的朋友也同樣覺得事情過於神奇，散在各個角落裡出神，結果引起我們臨時請來的一位導遊的強烈不滿。這位叫曼倫娜的中年女子對著我大聲嚷嚷：「你們怎麼啦，一個也不過來？我會給你們講每一個房間的故事。我是這裡最好的導遊，你看我的同事，每一個都帶著一大隊人在講解，而你們一個人也不聽我，眞讓我害羞！」

我說：「曼倫娜，我們都有點興奮，需要想一想。你先休息一會兒，有什麼問題再問你，好嗎？」

「你們沒聽我講解就興奮？」曼倫娜不解。

我在徘徊時想得最多的是那個有關迷宮的故事，因爲我眼前的一切太像一座大迷宮。

故事說，當初這個米諾斯宮殿裡關了一個半人半牛的怪物，每年要雅典送去七對少男少女作爲犧牲供奉。有個叫希薩斯（Theseus）的青年下決心要廢除這個惡習，與父親商量要混跡於少男少女之中上克里特島尋隙把怪物制服。這件事情凶多吉少，父親約定，他會在海崖上時時眺望，如果有一條撐著白帆的小船出現在海面，證明事情已經成功；如果順潮漂來的小船上掛的是黑帆，那就說明兒子已經死亡。

兒子在米諾斯宮殿裡制服了怪物，但走不出迷宮一般的道路，而米諾斯王的女兒卻看上了他，幫他出逃。誰料這對戀人漂流在大海的半途中，公主突然病亡，這位青年悲痛欲絕，忘了把船上的黑帆改掛白帆。天天站在崖石上擔驚受怕的父親一見黑帆只知大事不好，立即跳海自盡，而這位父親的名字就叫愛琴。愛琴海的名字，難道來自這麼一個英雄而又悲哀的故事？如果是，那麼，愛琴老人用滔滔海水對克里特島傾洩一下心底的鬱悶也是符合情節邏輯的。今天我踩踏的，正是這個掛過黑帆的大海。

傳說故事不可深信，但我在米諾斯王宮的壁畫上確實見到了少男少女與牛搏鬥的畫面。我和許戈輝不約而同把這幅畫臨摹到了筆記本上。

眞正需要認眞對待的是另一個宏大的傳說，這個傳說早已引起歷代科學家的高度重視，那就是我在《山居筆記》中提到過的亞特蘭大（Atlantic），即大西洲。說在一萬多年前，歐洲和非洲之間的大西洋上還有一片遼闊的大陸，富庶發達，勢蓋天下，卻突然在一次巨大的地震和海嘯中沉沒海底，不見踪影。大西洲失落之謎代代有人研究，其中有一種意見認爲：克里特島就是大西洲的殘餘部分。

要眞是如此，那麼，克里特島上出現早熟的文明也就順理成章了，它雖然沒有沉沒，但在三千五百年

前的遭遇，也有點近似萬年前母體的命運。

文明在自然暴力面前，往往不堪一擊。但它總有餘緒，今天的世界，就是憑著幾絲餘緒發展起來的。

大西洲淼不可尋，能確知的是克里特文明受到過埃及文明的重大影響。那麼，讓我們繼續回溯。

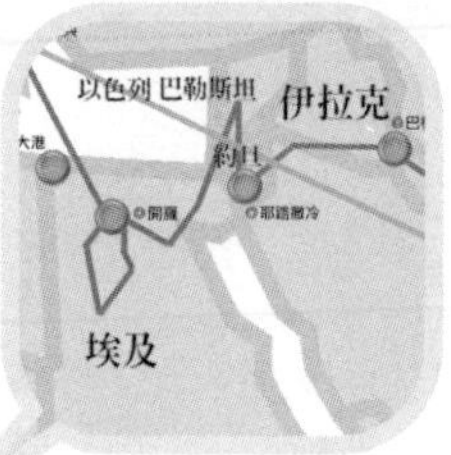

埃及。

十五　巨大的問號

一九九九年十月九日上午，埃及開羅，夜宿Les 3 Pyramides旅館

昨天深夜抵達開羅。在羅馬時代，這條路線坐船需花幾個月時間，很多載入史冊的大恩怨和大征戰在此間發生，例如「埃及艷后」克里奧佩屈拉和羅馬將軍安東尼就在這個茫茫水域間生死仇戀、引頸盼望，被後人稱爲古代西方歷史上最偉大的愛情。

但是，就埃及而言，克里奧佩屈拉還年輕得不值一提。我們爲尋找希臘文化的源頭而來，在法老面前，連那些長髯飄飄的希臘哲人全都成了毛孩子。從希臘跨越到埃及，也就是把我們的考察重心從二千五百年前回溯到四千七百年前，相當於從中國的東周列國一下子推到傳說中的黃帝時代。

開羅機場比雅典機場大得多了，但也看見到了雅典機場所沒有的雜亂。我們所帶的行李和設備需要全部打開檢查，這麼多東西攤了一長溜。偷看不遠處，一個胖胖的服裝小商人在接受檢查，幾百件各種衣服攤了一個滿地，全是皺巴巴的低劣品，檢查人員居然在每件衣服的每個口袋裡摸捏，至少已經摸捏了二、三個小時了吧，但旁邊還有一個大包剛剛被扯開。開始我以爲在查毒，但查毒的狼狗遠遠蹲在另外一個角落，沒有過來。

許戈輝一遍又一遍地到那裡徜徉，臉色似乎平靜，但眼中已露出強烈的煩躁。我說：「戈輝，我看出

來了，如果我們的行李也被這樣糟踐，你沒準會一頭撞過去咬他們的手。」她大爲驚訝，問：「咦，怎麼被你看出來了？」

幸好沒有發生讓許戈輝撞頭的事，埃及海關得知是中國人，揮揮手就放行了。剛過關，我們的五輛吉普車就迎了上來，從此它們的車輪將帶著我們去丈量幾個文明故地間的距離。找旅館住下，埃及的旅館一進去就碰到安全檢查門，旁邊站著警察；車裡也鑽進來一個帶槍的警察，我們一下車他就緊緊跟隨，一下子把氣氛搞得相當緊張。旅館號稱四星級，實際上相當於一個小招待所，我房裡沒地方寫作，衛生間的洗澡設備也不能用。被告知街上的飲食千萬不可隨意吃，但旅館的飲食也很難入口。凡肉類都炸成極硬的焦黑色，只能吃一種被我們稱作「埃食」的麵餅充饑。旅館所在的大片街區都相當落後，放眼沒見到一幢好房子，路上擁擠而骯髒，商店賣的基本上都是廉價品。後來發現整個開羅老城區基本都是如此，新城區要好得多，特別是尼羅河邊的那一段相當講究。但是，落後的老城區實在太大了。

這一切，都出乎我的意料之外。實在沒有想到大名鼎鼎的開羅城竟這麼破舊而讓人不安。雅典已經夠讓人失望的了，但到了開羅，雅典就成了一個讓人想念的文明世界，那裡的小街上畢竟有很多可愛的商店和食鋪，隨意逛逛也沒有安全上的擔憂。許戈輝在雅典時稍有空閒就拽著我們去逛街，一到開羅，只要不外出拍攝就緊關著房門睡大覺。

其實豈止許戈輝，我們大伙在車上看了幾圈就心裡明白，到這裡唯一可去的只有古跡了。那倒也省心，今天一早就直奔主題，去金字塔。

到金字塔去的那條路修得還不錯。走著走著，當腳下出現一片黃沙，身邊出現幾頭駱駝，抬頭一看，它們已在眼前。

大的有三座，小的若干座，還有那尊人面獅身的斯芬克斯雕像。所有這一切全都是純淨的褐黃色，只有日光雲影勾劃出一層層明暗韻律。本來，這樣的環境和造型很容易讓人覺得單調、荒涼和苦澀，但居然都沒有，把人類的感覺慣性推出了常軌。

受到更大挑戰的是知識的常軌。我站在最大的那座胡夫金字塔前恭敬仰望著，心中疑問成堆。考古學家斷定它建造於四千七百多年前，按照簡單的勞動量計算，光這一座，就需要十萬工匠建造二十年。但這種計算是一種笨方法，根本還沒有考慮一系列無法逾越的難題，例如，這些巨大的石塊靠什麼工具運來，又如何搬上去的？十萬工匠二十年的開支，需要有多大的國力支撐，而這樣的國力在當時的經濟水平下又需要多大的人口基數來鋪墊，那麼，當時埃及的總人口是多少？地球的總人口是多少？

更嚴重的是，如此貌似粗糙的活，又必須有金銀首飾匠般的細緻，因爲至今石方之間還找不到能劃進一個薄刀片的縫隙，而且各種數據又與大量天文數據吻合得不差分毫，這究竟是怎麼回事？

直到本世紀，很多國際間著名的工程師經過反覆測量、思考、徘徊，斷定這樣的工程技術水平即使放到二十世紀，調動一切最先進的器械參與，也會遇到一大堆驚人的困難。那麼，四、五千年前的埃及人何以達到這個水平？而據一些地質學家斷言，這個金字塔的年齡還要增加一倍，可能建造在一萬年前！

我們現在經常引用的有關金字塔建造情景的描寫，是古希臘歷史學家希羅多德考察埃及時的記述。這

乍一看似乎具有權威性，但仔細一想，希羅多德來埃及考察是公元前五世紀的事，按最保守的估計，他看到的金字塔也已經建成一千二百多年，就像我們今天在記述唐代。唐代留下了大量資料，而金字塔的資料至少希羅多德沒有發現，因此他的推斷也只是一種遙遠的猜測。對於眞正的建造目的、建造過程、建造方式，我們全然一無所知。

不是說是法老墓嗎？但在這最大的金字塔裡，又有誰見過法老遺體的木乃伊？而且，一次次挖洞進去，又有多少有關陵墓的證據？仍然只是猜測而已。

站在金字塔前，所有的人都面對著一連串巨大的問號。

不要草率地把問號刪去，急急地換上讚美的感嘆號或判斷的句號。人類文明史還遠遠沒到可以爽然讀解的時候，其中，疑問最多的是埃及文明。我們現在可以翻來覆去講述的話語，其實都是近一個多世紀考古學家們在廢墟間爬剔的結果，與早已毀滅和尚未爬剔出來的部分比，只是冰山一角。

在金字塔面前，聯想到我們經常聽見的那些自以爲把人類歷史「整」明白了而到處指手劃腳的聲音，多少有點可笑。當年拿破侖如何氣焰熏天，但當自己的軍隊抵達金字塔的時候，也突然感受到自己的渺小。

十六　石築的《易經》

一九九九年十月九日下午，埃及開羅，夜宿Les 3 Pyramides旅館

還是金字塔。

由於沒有充分的證據肯定這幾座最大的金字塔是法老的墓，現代有不少學者根據金字塔所包含的各種建造數據與天體運行規則的對應性、預見性，斷言這是古人對後人的一種智能遺囑。這用我的話來說就是，它們就像用巨石築建的《易經》，後人讀得懂就讀，讀不懂就獨處一隅，等待著更遙遠的後人。

這種思路很有趣味，如果有可能，那麼金字塔就屬於「另類文明」。其實，不說建造目的，光看那種無法企及的建造手段，也已關及「另類文明」。我本人並不傾心一度相當流行的所謂金字塔是外星人所造的說法，比較主張它們出於我們並不清楚的一種也屬於人類自身的文明。

當一切不可能已經變成事實矗立在眼前，那麼不妨說，金字塔對於我們長久津津樂道的文史常識有一種局部的顛覆能量，至少指點我們對文明奧義的解讀應該多幾種語法，而不能僅止於在一種語法下詞彙的增加。

本來也許能解讀一部分，可惜歐洲人做了兩件不可饒恕的壞事。第一件是，公元前四十七年，凱撒攻占埃及時將亞歷山大城圖書館的七十萬圖書付之一炬，包括那部有名的《埃及史》；第二件事更壞，四百多年之後，公元三九〇年，羅馬皇帝禁異教，驅散了唯一能讀古代文字的埃及祭司階層，結果所有的古

籍、古碑很快就沒有人能解讀了。

如果說第一件事近似秦始皇焚書，那麼第二件事正恰與秦始皇相反，因爲秦始皇統一了中國文字，相當於建立了一種覆蓋神州大地的「通碼」，古代歷史不再因無人解讀而局部湮滅。須知，最大的湮滅不是書籍的亡佚，而是失去對其文字的解讀能力。

在這裡我至少看到了埃及文明中斷、中華文明延續的一個技術性原因。初一看文字只是工具，但中國這麼大，組成這麼複雜，各個方言系統這麼強悍，地域觀念、族群觀念、門閥觀念這麼濃烈，連農具、器用、口音、飲食都統一不了，要統一文字又是何等艱難！在其他文明故地，近代考古學家遇到最大的麻煩就是古代文字的識別，常常是花費幾十年才猜出幾個，有的到今天還基本上無法讀通，但這種情況在中國沒有發生，就連甲骨文也很快被釋讀通了。我想，所謂文明的斷殘首先不是古代城廓的廢弛，而是一大片一大片黑黝黝的古文字完全不知何意。爲此，站在尼羅河邊，對秦始皇都有點想念。

當法老們把自己的遺體做成木乃伊的時候，埃及的歷史也成了木乃伊，而秦始皇卻讓中國歷史活了下來。我們現在讀幾千年的古書，就像讀朋友剛剛寄來的信件，這是其他幾種文明都不敢想像的。

站在金字塔前，我對埃及文化的最大感慨是：我只知道它如何衰落，卻不知道它如何構建；我只知道它如何離開，卻不知道它如何到來。就像一個不知從何而來的巨人，默默無聲地表演了幾個精采的大動作之後轟然倒地，摸他的口袋，連姓名、籍貫、遺囑都沒有留下，多麼叫人敬畏。

金字塔禁止人攀援，但底下的八、九級，去爬也沒有人阻止。我爬上幾級，貼身抬頭，長久地仰望著它。它經過幾千年「作舊」，已經失去任何細部的整齊，一切直角變成了圓鈍，一切直線變成了顫筆，因此很像一種天造地設的自然生成物，但在總體上，細部的嶙峋仍然綜合成直筆。世上其他景物大多是自然構劃整體，人力雕琢細部，金字塔正好相反，磨琢細部的是自然，構劃整體的是人類。金字塔在不聲不響之中也就撐開了兩筆，寫了中國的一個「人」字。兩筆陡峭得乾淨俐落，頂部直指太陽，讓人睜不開眼，只有白雲在半坡上慇勤地襯托。

聽到許戈輝在攝影機前說「永久」，彷彿提到，再過五千年，它們還會是這個樣子。這便啓發了我的一個想法——

金字塔至今不肯坦示爲什麼要如此永久，卻不小心透露了永久是什麼。

永久是簡單，永久是糙礪，永久是毫不彎曲的憨直，永久是對荒漠和水草交接的占據，永久是對千年風沙的接受和滑落。

無法解讀是埃及文明的悲劇，但對金字塔本身而言，它比那些容易解讀的文明遺物顯得永久。通俗是他人侵凌的通道，邏輯是後人踩踏的階梯，而它乾脆來一個漠然無聲，也就築起了一道障壁。因此還可以補充兩句：

永久是對意圖的掩埋，是把複雜的邏輯化作了樸拙。

十七　元氣損耗

一九九九年十月十日，埃及開羅，夜宿Les 3 Pyramides旅館

金字塔靠近地面的幾層石方邊緣，安坐著一對對來自世界各國的戀人。他們背靠偉大，背靠永恆，即使坐一坐，也像在發什麼誓，許什麼願。

然後，他們跳下，重新回到世界各地。

金字塔邊上的沙漠裡有一條熱鬧的小街，居住著各種與旅遊點有關的人。由此想起一些歷史學家的判斷，埃及最早的城市就是金字塔建造者的工棚，金字塔是人類城市的召集人。直到今天，金字塔還在召集遠近人群。

我們在這條小街上發現了一家中國餐館，是內蒙古一位叫努哈・扈廷貴的先生開的。我們中國也有不少旅遊景點，扈先生不往那裡擠，硬是把碗盆鍋勺搬到了金字塔腳下。在中國人中間最敢於做這種事情的，大多是浙江省溫州人。記得那次去威尼斯，預訂了一個小島上的旅館，卻在大雨滂沱的下半夜迷路，渾身濕透、饑寒交迫，突然見到一星燈光，投奔而去，居然是溫州人開的餐館，眞是大喜過望。但扈先生是內蒙人，從呼和浩特來到這裡。

我讓他談談在另一個文明故地的感受，他笑了，說：「我不知道爲什麼埃及人把生命看得那樣隨便，

隨便得不可思議。」他說，在這裡，每天上午九時上班，下午二時下班，中間還要按常規喝一次紅茶，吃一頓午餐，做一次禮拜，眞正做事能有多少時間？除了五分之一受過西方教育的人，一般人完全不在乎時間約定，再緊急的事，約好半小時見面，能在兩小時內見到就很不容易了。找個工人修房子，如果把錢一次性付給，第二天他多半不會來修理，花錢去了，等錢花完再來。連農民種地也很隨意，由著性子胡亂種，好在尼羅河流域土地肥沃、陽光充足，總有收穫，可以糊口。

我們也許不必嘲笑他們的這種生活態度，此之於世間大量每天像機器般忙碌運轉卻不知究竟爲了什麼，也從來沒有給自己和別人帶來眞正快樂的人，埃及人的生活態度也未必多麼荒唐。使我困惑的是，如果金字塔基本可以肯定是這個人種建造的，那麼，他們的祖先曾經承受過天底下最繁重忙碌、最周密精確的長期勞役，難道，今天相反的生態正是那場辛苦後的大喘氣，一喘就回不過神來了？

我對扈先生說：「一個人的過度勞累會損耗元氣，一種文明也是。」埃及文明曾不適度地靡費於內，又耗傷於外，最終選擇了一種低消耗原則，也可稱之爲「低熵原則」，我在研究東方藝術的審美特徵時啓用過的一個概念。但與東方審美特徵不同的是，埃及文明的現代生態是一種無可奈何的選擇。它確實已經體力不濟，至今還找不到復興的文化基點。

這種低消耗原則聽起來不錯，到實地一看卻實在讓人瞠目結舌。開羅城有一個區域專門安放死人，爲了讓死人也能生活，居然築有簡陋的小房小街，現在則有大量窮人住在裡邊，眞可謂生死與共，但其中又有大量的逃犯。在正常的居住區裡也有奇怪景象，絕大多數磚樓都沒有封頂，一束束鋼筋密集地指向藍

天，但都不是新建築，那些鋼筋也早已鏽爛。爲什麼那麼多居民住在造了一半的房坯中呢？是不是造了一半全部資金中斷？一問不是，說這裡又不大下雨，能住就行，沒蓋完才說明是新房子，多氣派。以後兒孫輩有錢再蓋完，急什麼？但他們不急，整個城市的景觀卻被糟蹋得不成樣子，讓我們這些外國人都焦急了。

街上車如潮湧，卻也有人騎著驢子漫步中間，有的人騎在驢上還抱著兩頭羊。公共汽車開動時，前後兩門都不關，只見一些頭髮花白的老者步履熟練地跳上跳下，更不必說年輕人了。

一個當地司機告訴我，如果路口沒站警察，不必理會紅綠燈；見了警察，也要看看他的級別，決定要不要聽他指揮。

我問：「你在飛馳的車上，怎麼判斷他的級別？」

「看胖瘦。」他說，「瘦的級別低，胖的級別高，遠遠一看就知道。」

在埃及不能問路。不是埃及人態度不好，而是太好。我們至少已經試了十幾次了吧，每次都是一樣。你不管問誰，他總是立即站住，表情誠懇，開始講話。他首先會說到你問的那個地方的所屬區域，這你會覺得說在點子上，耐心聽下去；但他語氣一轉就說到了那個區域的風土特徵和城建規劃，你就會開始不耐煩，等他拐回來；然而他一言既出「駟馬難追」已經在介紹開羅的歷史和最近一次總統選舉，你決定逃離，但他的手已按在你的肩上，一再說埃及與中國是好兄弟……，最後你以大動作強調事情的緊迫性，逼問那個地方究竟怎麼走，他支吾幾下終於表示，根本不知道。你舉起手腕看錶，被他整整講掉了半個小

時。

前幾次我們都以爲是遇到了喝醉酒的人，但一再重覆就苦惱了，很想弄清其間原因。一位埃及朋友說：「我們埃及人就是喜歡講話，也善於講話，所以在電視裡看到你們中國官員講話時還看著稿子，非常奇怪。埃及的部長只要一有機會講話就興奮莫名，滔滔不絕地講得十分精采。當然，也可能有一個根本原因，大家閑著沒事，把講話當消遣。」

原來，我們已經爲埃及朋友提供了十幾次消遣的機會。這當然很愉快，何況是「好兄弟」，但一個現代社會當語言系統大半失去可信的實際效用，畢竟讓人皺眉。

也怪法老，他們什麼話也沒有留下，結果後代的口舌就徹底放鬆。

十八　牛和鬥牛士

一九九九年十月十一日，埃及開羅，夜宿Les 3 Pyramides旅館

從開羅向南二十公里處有一處叫孟斐斯（Memphis）的地方，早在大金字塔建造前一百年就已經是統一的埃及的首都。著名法老左賽爾（Zoser）的陵寢階梯金字塔就建造在這裡，建造的地方還有一個小地名叫撒卡拉（Sakkara），因此又叫撒卡拉金字塔。

不管人們對大金字塔作何種猜測，這座階梯金字塔倒是一看就覺得人力可爲。不僅體量較小，而且又不精確，好幾個層面都已坍弛，因此顯得更加遠古。更加遠古卻不神秘，原因是它按照年齡正常地老化了。大金字塔的神秘就在於那種與年齡不相符的方正挺展，讓人覺得太不正常。

孟斐斯出土過一個有名的金牛墓，這是大家都知道的；讓我感到新奇的是，一位講解員指著階梯金字塔前一塊足球場大小的沙地說，這是一個選拔統治者的鬥牛場，有一段時間，古埃及把這裡獲勝的鬥牛士選作自己的領袖。這是我在書本中沒有讀到過的，連忙迎上前去反覆盤問，這位講解員以專家的口氣再一次肯定，而且說，這種鬥牛三十年一次，有一位統治者連續獲勝兩次。這使我驚訝，因爲到第二次，這位統治者無論如何不可能年輕了，居然還能力敵天下。

我還沒有足夠的資料證明講解員所說的事情屬實，但粗粗一想覺得當時的統治者要做的事確實也無非是挑戰強暴、躲避傷害、機敏處置、虛與委蛇，與鬥牛沒有什麼區別，只不過統治者要駕馭的牛十分龐

大，是埃及。

如果眞是這樣，那麼——

幾千年過去，哪一位鬥牛士都走了，只有牛還在。

牛把鬥牛士的墳墓默默馱在自己的背脊上，讓人們瞻仰。

此間恩怨，無法分清；但此間圖景，頗爲動人。

從階梯金字塔再走不遠的路，我看到了一位極著名的「鬥牛士」的形象，那就是三千二百年前埃及新王國時代第十九王朝的法老拉美西斯二世（Ramses II）的巨大臥像。本來是立像，由於尼羅河的氾濫一再浸蝕塑像腿部，他漸漸站不住了，側身臥倒，坦然休息。

拉美西斯二世名震整部埃及歷史。除了他的木乃伊保存在博物館外，埃及很多地方都有他的塑像。從眼前這尊臥像看，他確是絕頂英俊，臉部輪廓分明，鼻子高挺，微笑中帶著一種只有埃及才有的純眞而縹緲的眼神。他一生政蹟、戰功都十分出色，當政六十多年，活到九十多歲，娶過三十四個妻子，生有一百多個兒女，眞是生命力旺盛。都說他風流成性，但他自己活著時最喜歡的一個雕塑是自己高高地站立，把妻子嬌嬌小小地衛護在自己腳下，似乎很有丈夫的責任感。

這是一片眞正站立過男子漢的土地，只不過男子漢站立得太久太累，睡了。此時，偏西的陽光越過他的鼻眼嘴唇照在我們身上，我們舉頭仰望，只覺得那是神奇起伏的遠山。

這時突然想到，沒有鬥牛士的牛，畢竟落寞。

十九　中國回送什麼

一九九九年十月十二日，埃及開羅，夜宿Les 3 Pyramides旅館

在沙丘旁，我正低頭留心腳下的路，耳邊傳來一個招呼聲：「你好！」一聽就是外國人講的中文，卻講得相當好，不是好在發音，而是好在語調。一切語言，發音使人理解，語調給人親切。我連忙抬起頭，只見一位皮膚棕褐油亮、眼睛微凹有神的埃及青年站在眼前。

他叫哈姆迪（Hamdy），有一個中文名字叫王大力，在開羅學的中文，又到中國進修過。聽說我們在這兒，趕來幫著做翻譯，已經在門口等了一個多小時。

「你在中國哪個大學進修的？」我問。

「安徽師範大學，不在省會合肥，在蕪湖。」他回答。

這使我興奮起來，說：「我是安徽的女婿，知道嗎？明天，我的妻子就從安徽趕到這裡！」

「知道，你的妻子非常有名。」他說：「我也差一點成了安徽女婿，女友是馬鞍山的，後來由於宗教原因，她家裡不同意。」

就這麼幾句，他的手已經搭在我的肩上了。

此後幾天，我們都有點離不開他了。本來，每到一個參觀點都會有導遊講解，王大力謙遜地躲在一邊，不聲不響。我們提出一些問題，導遊多次回答仍不得要領，王大力忍不住輕聲解釋幾句，誰料這幾句

解釋既痛快又幽默，我們漸漸向他匯攏了，使得講一口流利英語的埃及女導遊漸漸被冷落在一邊，非常難過，說要控訴旅遊公司，既然派出了她，爲什麼還要派來一個更強的。其實，王大力根本沒受誰的支派，是自願來的。

他非常熱愛和熟悉埃及文物，說小時候老師帶他們到各地旅遊，還見到不少橫七豎八地雜陳在田野中的文物，誰也不重視，小學同學甚至還會拿起一塊石頭去砸一尊塑像的鼻子，不知道這尊塑像的年齡很可能已經三、四千歲。普遍重視文物是後來國際間的學者和遊客帶來的眼光。而他自己，則在讀了很多書，走了很多路之後才明白過來。

他盼望有更多的中國旅行者到埃及來，從最近幾年看，台灣的有一些，大陸的很少。在亞洲旅行者中，日本和韓國的最多，但他好像不太喜歡他們。說這番話時他正領著我們參觀薩拉丁古堡清眞寺，入寺要脫鞋，每個人把鞋提在自己手上，坐在地毯上時要把那雙鞋子底對底側放，而不應把鞋底直接壓在地毯上，因爲這等於沒有脫鞋。王大力遠遠瞟見一批韓國旅行者沒有按這個規矩做，立即虎著臉站起身來，輕聲對我們說：「我又要教訓他們了」，然後用一串英語喝令他們改過來。

「我，能夠對剛剛出現在這裡的中國大陸來的旅遊者有點微詞嗎？」他想了半天才小心翼翼地這麼問，還十分講究地用了「微詞」這個詞。經鼓勵，他一二三四脫口而出，像是憋了很久。

「一、很少有人聽導遊講解文物，只想購物、拍照；二、每天晚上精神十足，喝酒、打牌，第二天旅遊時一臉困倦……」

他覺得一個國家的具體形象，體現在零散的旅行者身上。現在中國遊客很少，影響還不大，今後多了，倒是一件大事。兩種古老文明見面，不能讓年輕的國家笑話。

說完，他輕鬆了，指了指薩拉丁古堡教堂一座小小的鐵製鐘樓，說：「這是法國人送的，我們埃及送給他們一個漂亮的方尖碑，樹立在他們的協和廣場，他們算是還禮，送來這麼一個不像樣子的東西，多麼小氣！我們後悔了，那個方尖碑應該送給中國。中國不會那麼小氣，也有接受的資格。」他說得很認眞。

巴黎的協和廣場我曾留連多時，頂尖鍍金的埃及方尖碑印象尤深。當時曾想，發生了那麼多大悲大喜的協和廣場幸虧有了這座埃及古碑，把歷史功過交付給了曠遠的神秘，今天才知，此間還存在著對古碑故鄉的不公平。

如果埃及當時眞想把古碑送給同齡的中國，我們該回送什麼呢？

二〇　一路槍口

一九九九年十月十三日，夜宿埃及南部盧克索（Luxor）的Emilio旅館

妻子今天早晨趕到了開羅。她這趟來不容易，先從合肥飛到北京，住一夜，飛新加坡，在新加坡機場逗留九小時，飛迪拜，停一小時，再飛開羅，七轉八彎，終於到了。二十天前，我與她是在美國舊金山機場告別的。

可以想像她沒怎麼睡過，但按照我們的計劃，她必須一下飛機就上吉普，去七百八十公里之外的盧克索，需要再坐十四個小時的車。

在開羅，幾乎沒有人贊成我們坐吉普去盧克索。路太遠，時間太長，最重要的是，一路上恐怕不安全。自從一九九七年十一月一群恐怖分子在盧克索殺害六十四名各國遊客，埃及旅遊業一敗塗地，第二年遊客只剩下以往年份的二十分之一，嚴重打擊了埃及的經濟收入和國際形象。由於恐怖分子當時就在警方的圍捕中全部擊斃，至今不知他們的組織背景，埃及政府不能不時時嚴陣以待。據我們遇到的幾位埃及人說，恐怖分子多數是國外敵對勢力派遣和指使的。從開羅到盧克索一路，要經過七個農業省，恐怖分子出沒的可能極大，因此去盧克索的絕大多數旅客只坐飛機，萬不得已走陸路，必須由警察保衛。

冒險總是很有吸引力的，何況我們一行自進入埃及以來，一直有警察荷槍實彈地保護著；又覺得五輛奇形怪狀的吉普轟轟地竄過去，恐怖分子不知底細，不至於膽大妄爲，於是大家堅持走陸路。

誰料路上見到的一切，實在匪夷所思。

七百多公里的長途，布滿了崗樓和碉堡。一路上軍容森森、槍枝如林，像是在兩個交戰國的邊防線上潛行。剛離開開羅就發現我們車隊的頭尾各出現了一輛警車，上面各坐十餘名武裝警察，全部槍口都從車壁槍洞裡伸出，時時準備射出。每過一段路都會遇到一個關卡，聚集了很多士兵，重新一輛輛登記車號，然後更換車隊頭尾的警車。換下來的警車的士兵屬於上一個路段，他們算是完成了任務，站在路邊向我們招手告別。警車換過幾次之後終於換上裝甲車，頂部架著機槍，呼嘯而行。

我們在沿途停下來上廁所、吃飯，當地的警察和士兵立即把我們團團圍住，不讓恐怖分子有一絲一毫襲擊我們的可能。我環視四周，穿黑軍裝的是特警部隊，穿駝黃色軍裝的是公安部隊，穿白色制服的是旅遊警察，每個人都端著型號先進的槍枝。我們的幾位女士進廁所，門口也端立著持槍的士兵，我想把這個有趣的鏡頭拍下來，沒有被允許。

我不知道過去和現在世界上還有沒有其他地方以這樣的方式來衛護文物和旅遊的，但一想到法老的後代除了黑黝黝的槍口外別無選擇，不禁心裡一酸。其實這片受盡欺凌的土地只想讓異邦人士看看祖先的墳墓和老廟罷了。

埃及朋友說，他們天天如此。埃及百分之九十四是大沙漠，像樣一點的地方就是沿尼羅河一長溜，而我們經過的一路正是這一長溜的大部分，因此這樣的武裝方式幾乎罩住了全國的主要部位，牽連著整個民

族的神經。

文明，哪怕是早已不會說話、只能讓人看看遺跡的文明，還必須老眼昏花地面對兵戎，那就可以想像，在它們還能說話的時候，會遭遇多大的災禍？任何過分傑出的文明不僅會使自己遭災，還會給後代引禍，直到千年之後。想到這裡，我忍不住在裝甲車的呼嘯聲中深深一嘆。

妻子在一旁說：「難得那麼多荷槍實彈的士兵，目光都那麼純淨。」

正說著，車隊突然停住，士兵們端著槍前後奔跑，像是發生了什麼大事。原來，那位在安徽師範大學進修過的埃及青年王大力今天也被我們請來同行，他的老家到了，叔叔還住在這裡，想看一看，這把武裝警察忙壞了，以防發生什麼意外。五輛吉普車一拐就進了村，再加上裝甲車、後衛車和那麼多武裝人員，從車上下來的又都是外國人，我說，村民會以爲王大力當選了總統。

這個村其實全是王大力的本家，他叔叔有兩個妻子，十三個孩子，再加上稍稍遠一點的親戚，總數不在三百人之下，全都蜂擁而出，卻不知怎麼歡迎。村裡好像還有「民團」之類的組織，一些上了年歲的老大爺一人端著一支獵槍圍過來，阿拉伯長袍裹著他們碩大而衰老的身軀，白色的鬍鬚與槍一配，有一種莫名的莊嚴。

警察說，這麼多人擠在一起可能眞會發生什麼事，不斷呼喊我們上路。裝甲車、吉普車隊浩浩蕩蕩又開動了，此時夜色已深，撒哈拉大沙漠的風，有點涼意。

二一 碧血黃沙

一九九九年十月十三日，夜宿埃及南部盧克索（Luxor）的Emilio旅館

昨天從清晨到深夜，在裝甲車的衛護下穿越的七個省都是農村，只見過一家水泥廠，店鋪也極少，眞是千里土色、萬古蒼原，純粹得在中國西北農村也已很少見到。當然也毋庸諱言，一路是無法掩飾的貧困。

今天一早，妻子被一種聲音驚醒，仔細一聽，判斷是馬蹄走在石路上，便興高采烈地起床撩窗簾，但只看了一眼就逃回來說：「街上空無一人，就像一下子闖進古代，有點怕人。」

盧克索的街市漸漸熱鬧起來了，我們所在的是尼羅河東岸，在古代就被看作生活區，而西岸則是神靈和亡靈的世界，連活人也保持古樸生態。我們當然首選西岸，於是渡河。

先去哈特謝普索特（Hotshepsut）女王祀殿。它座落在一個半環形山坳的底部，面對著尼羅河谷地，山坳與它全呈麥黃色，而遠處的尼羅河谷地則藍霧朦朧，任何一個中國人都會覺得這種環境選擇完全符合風水學說。女王是稀世美人，這在祀殿的凸刻壁畫中一眼就可看出，但爲表現出她的強勁威武，壁畫又盡量在形態上讓她靠近男性。

整個建築分三殿，一層比一層推進，到第三層已掘進到山壁裡去了，每一層都以二十九個方正石柱橫

向排開，中間有一個寬闊的坡道上下連接，既乾淨俐落又氣勢恢宏，遠遠看去，極像一座構思新穎的現代建築。其實它屹立在此已經三千三百多年，當時的總建築師叫森姆特，據說深深地愛戀著女王，把所有的愛都灌注到設計中了。女王對他的回報，是允許他死後可進帝王谷，這在當時是一個極高的待遇。今天看來，不管什麼原因，這位建築師有理由名垂千古，因爲眞正使這個地方遊客如雲的，不是女王，是他。

女王殿門口的廣場，正是一九九七年十一月發生恐怖分子射殺大量遊客的地方。歹徒們是從殿左的山坡上衝下來的，武器在白色的阿拉伯長袍底下，撩起就射擊，刹那間這個文明朝拜地一片碧血黃沙。我們的五輛吉普車特地整齊地排列當年遊客倒下最多的地方，作爲祭奠。

我們抬頭仰望殿左山坡，尋找歹徒們可能藏身的地方，只見有一個小小的人影在半山快速攀登，仔細一看，竟是妻子，我連忙跟著爬上去，氣喘吁吁地在半山腰裡見到幾個山洞，現在圍著鐵絲網，轉身俯視，廣場上遊客的聚散流動果然一清二楚。

許戈輝順便問了廣場邊的一個攤販老闆生意如何，老闆抱怨說：「自從那個事件之後生意不好，你們日本人有錢，買一點吧。」許戈輝連忙糾正，而且絕不討價還價地買下了一條大頭巾，裹在頭上飄然而行。

接下來是去帝王谷，鑽到一個個洞口裡邊去看歷代帝王的陵墓了。陵墓中最值得關注的是雕刻壁畫，幾乎每個帝王都把自己想像中死後上天、復活的圖象囑人雕畫出來，很能體現當時天眞爛漫的宗教觀念。

一位我曾讀過他傳記的帝王在壁畫中想像自己死後脫下任何冠冕，穿著涼鞋恭敬地去拜見鷹頭神，並向鷹頭神交出自己的權杖；接下來的一幅是，神接納了他，他也可以像神一樣赤腳不穿涼鞋了，手無權杖腳無鞋的他，顯得那麼自如。

記得曾有一位歷史學家斷言，盧克索地區一度曾是地球上最豪華的首都所在。這是有可能的。如果把埃及歷史劃定爲五千年，那麼，起初的三千多年可說是法老時代，中心先在孟斐斯，後在底比斯，即現在的盧克索；接下來的一千年可說是希臘羅馬化時代，中心在亞歷山大港；最後一千年可說是阿拉伯時代，中心在開羅。現在的埃及人，只要問他來自何處，大體可判斷他的血統淵源。

盧克索延續了三千多年的法老文明，法老土生土長又有權有勢，創造過遠勝歐洲化和阿拉伯化時期的驚人文明，我們現在見到的，只是零星遺留罷了。

埃及的古文明，基本上已經遺失。

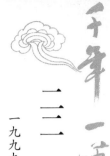

二二　他們老淚縱橫

一九九九年十月十五日，夜宿盧克索Emilio旅館

盧克索的第一勝跡是尼羅河東岸的太陽神廟。許多國際旅客千辛萬苦趕到這裡，只爲看它。

說來好笑，我雖然很早就接觸過有關它的文字資料，但它的感性圖像卻是多年前從一部推理電影《尼羅河上的慘案》中初次獲得的。成排的公羊石雕、讓人暈眩的石柱陣、石柱陣頂端神秘的落石……如今置身其間，立即覺得不管哪一部電影在這裡拍攝都是一種過度的奢侈，甚至是一種罪過。

任何一個石柱只要單獨出現在某個地方，會成爲萬人瞻仰的擎天柱。我們試了一下，需要有十二個人伸直雙手拉在一起，才能把一個柱子圍住，而這樣的柱子在這裡形成了一個森林！

每個石柱上都刻滿了象形文字，這種象形文字與中國的象形文字有很大差別，全是一個個具體物象，鳥、蟲、魚、人，十分寫實，但把這些人人都能辨識的圖像連在一起，卻誰也不知意義。這是一種把世間萬物召喚在一起進行神秘吟唱的話語系統，古埃及人驅使這種話語系統爬上石柱，試圖與上天溝通。

但石柱不是工具，本身就是人類的象徵。人類也來自於泥土，不知什麼時候破土而出、拔地而起、直逼蒼穹，只是有太多的疑難、太多的敬畏需要向上天呈送，於是立了一柱又一柱，每柱都承載著巨量的信息站立在朝陽夕暉之中。與它們相比，希臘、羅馬的著名廊柱都嫌小了，更不待說中國的殿柱、廟柱。

史載，三千多年前，每一個法老上任，都要到太陽神廟來朝拜，然後畢其一生，在這裡留下自己的拓

建，如此代代相續，太陽神廟的修建過程延續了一千多年。在很長的歷史時期內，這是南北埃及人朝聖的地方，鼎盛時期僅廟中祭司的人數就超過三萬。

一個令人奇怪的現象是，修建過程這麼長，前期和晚期卻沒有明顯區別，中間似乎並未出現過破舊立新式的大進化。這反映了埃及古文明的整體風貌：一來就成熟，臨走還是它。這種不讓我們了解生長過程的機體，有誰能眞正把握？

下午在尼羅河蕩舟，許戈輝來回凝視著兩岸的古跡問：再過一千年，我們今天的文明也會有人來如此瞻仰嗎？我說很難，除非遭遇巨大災禍。今天文明的最高原則是方便，使天下的一切變得易於把握和理解，這種方便原則與偉大原則處處相背，人類不可能爲了偉大而捨棄方便。因此，這些古跡的魅力，永遠不會被新的東西所替代。

但是正因爲如此，人類和古跡會遇到雙向的悲愴：人類因無所敬仰而淺薄，古跡則因身後空虛而孤單。

忽然想起昨天傍晚離開帝王谷時在田野中見到的兩尊塑像。高大而破殘地坐著，高大得讓人自卑，破殘得面目全非，但又居然坐著，就像實在累壞了的老祖父，而坐的姿勢卻依然端莊。它們身後空空蕩蕩，只有它們，留下了有關當時世界上最豪華的都城底比斯的記憶。

我似乎聽到兩尊石像在喃喃而語：「他們都走了……」我抬頭注視，田野間只有長風。

據說這兩尊石像雕的是一個人，阿蒙霍特帕（Amonhotep）四世，但歐洲人卻把它們叫做門農（Memnon），還發現門農在每天日出時分會說話，近似豎琴和琵琶弦斷的聲音。說話時，眼中還會湧出淚滴。後來羅馬人前來整修了一次，門農就不再說話，只會流淚。

專家們說，石像發音是因爲風入洞穴，每天流淚是露水所積，一修，把洞穴堵住了。不管怎麼解釋，只會流淚，不再說話的巨大石像是感人的。

它們見過太多，要說的也只是「他們都走了」這一句，因此乾脆老淚縱橫，不再說什麼。

二三 封存的法老人

一九九九年十月十五日，夜宿盧克索Emilio旅館

在希臘海濱，我曾思考過古代希臘哲人關於此岸和彼岸的理解，以及這種理解與希臘悲劇的關係；在盧克索，我發現此岸與彼岸的關係縮小到了尼羅河兩岸，那裡幾乎是一個生、死、神、人之間的直觀模型。

照理，這樣的模型早就會被熱鬧的世俗敗壞了，但它竟然原汁原味地保存了下來，我把這種保存稱之為「封存」。

「封存」的第一意義是遷移。如果埃及的重心不遷移到亞歷山大和開羅，而是繼續保持於盧克索，那麼不難設想，此地的古跡將會隨著歷史的進程逐一改變自己的身分。越受新的統治者重視，情況就越糟糕，一次次的刷新很可能是最根本的破壞。

「封存」的第二意義是墓葬。盧克索的多數遺跡在地下，雖然歷來受到盜墓者的不斷洗劫，但盜墓者不可能發現所有的洞穴，更不會改變墓道的結構、浮雕、壁畫，因此總要比地上保存得好，使近幾百年的考古學家們每每有巨大收穫。

「封存」的第三意義是氣候。尼羅河流域緊靠撒哈拉大沙漠，氣候乾燥，卻又不暴熱，一遇蔭影便涼爽宜人，簡直不知霉蝕為何物。以我所見，除了內外浩劫，霉蝕是文物保存的最大敵人，例如中國南方很難

保存遠年遺跡，就與氣候有關。現代包裝技術以眞空封存防止霉蝕，盧克索不是眞空，卻有近似眞空的封存功能。

「封存」的第四意義是材料。埃及的建築材料以石料爲主，石灰石、花崗石、雪花石鋪天蓋地，巨大、堅致、光潔，歷千年而不頹弛。古埃及人把自己的審美嚮往通過各種形態和符號「封存」在這些石塊中了，連一個圓柱都是一個完整的封存體。

除了以上四個方面，我在尼羅河西岸又看到了另一個更有趣的「封存」，那就是遺民。西岸墓葬群周圍生活著一批法老的後代，埃及人不習慣遠地嫁娶，血緣比較穩定，這些法老的後代更是如此，生活簡樸、思維單純，據人類學家說，他們的外貌、身材還餘留著法老時代的諸多特徵，因此可稱之爲「法老人」。他們中很大一部分仍然從事著手工刻石，許多古廟的修復都與他們有關。他們把散落的古代石雕移到原位，需要有所補接時也只用千年前取材處的石料，修復的手藝無與倫比，埃及人把他們稱之爲一群民間的考古學家。不妨說，這批遺民自己首先被封存了，然後由他們來代代封存遺跡。

當然，他們近一千年來也信奉了伊斯蘭教，我們多次聽到西岸草樹叢中傳來渾厚的禮拜聲，也看到不少在門窗、牆壁上畫得五光十色的小房子，那是主人曾到麥加朝聖的標誌，他們有權利畫上自己去麥加時坐的交通工具，讓人尊敬。但我更多看到的，是工作時的他們。高瘦的個子黝黑的臉，鼻子尖尖，滿臉滿手都是磨石的粉塵，使他們自己看起來也成了雕塑。

我凝視著他們，心想，當年築造金字塔和諸多神殿的工匠也是這樣的吧？突然，兩具雕塑向我一笑，

露出潔白的牙齒，居然用英文說：「你可以和我們一起拍照。」我立即蹲在他們中間拍了照，他們又撿了兩塊漂亮的雪花石送給我。我想這應該付點錢，但他們拒絕了，其中年輕的一位靦腆地說：「如果有那種中國小禮物……」

他指的是清涼油，在中國到處都有又極其便宜，而在阿拉伯世界都被視爲寶貝，即使在海關官員或警察手中塞上小小一盒，也能使一切逢凶化吉，可惜我事先不知道，沒有帶。據說，法老的後代不太在乎錢，他們生活圈子狹小，錢的用處也不大。他們喜歡清涼油的氣味，一喜歡，又覺得什麼病都能治了。

遙遠而矜持的法老啊，中國山水草澤間提取的那一點點清香，居然能得到你們後代的如此信任，這眞讓我高興。

穿過千年，穿過萬里，穿過沙漠，穿過巨石，你們聞到了嗎？中國大地的神秘氣息？

二四　枯萎屬於正常

一九九九年十月十七日，埃及東部霍爾格達（Hurghada），夜宿Pick Albatros旅館

離開盧克索向東，不久就進入了浩瀚的沙漠。這個沙漠叫東部沙漠，又名阿拉伯沙漠。

穿行沙漠對我來說早已不是第一次，但剛剛還在古代遺跡中感嘆人類文明的恢宏久遠，沒幾步卻跨進了杳無人煙的荒原，這種強刺激的對比經驗卻從未有過。連個過渡也不給，使得幾天來沉浸於歷史文化中的眼神和表情不知往何處擱置，一時顯得十分慌張。

一切都停止了。沒有了古代和現代，沒有了文明和野蠻，沒有了考察和推斷，只剩下一種驚訝：原來人類只活動在這麼狹小的空間，原來我們的歷史只是游絲一縷，在赤地荒日中飄蕩。

眼前的非洲沙漠，積沙並不厚，一切高凸之處其實都是堅石，只不過上面敷了一層沙罷了。但是這些堅石從外面看完全沒有稜角，與沙同色，與泥同狀，纍纍團團地起伏著，只在頂部呈現出淡淡的黑褐色，使每一個起伏在色調上顯得更加立體，一波波地湧向遠處。遠處，除了地平線，什麼也沒有。

偶爾會出現一個奇蹟：在寸草不生的沙礫中突然生出一棵樹，亭亭如蓋，碧綠無瑕，連一片葉子也沒有枯黃。這是怎麼回事，難道地母單獨爲它埋設了一條細長的營養管道？但是光有營養也沒有用，因爲它還必須面對日夜的蒸發和剝奪，抗擊駭人的孤獨和寂寞。唯一能夠聊以自慰的，也就是自身樹葉之間的互相照拂罷了。由此聯想，人類的一些文明發祥地也許正像這些樹，在千百萬個不可能中掙扎出了一個小可

能。從樹葉叢中看，似乎很成氣候；從整體環境看，始終岌岌可危。誰也無法保證它們的存活年限，有人爲它們的終於枯萎疑惑不解，其實，眞正値得疑惑的是它們何以能夠待續，而枯萎則屬於正常。

正這麼想著，眼前的景象變了，一看手錶已過下午四時，黃昏開始來到。沙地漸漸蒙上了黯青色，而沙山上的陽光卻變得越來越明亮，黃澄澄的色彩眞正輝耀出了「燦爛」這個詞的本義。沒過多久，色彩又變，一部分山頭變成爐火色，一部分山頭變成胭脂色，色塊在往頂部縮小，耀眼的成分已經消失，只剩下晚妝般的艷麗。

車隊終於駛出了沙地丘陵，眼前平漠千頃。暮色已重，遠處的層巒疊嶂全都朦朧在一種青紫色的煙霞中。此時天地間已經沒有任何雜色，只有同一種色調變換著光影濃淡，這種一致性使暮色變得宏偉無比。

誰料，千頃平漠只讓我們看了一會兒，車隊竄進了沙漠谷地，兩邊危岩高聳，峭拔猙獰，猛一看，就像是走進了烤焦了的黃山和廬山。天火收取了綠草青松、瀑布流雲，只剩下赤露的筋骨在這兒堆積。像要安慰什麼，西天還留下一抹柔艷的淡彩，在山岩背脊上撫摸，而沙漠的明月，已朗朗在天。

我想，這一切都與人類文明沒有什麼關係，甚至說它蠻荒和愚昧都是無的放矢，但它依然是無可置疑地壯美，而且萬古不息。人類所做的，只是悄悄地找了一個適合自己居住的小環境而已，略加張羅，是爲了溝通，爲了方便，爲了一點小小的詩意，這也就是所謂文明。須知幾步之外，便是茫茫沙漠。

文明太不容易，眞應該好好珍惜。

二五　荒原滄海

一九九九年十月十七日，埃及東部霍爾格達，夜宿Pick Albatros旅館

我們現在落腳的地方叫Hurghada，當地人發這個音很像中國人說「紅疙瘩」。翻翻隨身帶的世界地圖冊，找不到，只是由於昨天晚上在沙漠裡行車突然看到眼前一片大海，就停了下來。今天早晨一推窗，湧進滿屋子清涼。

是紅海。

果然是紅海。沙漠與海水直接碰撞，中間沒有任何泥灘，於是這裡出現了真正的純淨，以水洗沙，以沙濾水，多少萬年下來，不再留下一絲污痕，只剩下淨黃和淨藍。海水的藍色就顏料傾盡，彷彿世界上紅、黃、藍三原色之一專選此地稱王，天下的一切藍色都由這裡輸出。但它居然擰著勁兒叫紅海，又讓如此透徹的黃沙在襯邊，分明下狠心要把三原色全數霸占。

像地圖一樣，海面藍色的深淺正反映了海底的深淺。淺海處，一眼可見密密層層色彩斑斕的珊瑚礁，比珊瑚更艷麗的魚群游弋其間。海底也有峽谷，珊瑚礁和白沙原猛地滑落於懸崖之下，當然也滑出了我們的視線。那兒有多深？不知道，只見深淵上方飄動著灰色沙霧，就像險峰頂端的雲霧。再往前又出現了高坡，海底生物的雜陳比人間最奢華的百花園還要密集和光鮮，陽光透過水波搖曳著它們，真說得上姿色萬千。這一切居然與沙漠咫尺之間，實在讓人難於想像。

最恣肆的汪洋直逼著百世乾涸，最繁密的熱鬧緊鄰著千里單調，最放縱的遊弋熨貼著萬古冷漠，竟然早已全部安排妥當，不需要人類指點，甚至根本沒有留出人的地位。

我們一行在海邊漫步，一腳踩著黃沙，一腳踩著海水。黃沙無邊無際向西鋪展，海水無邊無際向東伸延，兩邊都是那樣浩大，壓得這一排小小的人影微若草芥。這怎能甘心？我們驅動五輛吉普，海灘上立即沙捲塵揚，頗有氣勢，但轉眼間塵沙落地，漫天的夕陽正在把沙漠和大海一起蒸騰出一個寧靜的日夜交替盛典，我們的車輛全被萬千光色溶化，冉冉紫氣間只剩下幾個淡淡的亮點在蠕動。此刻，連沙漠的風、大海的潮都已歸於平靜，哪裡還輪得到車聲人聲？

昨天我還在感慨文明與荒原近在幾步，今天又見到荒原滄海早已近距離地自成宏偉和浩瀚。希臘哲人推重人類，卻又以極大的懷疑探究人在天地間的地位，勸諭人們認識自己，不要自卑和囂張。埃及人不在乎這種探究和宣講，只把神秘的感悟對之於刻石壘石，留下人類對自然的窺視和敬畏。更不同的是，希臘文明的傳播和張揚給了人們一個錯覺，以爲人類一定會按照某種邏輯進化發展；埃及文明不提供這種邏輯，堂而皇之忙一陣，然後悄然隱退，除了別的原因，也許還由於領悟了人類的渺小，便以墳墓裡復活的夢幻，阻斷了積極的後續行爲。

我敬佩希臘，也理解埃及，尤其在這沙漠與大海交接的邊沿。

以沙漠和大海的眼光，幾千年來人類能有多少發展？儘管我們自以爲熱火朝天。

正想著，早已被夜幕籠罩著的海域間影影綽綽走出幾個水淋淋的人來，腳步踉蹌、相扶相持、由小而大。剛要驚嘆什麼人如此勇敢又如此好水性，定睛一看竟是一個年輕的母親和她的四個孩子，連最大的一個也沒有超過十歲。他們是去游泳了？捕魚了？採貝了？不知道，反正是劃破夜色踩海而來。

在我看來，這幾乎是人類挑戰自然的極致，但他們一家很快進了自己的小木屋，不久，連燈光也熄滅了，海邊不再有其他光亮。

二六 金字塔下的歌劇

一九九九年十月十八日，返回開羅，夜宿Les 3 Pyramides旅館

在金字塔下看歌劇，是一種特殊的體驗。

歌劇就是《阿依達》，劇情與埃及有關，在金字塔下演出，真假相映，遠近相濟，是一個很好的設想，因此這場演出不僅牽動了整個埃及的上流社會，而且也波及臨近各國，訂票踴躍。票價每位二百五十美元，真不便宜。與我一起看的，有王紀言、許戈輝、于大公、韋大軍諸位，請在這裡工作的王寶義先生駕車送我們，他已看過排練，今天就不入場了。我們出發時，夜色已濃。

車朝金字塔開去，很遠就看到兩排穿白色制服的武裝警察在沙漠的曲道上蜿蜒站立，卻全體背對著我們。他們沒有必要看車，只把目光投向兩邊沙漠，看有沒有什麼黑衫飛狐乘虛而入。當時我想，如果真要有恐怖分子從這廣闊的沙海中殺將過來，那一定是一個驃悍的馬隊，十分令人神往。不過，現在看著夜色下這兩排由白制服和衝鋒槍組成的大弧度圍牆，也已經非常享受。圍牆的終點，是已被燈光照亮的金字塔。

已經可以看見一個臨時搭建的橙黃色舞台，但進門還要經過兩道安全檢查門，觀眾必須交出隨身帶的手機，編上號，到結束時再去取。在第二道安全檢查門，連女士帶的小包也要打開來仔細翻看。埃及真被恐怖分子鬧怕了。王寶義先生送完我們準備駕車回去送一件緊要的東西給別人，等三個小時後散戲時再來

接，但這是不允許的，因爲一切偷放了定時炸彈的歹徒都會快速駕車離開。王寶義先生反覆說明都無效，想到事情的緊要，準備從沙漠裡隨便找一條路衝出來，誰想剛駛出半個沙丘，就有一群便衣上前圍住，說再開就要射擊。

我們在座位上坐定，環視四周，實在被眼前的壯觀鎮住了。三座舉世皆知的金字塔是演出的背景，舞台右側，是靜靜的尼羅河和開羅城，舞台左側，則是撒哈拉大沙漠。夜間的沙漠一片漆黑，但地平線上方卻泛著一圈光亮，那已不是落日餘輝，而是一種奇異的沙漠天光，這些天來經常看到。

沙漠裡吹來的晚風挺涼，而且風勢漸漸增大，我們幾個衣服單薄，實在有點抗不住了。到這時才發現，許多濃妝艷抹的太太連貂皮大衣都穿了出來。韋大軍打起了哆嗦，于大公說不冷，手臂上卻全是雞皮疙瘩，許戈輝則把坐墊抽出來抱在身上禦寒，由她一發明，周圍不少同樣衣服單薄的各國女子也都抱起了坐墊，咬住一陣陣寒噤聽《阿依達》。

現在可以講幾句演出了。近半個世紀來，舞台劇要在影視的衝擊下求生存，必須尋找影視無法取代的優勢，找來找去找到兩個辦法。小的辦法是尋求與觀衆的當場交流，大的辦法是尋找著名的環境作爲演出場地。小的辦法到處都可採用，而大的辦法則是一個龐大的計劃，世界上能選的環境不多，配得上環境的劇目更少，何況還要有巨大的資金投入。歐美戲劇家已在幾個文明故地選過一些環境，埃及覺得自己也能做，於是便出現了這台《阿依達》。本來選的環境是盧克索的女王廟前，但穆巴拉克總統覺得還是開羅容易召集國際觀衆，就挪到金字塔下來了。這件事中國人已經有過啓蒙，張藝謀先生在紫禁城的太廟排演過義

大利歌劇《杜蘭朵》。當時很多朋友不知環境戲劇爲何物，只從習慣的戲劇觀念上來評判，我曾想寫一篇《月光下的太廟》來辯護，可惜一直沒有時間，沒想到在金字塔下來表述這個意思了。

埃及的這台《阿依達》雖然背景驚人，但在策劃、導演、設計上都比不上張藝謀的《杜蘭朵》，主要原因是它沒有運用好這個背景。張藝謀用打在太廟屋頂的燈光表現晝夜交替，用幾可亂眞的配殿來拉動千年虛實，都是把玩環境的高招，但《阿依達》沒有。不僅金字塔完全沒有入戲，而且連舞台設計都與金字塔的線條、光色完全無關。其中有一段，數百名白袍、金甲的劇中人走下台來在沙地中行走，讓我精神陡然一震，但走著走著又走回去了，居然沒有太大的藝術意圖，眞是可惜。

在這樣的地方演出，應該重新梳理劇情與金字塔的關係，至少在高潮部分有一個千人祭奠金字塔的儀式，而在旁側的撒哈拉大沙漠上，必須出沒一支由燈光追踪的奔騰馬隊。

金字塔和沙漠都擁有自己宏大的生命，現代人的藝術創造只有應順它們、侍候它們，才能在它們面前擺弄一陣。如果不知其間的地位懸殊，顚倒了輕重來胡亂折騰，可笑的一定是現代人。

膽大包天的現代人，在歷史和自然面前要懂得謹愼。

藝術碰到歷史和自然，更應該小心。因爲只有在那裡，才有藝術的最終生命。

再高亢的歌詠，怎麼敵得過撒哈拉的夜風在金字塔頂端的呼嘯聲？

二七　文化以溝通爲業

一九九九年十月十九日，開羅，夜宿Les 3 Pyramides旅館

車隊到達旅館門口，只見熙熙攘攘間筆挺地站著一個中國人，手裡拿著一本書，很像間諜接頭的樣子。不幸我很快發現，他手裡的接頭信號竟然是我的《山居筆記》。

他叫徐伏鋼，在新加坡的一家公司工作，從《聯合早報》上逐日讀到我的日記，知道了我們的行程，就從新加坡飛到了開羅，專來看望我。這使我很感動，便拉他在旅館大堂的沙發裡坐下。他對我只有一個小小的要求，在他悉心準備好的埃及古代草壓紙上寫一段有關漂泊異鄉的話，我立即遵命。他說，他的這種萬里攔截、古紙索句，都是一種最好的紀念，與大家關注的「千禧之旅」擦了邊。

從這件事我要又一次感念現代傳媒。古代旅行者眞正的痛苦，是無以言狀的寂寞，而我們這次，雖然每天都遇到大量麻煩事，但通過銥星和海事衛星，然後再通過電視和報紙，很多認識和不認識的朋友始終與我們同在。我每天寫日記，寫完就去找我們一行中專門負責傳送技術的周兵。瘦瘦的周兵總是住在不同旅館的朝東房子裡，滿地都是器材、電纜，幾乎通宵不睡，把拍攝的圖象傳回香港，順便也傳送我的文章。第二天出發時，他就搖搖晃晃地在車上睡覺，這些日子下來，他更瘦了。

現在才知，我的日記一直同時在台灣《聯合報》、香港《大公報》、新加坡《聯合早報》、馬來西亞《星洲日報》、美國和加拿大的《世界日報》、《僑報》連載，在大陸，系統連載的是《北京晚報》和《羊城晚

報》，轉載的報刊更多，一時無法統計。這就是說，全世界發行最大的華文報紙，有很大一部分都刊登了。它們都是從鳳凰衛視的網站上獲得文本的，一刊登就是三個多月，一百多篇，對哪家報紙都是大動作。它們完全不清楚這次旅行考察的整體設計，也不知道我會不會因病因累而中途退出，卻都闢出最注目的版面隆重刊登，我想只有一個原因，它們快速地領悟了這樣的考察活動對中華文化意味著什麼，對中國人意味著什麼。

任何一種文明的復興，都以自我確認爲前提，而廣泛的自我確認，又以溝通和普及爲前提。說起來這也是中華文明強於埃及文明的一大優點。

埃及文明即使在最繁榮的時期也追求神秘和封閉，甚至追求不可理解性，結果召集了很多工匠，卻沒有廣泛的參與群體與接受群體，只能固步自封，終於難乎爲繼。中華文明卻不是如此，先秦諸子的學說觀點各異，但共同都反對封閉深澀，每個學派都力圖讓自己的學說傳遍天下。後來，無論魏晉還是唐宋，文化信息的傳播都暢通九州，即便幾句詩文也能像春風一般覆蓋大江南北，很少阻礙。就連那些經典小說，在明清時期也是街談巷議的集中對象。

中華文明之大，相當一部分取決於它的普及企圖和傳播力量。暫處衰勢時它會隱匿自保、清高自忍，而一旦有興盛的可能，總是百川連注、衆脈俱開、氣吞萬滙。我覺得中華文明能不能在二十一世紀復興，先要看有多少傳播它的通道融化了冰雪，排除了障礙。這次文化考察，竟然引得那麼多華人報刊關注和參

與，像是一個信號，預示著中華文化正在面臨著一種全新的整合，構建著一種共同的話語。至於我的日記寫得好不好，鳳凰衛視的節目拍得好不好，已成爲一個次要的問題。

文化以溝通爲勝業，文化以傳播爲命脈。世上那麼多障礙，人間那麼多隔閡，就靠文化來排解。這次我們狠狠地做了一個全方位的實驗，用車輪去溝通幾大人類文明，用電波來聚集各地華人視線，由報紙來維持廣大群衆一百天的興趣，讓世界來看看中國人如何把文化猜測變成了文化行爲。我以往與電視接觸太少，需要重新體味藏在攝影機背後的人生哲學和社會觀念。

我正這麼寫著，隊長郭瀅和編導桂平憂心忡忡地向我走來，原來我們的旅途又遇到了大量的不通暢。在蘇伊士運河上拍攝，埃及軍方至今沒批准，還需作最後的等待；沙特阿拉伯的聖城麥加，非穆斯林不准進入，沒有通融的餘地；更麻煩的是，我們經過以色列，就不可能進入伊拉克了。以色列有耶路撒冷，不能不去；伊拉克有巴比倫遺址，也不能不去，但現代國際政治只能讓我們選取其一。權衡之下，我們更偏重於耶路撒冷，因爲它對幾大宗教都非常重要，可惜巴比倫了。

剛剛又從新聞中得知，巴基斯坦發生軍事政變，局勢緊張，成了國際社會關注的熱點。看來，我們極有可能在巴基斯坦受阻，那麼五輛吉普又何以到了印度和尼泊爾？到不了印度和尼泊爾，我們不僅少了一個極重要的文明故地、宗教源頭，而且也無法在跨越千年高峰的同時跨越地理高峰喜馬拉雅山了。如果改道往北走，從伊朗經土庫曼斯坦、烏茲別克斯坦、塔吉克斯坦或哈薩克斯坦、吉爾吉斯斯坦進入新疆，那

是古代通西域和「絲綢之路」的路線，雖然也有意思，卻是另外一件事了。

看來，在現代，想求得通暢仍然極其艱難。我很喜歡在歐洲旅行時，很多國家的國境線連一個崗亭也沒有，只豎一塊牌，所有的汽車飛馳而過的情景。但這種情景，在一些文明故地卻不敢設想，眞不知是什麼運數。

不過，我們這次無論如何要走通它。因爲我們這些中國人終於已經明白，文明出現在世界上，不是來設置障礙而是來排除障礙的。不妨試試看。

二八　西眺的終點

一九九九年十月二十日，開羅，夜宿Les 3 Pyramides旅館

最容易引發鄉思的有兩種情景，一是面對明月，二是面對大海。這些天，我曾多次在月夜站在紅海和蘇伊士灣西岸回想，中國人最早在什麼時候把目光投向這裡？

首先想到的是一千九百年前的那位叫甘英的漢朝使者。當時專管西域事務的班超有一塊長年的心病，覺得中國歷來只與安息（今伊朗）做生意，而安息實際上只是一個中間轉手環節。西部應該還有很大的天地，我們爲何不直接與他們做生意呢？於是派出甘英向西旅行，看看那裡究竟是怎麼回事。甘英此行歷盡艱辛，直到波斯灣而返回。但他一路上處處打聽，知道波斯灣向西再過一些國家之後還會遇到一個海，這就是我現在面前的紅海，甘英聽說，到了這個地方，一個眞正的大帝國就在眼前了。甘英出於多種理由把這個大帝國稱爲「大秦」，其實就是羅馬帝國。當時，紅海邊的埃及也已被羅馬所占領，甘英所知道的紅海邊的羅馬，大半就是埃及。

於是，從《後漢書》開始，中國人已朦朧地把這兒作爲西眺的終點。

甘英回來之後，中國人西行還是很少，只知道唐代有一個叫杜環的軍人被西域的軍隊俘虜後曾不斷向西流浪，直到從地中海進入北非。但這也只是從他杜撰的一些地名中猜測，是否眞的到了非洲，完全沒有把握。

一個是道聽塗說，一個是依稀可能，再往後，除了絲綢之路上的商人可能繞道，鄭和下西洋曾經抵達，中華文化在古代基本上沒有與非洲有過實質性的溝通。據說宇航員從太空看地球時特別清楚的圖象是中國的萬里長城和埃及的金字塔，我曾爲此默想爲何古代遺跡在遠處會超過現代巨構，又嘆息數千年間它們共撐天下卻全然不知對方的存在。

這也怪不得誰。中華文明很早就自成氣候，因自成氣候而固步自封，即便是與異邦聯絡特別健康的唐代賢相魏徵還提出過「方五千里，務安諸夏」、「不以四夷勞中國」的聰明而保守的政治主張。「五千里」，實在是小了一點；對「四夷」，實在是太鄙視了一點。

由此想起梁啓超先生在八十餘年前的一個觀點，他認爲中國歷史可分爲三個大段落，一是「中國之中國」，即從與古埃及文明同時的黃帝時代到秦始皇統一中國，完成了中國的自我認定；二是「亞洲之中國」，從秦到乾隆末年，即十八世紀結束，中國與外部的征戰和溝通基本上局限於亞洲，中國領悟了亞洲範圍的自己；三是十九世紀至二十世紀，可稱「世界之中國」，由被動受辱爲起點，漸漸知道了世界，以及中國在世界上的地位。我很喜歡梁啓超先生的這種劃分。

梁啓超先生沒有讀到二十世紀新發現的一些中外交流史實，劃分有些簡單化，但基本上還是對的。十九世紀之前，中國與亞洲之外的國家關係不是很大，而十九世紀後不得不碰撞，首先也是歐洲一些比較年輕的國家，與希臘沒有什麼牽涉，更不待說埃及。

從整體來說，交流總是好事，但是具體地對於古代埃及文明和中華文明之間缺少交往這件事，又沒有必要作負面評價。路實在太遠，彼此很難抵達，兩種文明自成保守系統，幾乎不可能互相介入。站在中國的立場上，即使從今天已經知道的全部埃及古代精神成果和實用器物看，也沒有哪一樣會使中國古代朝野欣喜，這就使交流失去了基礎；如果兵戎相見，那麼，中國皇帝不會遠征埃及是確定無疑的，而法老的船隊要到中國並戰而勝之，也幾乎不可能。在冷兵器時代，這麼大的中國怎麼會在乎遠道而來的幾隻外國兵船？因此，中國和埃及注定不會成爲盟友也不會成爲對頭。這是相安無事的遠鄰，彼此不知對方的存在也沒有什麼不好，要知道時總會知道。近似人際關係，君子之交淡如水，何況是兩個一直沒有見過面的老君子，沒有必要太熱絡。國際政治更比人際關係講究實利，尤其是地緣上的實利，「海內存知己，天涯若比鄰」式的情誼，在國際政治中很難立足，因此也不必企盼。

不熱絡，也不容易破碎；不親暱，也不容易失望。中國古代與其他幾個文明古國交情不深、恩怨不大，這反而成了現在平和相處的基礎。中華文明承受過不少恩怨煎熬，現在煙塵落地，發現在大的方面依然保持著一種並不偏側的客觀性，這還是今後發展的好兆頭。

不被熱情或憤恨所扭曲的，才是眞正的大文明。

二九　失落的背影

一九九九年十月二十一日，開羅，夜宿Les 3 Pyramides旅館

世界上幾個文明古國的現代文化情況如何？這很難有統一而公正的對比標準，包括諾貝爾文學獎在內。但諾貝爾文學獎畢竟也從一個方面反映了現代國際社會的審美接受狀態，如果獲獎者出自文明古國，很容易讓人聯想到悠遠的呼應。一個不必諱言的事實是，除了我們中國，其他幾個文明古國都產生了諾貝爾文學獎的獲獎者。

埃及的納吉·馬福茲（Naguib Mahfouz）便是其中之一，現在還活著。我很想與他談談，一問，由於他年事已高，又曾嚴重受傷，見面需要在十天前向《金字塔報》一位叫馬維的編輯預約，我們已經等不得十天，只能作罷。突然聽說，開羅市中心的一家小咖啡館曾是他天天必去的地方，他的許多作品都是在那裡構思出來的。我一聽就高興，覺得去看看這個咖啡館，可能比到他家更重要，因爲這是他的創作前沿。

他家住在尼羅河西岸，而咖啡館在河東，他每天必須走過兩座橋才能到達，第一座橋是由河西到河心島，第二座橋由河心島到河東。咖啡館座落在著名的解放廣場北側，又小又陳舊，取名爲阿里巴巴。走過一條極窄的通道，爬上一個小木梯，就見一間大約十八平方米的房間，有幾張咖啡桌，靠窗左側那張，是他的位置。從窗口往外望，先看見隔壁一家皮貨店高掛的皮包，伸手就可取到；往前是一個地鐵站入口，蹲著六、七個擦皮鞋的人；再抬頭往前看，則是兩幢建築物，一是希爾頓酒店，一是阿拉伯聯盟總部。

馬福茲曾經每天坐在這裡往外看，頭頂一個小小的懸掛式電扇在緩慢轉動。油漬斑斑的房頂太低矮，幾乎會碰到高個子的頭。但他看中的是鬧市間的這個窗口，窗口內的這張小桌，小桌邊的這番安靜。這裡讓我重溫了一個區別作家優劣的分界：是小空間而大視野，還是大排場而小見識？

馬福茲獲諾貝爾文學獎，不僅埃及，而且整個阿拉伯世界都爲之激動。他被視爲阿拉伯之魂，每個書店都把最醒目的地位留給他的專櫃，電視台也在不斷地把他的作品改編爲電視劇。而他則還是一如既往，每天步行在街道上，走過兩座橋，摸上小樓梯，坐到這張靠窗的小桌旁，叫上一杯咖啡，開始打量窗外。很少有人認出他來，這位最平民化的埃及老人。

但是，還是有人在惦記他，仇恨的目光搜尋到了他的背影。一九九四年十月的一個黃昏，當他步行回家剛剛走過一座橋，一個歹徒撲上前去用刀刺向他的頸脖。他被路人送到醫院，脫離了危險，但由於傷及神經，右手至今不能恢復寫作。歹徒行凶的原因，據說是他早年的一個作品中，有揭露黑社會的內容。

這個震動世界的事件發生之後，警方開始對他實行保衛，他也不大出門了。小咖啡館二樓的小桌旁掛上了一幅鉛筆素描，寥寥幾筆，畫他獲獎後的某日在這裡看報。

我站在小桌旁想，阿拉伯文化的遠年光耀曾在這裡重新閃爍，卻被一個至今不知名姓的小人糟踐了。金字塔下的城市失落了一個重要的背影、一種珍貴的筆跡，重又陷於寂寞。

文明出現延續難乎其難，而邪惡毀壞文明則舉手之勞，這裡又找到了一個證明。

我一直在想，如果有一批存心不良之人，不管是出於同行嫉妒還是出於精神失控，計劃來謀害或毀損

一批最有影響的作家，結果會怎麼樣呢？我估計很難樂觀，因爲下手極其簡單，而救助千難萬難。人類至今沒有建立救助文明的機制，一切只憑少數人心頭的一點良知，但良知何以去污？何以聚集？

因此，可以斷定，人類文明史的許多主角都失踪了，我們連他們的名字都不知道。

三〇 蝕骨的冷

一九九九年十月二十二日，埃及西奈半島，夜宿El Wady El Moguduss旅館

昨天傍晚在大金字塔和斯芬克斯雕像前舉行鳳凰衛星電視台和阿拉伯廣播電視聯盟的告別聯歡會，我們一行被介紹到舞台上受到埃及朋友的喝采。許戈輝妝扮成「埃及艷后」被抬到「法老王」前，她用華語和英語與埃及演員的阿拉伯語半猜半矇地一鍋煮，很有趣味。

妻子是理所當然要表演的，她不知經歷過多少舞台，卻沒有想到會在夕陽下的金字塔和撒哈拉大沙漠前表演，除了演唱經典唱段外，還自告奮勇加一段小時候會唱的埃及歌曲：「太陽爬上高高的山崗，尼羅河水泛金光……」埃及的樂隊先是一驚，然後就興奮地跟著伴奏起來。

妻子會唱埃及歌，與中國曾經支持埃及收復蘇伊士運河有關，連我小時候也爲了這件事排隊上街遊行。今天早晨，我們終於獲准可坐船參觀這條從小就喊過無數遍的運河，並通過河底隧道，但一切都必須在他們軍隊的護衛和監視下。

蘇伊士運河把地中海和紅海連到了一起，其實也就是把大西洋和印度洋連到了一起，在世界航運業有重要地位，經濟收入也十分可觀。埃及除了古蹟之外，現代值得驕傲的就是這條運河和阿斯旺水壩，當然會不惜一切代價來保衛。我曾在兩位外交官的書上讀到過蘇伊士地區一位詩人的詩句：

埃及，我的祖國，
你留下的太少，
失去的太多。
我是你的兒子，
要把你的心願化作戰歌。

誠懇而樸實的句子從一個方面說明了戰爭的不可避免。古代的失落和現代的失落畢竟是有情感聯繫的。世界上的許多紛爭，除了現實利益外還有歷史榮譽，一些文明古國即使口中不說，心裡卻十分在乎。

過河之後便是西奈半島，這已經是亞洲的地面了。這個半島也是現代國際政治的一個重要話題，一九五六年被以色列占領，一九七三年埃及又試圖奪回，幾經拉鋸終於歸還了埃及。記得一九七三年那次戰爭，以色列在蘇伊士運河對岸築造的防線花了二億多美元，加上運河的天然障礙，眞說得上是「固若金湯」，誰料埃及軍隊想出了用高壓水龍頭沖的絕招，防線土崩瓦解，聽起來很是過癮。

我們吃過午飯就開始在西奈半島上穿行，直到晚上九時半才到達半島南部的聖卡瑟琳鎭住宿，走了四百七十公里。這個半島對埃及來說可稱是國防前線，因此軍營很多，但除此之外就很少有人煙了，在整整幾個小時中我們幾乎沒見過一個人。崗樓上有機槍伸頭，卻見不到哨兵的臉。好不容易到了一個小鎭，不

僅街上沒人，樓窗口也見不到一個人。偶爾見到一兩個陽台上晾衣服，才有人住的痕跡，但也可能晾了半年多了，主人沒有回來。在這樣的土地上行走，心裡確實發毛。

無人的小鎮總共也就是二、三個吧，其餘全是沙漠。月光下的沙漠有一種奇異的震撼力，背光處黑如靜海，面光處一派灰銀，卻有一種蝕骨的冷。這種冷與溫度無關，而是就光色和狀態而言的，因此更讓人不寒而慄。這就像，一方堅冰尚能感知，而一副不理會天下萬物的冷眼冷臉，叫人怎麼面對？灼熱的金字塔，由這麼一片遼闊的冷土在前方衛護著。

讓我驚訝的是，全世界都曾嚴密注視的那場爭奪戰，居然是在爭奪這麼一片寸草不生、荒無人煙的土地。

就像許多財富爭奪只是帳面概念，許多領土爭奪也只是地圖概念。紙上的東西，最容易讓人熱血沸騰。

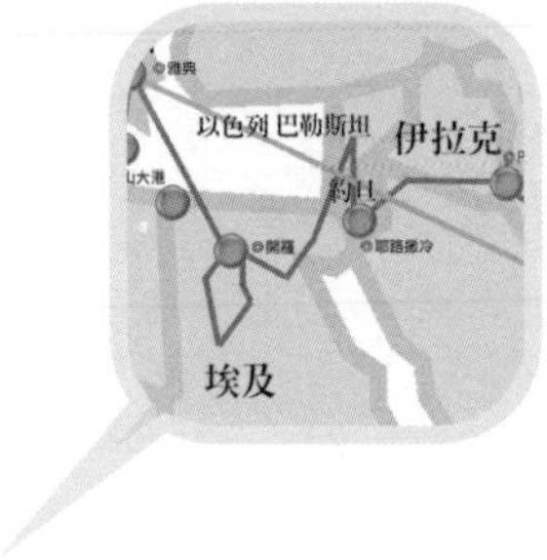

以色列。巴勒斯坦。

三一　海已枯而石未爛

一九九九年十月二十三日，上午在西奈半島，下午赴以色列，夜宿伊雷特（Eilat）的 Marina Club

西奈半島雖然荒涼，卻是極重要的宗教聖地。

對於很多宗教的磨鍊期而言，荒涼是一個必需條件。在希伯來的宗教文化史上，有一個《出埃及記》的記載，那是指在我們提到過的拉美西斯二世統治時期，原在埃及逃荒的希伯來人不甘心長期被奴役而出走的壯舉。他們在摩西的帶領下渡紅海出埃及，來到的就是這個西奈半島，當時西奈半島還在埃及管轄之外。他們爲了自立而選擇荒漠，在西奈沙漠上整整流浪了四十年，最後來到西奈山下落腳，耶和華在那裡授與摩西十條戒律，於是猶太教正式誕生。這事說起來應該是三千多年前的事了。

再往後推一千多年，公元二世紀，各地的基督教徒爲了逃避朝廷迫害也聚集到西奈山下，在這難於生存的自然環境中，淬煉信仰。經過幾百年的努力，這裡也出現了教堂、修道院。舉世著名的聖卡瑟琳修道院就座落在這裡。

這麼說來，西奈沙漠（特別是西奈山）的荒涼，倒是人類一大文化流脈的背景。今天我們來到這裡，不能不認眞地打量這番荒涼了。

荒涼到什麼程度？好像被猛烈的海嘯沖過，什麼都沒有了，包括海水，只剩下石天石地。或者，根本不是什麼海嘯，它原來就是海底，而海水不知突然到哪裡去了。我覺得眼前的景象只能用這樣的話來概

括：海已枯而石未爛；洪水方退，赤日已臨。

聖卡瑟琳修道院是非去不可的。它靜靜地安踞在西奈山的萬丈峭壁下，近似一個原石砌成的小城堡。門道很小，有兩道用鐵釘皮裹著的門，而一進入，我們就看到了一個緊湊而精緻的小天地。教堂高高的大門是公元六世紀的原物，沒有動過，從教堂出來一拐，又看到了摩西坐過的井台和他與耶和華談話的地方。與世上其他教堂和修道院不同的是，這裡處處展現出一千多年前的原始狀態，歪斜而堅牢，簡陋而光滑。

這個修道院名字的來源值得一提。公元三世紀埃及亞歷山大城一位十六歲的貴族女兒信奉基督，當時的羅馬總督逼她改信羅馬拜神教，還派來五十位學者與她辯論，結果，五十位學者全部被她說服，皈依了基督，連總督的妻子也追隨了她。總督大怒，將她殺害，這位殉教的少女就叫卡瑟琳。世界上以她名字命名的教堂和修院有好幾座，而我們現在進入的這一座，公認爲最老、最有地位。

修道院裡還有一個僅次於梵蒂崗的基督教眞本圖書館。它曾經擁有一部公元四世紀的羊皮卷本聖經，十九世紀曾被一名德國學者借去，沒想到這名學者四年後就把它賣給了大英博物館，獲利十萬英鎊。我對文化盜賊分外敏感，覺得這個名爲學者的人實在不是東西，估計他爲了掩蓋自己的劣跡還會編造謊言，甚至對修道院進行誣陷。修道院身處荒遠，無以發言，也不想與他打官司，只把他當年寫的那張借據保留著，直到永遠。

聖潔總會遇到卑劣，而卑劣又總是振振有詞，千古皆然。

在滴水寸草都很難留存的地方所留存下來的一點點文明，竟然由卑劣之手變成了鬧市間的花天酒地。文化盜賊有文化，但本質上還是盜賊。

任何一個光明正大的宗教都是拒絕卑劣的，因此它們互相之間並不是沒有對話的可能。這個修道院不僅有猶太教和基督教的遺跡，也保留著伊斯蘭教的圓頂，幾乎是一個小小的耶路撒冷。

說到耶路撒冷，突然想到，我們也到了該「出埃及」的時候了。

三二　所羅門石柱

一九九九年十月二十四日上午，從伊雷特前往耶路撒冷

從埃及到以色列確實不容易，難怪幾千年來永遠是個說不完、道不盡的關隘。我們一行在兩國邊關整整消磨了六個小時，沒有任何怨言，如果「出埃及」輕而易舉，反而會覺得失重。

從荒漠一片的西奈半島進入以色列，以色列故意用一個國際聞名的旅遊勝地擺在門口，實在是對比強烈。伊雷特不僅美麗，而且整潔而現代，使我不敢相信剛剛從「海已枯而石未爛」的地方走出。

過關雖煩，但以色列海關態度極好。預先被反覆告知，他們那裡盤問甚嚴，檢查甚細，千萬不可露出不耐煩的表情。時間那麼久，不耐煩是難免的，但一眼看去，年輕的工作人員們都在爲我們忙碌著，既不官腔，也不拖拉，更不索要小費，當最後終於辦妥全部人、車、設備的過關手續，首先是他們鼓起掌來，我們也就找不出什麼除感謝之外的表情給他們看。文明，確實能消滅麻煩。

以色列現在的國土像一把錐子，我們進入的伊雷特正好在錐子的頂端，因此經昨天晚上一覺酣睡，今天一早就匆忙北上，目標是將近三百公里的耶路撒冷。但上路不久就停下了，因爲我們發現了一個叫做「所羅門石柱」的所在。

所羅門（David Solomon）這個名字對我很有吸引力，他是猶太民族歷史上堪稱劃時代英雄大衛的小兒

子。所羅門繼承大衛統治希伯來王國，開創了猶太民族百世回味的黃金時代，他的「石柱」是怎麼回事？

走近一看，原來是所羅門時代的一個銅礦，銅礦正面山崖上有幾個天然岩柱。全因那個時代太令人神往，後人便取了這個名。

我爬上岩柱邊的陡坡俯瞰方圓，心想：猶太人也眞是不容易。所羅門王朝輝煌於公元前十世紀，離現在差不多有三千年了；如果再往前追索，希伯來人在亞伯拉罕（Abraham）的帶領下從美索不達米亞遷居阿拉伯沙漠，創造早期猶太文明，已經是三千八百年前的事了；連我們前幾天提起過的摩西帶領部屬出埃及，也有三千三百年了。也就是說，猶太人在公元十世紀之前，花了一千年左右的時間，已經把自己的故事演繹得非常悲壯，這故事裡有感人的精神、決絕的舉動和奢華的建設，絕不比世界上其他早期文明遜色。

他們最讓人佩服的地方是爲了民族解放不惜一次次大遷移。只要落腳就能快速創造出一個優於別人的生態，如果這種生態中有被奴役的成分他們寧肯放棄，選擇流浪。但是，眞不知道命運爲什麼對這個民族如此不公，居然有那麼多巨大的災禍接二連三地降落在他們頭上，驅逐、殺戮、破壞、奴役永遠跟隨著他們，怎麼也擺脫不了。

我腳下，所羅門時代的繁華安然長眠，不知道自己身後會發生這麼多驚天動地的大事——

公元六世紀猶太王國遭巴比倫洗劫，從國王開始，數萬人都被押往巴比倫，成爲歷史學上的一個專用名詞：巴比倫之囚。直到後來部分猶太人返回巴勒斯坦，著手編訂《聖經》，給人類文明史留下了有關苦難

和救贖的神聖話語；

從公元前一世紀開始，羅馬人一次次攻陷耶路撒冷，猶太人不分男女老幼寧肯集體自殺也不投降，剩下的只能逃亡異鄉。但幾乎到任何一個地方都遭到迫害，即便在羅馬滅亡後的中世紀，猶太人的處境仍然駭人聽聞；

直到本世紀中期，希特勒還在歐洲殺戮了六百萬猶太人，僅奧斯維辛集中營在一九四三年就處死了二百五十萬猶太人。這一血淋淋的史實，終於撼動了現代人的良知。是的，在我們跨越千年、鳥瞰既往的時候，猶太人的遭遇仍然是人類良知深處的一大隱痛。

猶太人屢遭迫害的原因很多，但後來他們明白，沒有祖國是一個重要因素。以色列是他們好不容易建立起來的一個國家，因此在這裡每走一步都能牽動一個橫貫數千年的大問題：人類，爲什麼如此對自己的同類過不去？

猶太民族不大，但由於災難和流浪，他們的身影遠遠超過了那些安居樂業的人群。在世界任何一個角落，都能隱隱聽到他們從憂傷的眼神裡流出來的歌聲：

啊，耶路撒冷！
要是我忘了你，
願我的雙手枯萎，不再彈琴；

要是我忘了你，
願我的舌頭僵硬，不再歌吟！

可以自慰的是，在全球性的反猶狂潮中，我們中國人表現出了一種近乎天然的寬容和善良，從宋代朝廷到第二次世界大戰時期的上海，都善待了猶太流浪者。結果，希伯來文越來越靠近河南梆子，甚至融入了上海口音，由黃河、長江負載著，流入大海，去呼喚遙遠的親人。

三三　向誰爭奪

一九九九年十月二十四日下午，從伊雷特前往耶路撒冷，夜宿Renaissance旅館

原想一門心思地直奔耶路撒冷，無奈視線又受到干擾。

四周仍是茫茫沙漠，但與別處不同的是，每隔幾百米就有一個藍色的小鐵絲網，裡邊有一個水龍頭。再往前，一個個塑料棚多起來了，棚外滾動著遺落的香瓜和西紅柿。不久見到了村莊，綠樹茂密、鮮花明麗，但一看它們根部，仍然是灼灼黃沙。這裡的農民似乎很想把自己在沙漠裡創造的奇蹟抒發一下，便在路邊用多種老農具構建出一座座現代派和後現代派的雕塑，連在寸草不生的沙丘上也樹立一批黑鐵鑄造的馬匹和羊群，讓路人先是一驚，繼而莞爾。

世界上有那麼多沙漠，而這兒居然這樣。我們實在忍不住了，鑽進了一個塑料棚。只見滿眼是一嘟嘟鮮紅的小西紅柿，叫做櫻桃西紅柿，主人見到來了客人，連忙摘下一把往我們嘴裡送，我們也不擦洗，一口咬下去，大家一致嗚魯嗚魯地說，這是離國至今吃到的最鮮美的水果。主人要我們蹲下身來看他們種植的秘密，原來地下仍然是沙，只不過有一根長長的水管沿根通過，每隔一小截就有一個滴水的噴口，清水、肥料、營養液一滴不浪費地直輸每棵植物。「全部電腦控制，人要做的事只有一件：坐著軌道車採摘！」主人的口氣很驕傲。他說，每家農戶一年的產值約二十五萬美元。

誰都知道，由枯竭的沙漠和煙瘴的沼澤組成的以色列，在自然資源上只能排在整個中東的後面，但短

短幾十年，它的農業產品增加十六倍，不僅充分自足，而且大量出口歐洲，歐洲每天都要高價接收來自以色列沙漠的大量珍奇果品和鮮花。與此相應，它的噴灌滴灌和海水淡化技術，都處於世界領先地位。在我看來，黃河上游乃至整個中國西北高原，都應該引進以色列的滴灌技術。

好客的主人執意要領我們到附近一個高坡上，鳥瞰一下整個農莊。到了高處一看，層層疊疊的塑料棚鋪展得那麼遼闊，陽光一照宛若一片浩淼的湖水。我在高坡上想，多年以來，中東地區戰亂不斷，大家都在爭奪土地，爲了這種爭奪，不知開了多少會，說了多少話，生了多少氣，流了多少血，死了多少人，而且至今尚未看到停息的跡象。人類有沒有可能減少一點彼此之間的爭奪，去向自然爭奪一點空間呢？我覺得，以色列人在沙漠裡寸土必爭地擴展綠洲的奮鬥，要比對哪塊高地、哪個半島的軍事占領有意義得多。

當人們終於懂得，籠罩荒原的不應該是戰火而應該是暖棚，播灑沙漠的不應該是鮮血而應該是清泉，一切就走上正路了。事實證明，以色列具有國際新聞天天報導那些事件之外的另一種能力，一種與文明主體直接相關的能力。

就我個人而言，實在有點好笑，長期以來對以色列的情報機構「摩薩德」欽佩不已，因爲它居然可以在敵方的眼皮底下把人家新研製的軍用飛機和導彈艇整架、整批地偷出來，甚至一夜之間把對方的雷達站囫圇搬到自己一方，簡直像神話一般。但現在憬悟，猶太民族的高度智慧如果耗費在這上面，只會越來越給和平帶來麻煩。

人折騰人，人擺佈人，人報復人，這種本事，幾千年來也眞被人類磨礪到了爐火純青的地步，但我實在不知道該不該把它劃入文明發展史。如果不劃入，那麼有許多智慧故事、歷史事件便無處落腳；如果劃入，那麼文明和野蠻就會分不清界線。人折騰人的本事，粗粗劃分有兩大類，即明裡攻伐、暗裡用間。大至兩國之間的抗衡，小至同事之間的紛爭，均無出其外。以色列立國既遲，疆域不大，因此雖也有攻伐舉動，卻長於用間技巧。自進入以色列以來，滿街可見持槍的年輕士兵，男女都有，英姿颯爽；對於那些不穿軍裝卻又顯得特別深沉的男人或特別漂亮的女人，我會稍稍疑惑：「是摩薩德嗎？」

其實，人折騰人的本事，要算中國最發達。五、六千年間不知有多少精采絕倫的智慧耗盡在這裡。但是如果我們今天要用最簡明的線索來描繪中華文明，一定會把這種本事擱置在一邊。中國歷史發展最快的段落，也是這種本事最收斂的時期，即以最近二十年的照常發展而言，就是以公開宣布對鬥爭哲學和爭論癖好的放棄爲前提的。如果沒有這個前提，偌大一個中國不知會多少次地陷於死局。現在，只有尚未實現轉型的文化界的某些角落還保持著那種陳年癖好，卻早已無損大局、無傷大雅了。

我眞想把中國的這種體驗告訴以色列朋友，同時也告訴他們的對手，快快地鑄劍戟爲犁鋤，化干戈爲玉帛，把更多的智慧放在對沙漠的滴灌、噴灌上，而在整人治人的領域，不必高度發展。連曾經擁有《孫子兵法》和《資治通鑑》的民族都這麼說，總可信服。

三四　年老的你

一九九九年十月二十五日，耶路撒冷，夜宿Renaissance旅館

去耶路撒冷，有一半路要貼著死海而行。

死海這個名字，在中國人聽來很不吉利，不僅不大會去遊覽，恐怕連路過都要盡量避免，不然乾脆把這個名字改了。但這兒的人完全不在乎，一疊連聲地念叨著死海，興致勃勃地朝它走去。

死海是地球上最低的窪地，湖面低於海拔三百多米，湖深又是好幾百米，基本上是地球的一個大裂痕。水中所含鹽分是一般海水的六倍，魚類無法生存，當然也不會有漁船，一片死寂，因此有了死海這個名字。現在死海是以色列、約旦的邊境所在，湖面各分其半，成了軍事要地，更不會有其他船隻，死得更加徹底。

但是，死海之美，也是世界上其他地方所不可重複的。

一路不表，卻說下午五時，我們的車隊翻上了死海西岸的一個高坡，高坡西側的絕壁把夕陽、晚霞全部遮住了，只留下東方已經升起的月亮。這時的死海，既要輝映晚霞，又要投影明月，本已非常奇麗，誰料它由於深陷地底，水氣無從發散，把一切都朦朧成了夢境。

一切物象都在比賽著淡，明月淡，水中的月影更淡，嵌在中間的山脈本應濃一點，不知怎麼變成了一痕淡紫，而從西邊反射過來的霞光只在淡紫的外緣加了幾分暖意。這樣一來，水天之間一派寥廓，不再有

物象，更不再有細節，只剩下極收斂的和諧光色。我想，如果把東山魁夷最朦朧的山水畫在它未乾之時再用清水漂洗一次，大概就是眼前的景色。

這種景色，眞可謂天下異象，放在通向耶路撒冷的路邊，再合適不過。耶路撒冷，古往今來無數尋找它的腳步走到這裡都已激動得微微發顫，當然應該有這番純淨的淡彩來輕輕安撫，邊安撫邊告示：一個朝聖的儀式在此開始。

走完了死海，道路朝西一拐，方向正對耶路撒冷。這時，很多丘陵迎面奔來，閃過了一座又一座，幾經盤旋，進入一個高高的山口，往下俯視，遠處燈光燦爛。但是就這麼讓你看了一眼，道路大幅度下滑，然後又是一個個山包，夜色蒼茫間只見老石斑剝，提醒你這條起落跌宕的道路，是從太遠的歷史中延伸出來的，切莫隨意了。

世界上沒有另一座城市遭受到過這麼多次的災難。它曾在戰鬥中毀滅過八次，即便已經成了廢墟，毀城者還要用犁再鏟一遍，不留任何讓人懷念的痕跡。但它又一次次的重建，終於又成了世界上被投注信仰最多的城市。

猶太教說，這是古代猶太王國的首都，也是他們的宗教聖殿所在；

基督教說，這是耶穌誕生、傳教、犧牲、復活的地方，當然是無可替代的聖地；

伊斯蘭教說，這是穆罕默德登天聆聽眞主阿拉祝福和啓示的聖城，因此有世界上第一等的清眞寺。

三大宗教都把自己的精神重心集中到這裡，它實在超重得氣喘吁吁了。不同的文明本可多元共處，但當它們的終端性存在近距離碰撞時，卻會產生悲劇。耶路撒冷的不幸，在於它被迫收納了太多的終端。

宗教分歧漸漸由起因而變成藉口，排他的民族極端主義情緒乘虛而入；於是，災難而又神聖的耶路撒冷，在現代又成爲最大的是非之地。

有人說，在今天，世界的麻煩在中東，中東的麻煩在阿以，阿以的麻煩在耶路撒冷。如果眞是這樣，那麼耶路撒冷，我實在無法描述走近你時的心情。

也許，年老的人，最有資格嘲笑人類？

三五　鮮艷了一萬年

一九九九年十月二十六日，從耶路撒冷繼續向北，夜宿加里利湖（Sea of Calilee）畔Nof Ginosar旅館

昨晚得知，我們的五輛吉普車在申請以色列的臨時行駛牌照遇到了困難。有關部門同意發給我們有效期一年的牌照，價格很高，其實我們只在以色列停留十幾天，要一年有什麼用？申請短期的，先要投保，而保險公司索價也不菲，投了保還要其他費用。錢還是小事，問題是每一個環節都要等待很長時間，不知哪天才能辦成。隊長郭瀅與大家一商量，決定橫下一條心，冒險作無牌照違規行駛，今天先去最遠的地方，再慢慢繞回來，把耶路撒冷放到以後採訪。去掉了遠的地方，遇到麻煩也不怕了。

今天一早，五輛沒有牌照的吉普一齊啓動，離開仍然陌生的耶路撒冷一路北上。

我們今天要去的地方，一切稍稍關心國際形勢的人都不會陌生。先要進入巴勒斯坦管轄範圍的傑里科，然後沿約旦河西岸繼續向北，爬上戈蘭高地，再進入聯合國維和部隊駐守的以色列與敘利亞之間的隔離區。

在我看來，這條路，是把多年來如雷貫耳的「傳媒地名」一一用腳踩實，是把以往知之甚粗的現代國際知識用車輪輾細，是對時時有可能爆發的危機和險峻，用自己的身心去感受。

眞是有幸，遇到了一位名叫阿蒙・雅各布（Armon Jacob）的歷史學博士，樂呵呵地滿臉大鬍子，最想

把此地的古今事蹟介紹給外國人，於是便請他上了我們的車。

傑里科（Jericho），在聖經裡稱作耶利哥，阿拉伯的名稱叫埃里哈（Ariha），在耶路撒冷北部四十五公里，是我們在以色列見到的第一個巴勒斯坦管轄區，也是整個巴勒斯坦發展較快的地方，但與以色列管轄的地區相比，生活方式的差別判若天壤。

很早以前就從國際新聞中知道，這裡經常發生衝突，我們小心停車，慢慢下來，沒想到轉眼間街上的多數人都圍過來觀看。他們衣履不整、態度友善，但圍觀時間一長卻使我們隱隱感到不安。在正常的生活環境裡，人們見到外國人只是掃一眼或問一聲好罷了，如果大家都過於關注周圍，對任何陌生信號有一種超常的敏感和警覺，那一定是長期不安定的結果，而且還會釀發新的不安定。

除了不大的市中心，其他地方的房子有很多只有門洞和窗洞，卻沒有門窗，似乎睜著惶恐而委屈的眼，一直沒合上。

雅各布不斷催我們趕快離開，我們問他爲什麼，他居然用英語說：「人生苦短，爲何要冒這個險？」我們說還想拍幾個巴勒斯坦警察的鏡頭，請他告訴我們崗亭在哪裡，他說這方便，幾步走進不遠處的警察局，不多時就有幾位滿臉笑容的警察朝我們走來。我們驚訝他作爲一個以色列人，何以在巴勒斯坦的領地有這等能耐，他說：「我和這裡的警察局長是朋友。民間其實並不對抗，比較麻煩的是雙方的政治極端分子。」

恐怕沒有這麼簡單。在我看來，巴以衝突與其他許多民族衝突一樣，牽涉很廣。政治家敏感於主權歸

屬，文化人敏感於歷史倫理，老百姓敏感於生態差異，而最切實的是生態差異，包括生命節奏、教育背景、風俗特點、衛生習慣、心理走向都不一樣，而背後又都潛藏著世代的自尊和委屈，因而必然產生麻煩。

離現在的城區不遠，我們看到了傑里科古城遺址。考古證明，這座古城存在於公元前八千年，距今正好一萬年，是世界上最古老的城市。我下到一個考古坑仔細地看了一座觀察塔的遺跡，心想早在一萬年前人們已在驕傲地守望著這座城市了，而現在的城市竟然還那樣破敗和不安全，如果古塔不坍，守望的眼睛不知是否會下淚。

據聖經記載，古代猶太人渡紅海、出埃及，從西奈沙漠進入約旦河流域，首先是攻克此城，才定居迦南（Canaan）地區的。有關攻克此城的故事，記得詳盡、生動，讀了很難忘記。城側有一座「誘惑山」，耶穌曾在那裡排除種種誘惑，祈禱數十天，現在還能看到洞窟處處。

悠久而又神聖的傑里科，歷來被稱爲「神的花園」，我也曾在一些想當然的現代書籍中讀到過對它出神入化的描繪。今天我站在它面前，說不出一句話，此處現在很少有其他美麗，只有幾叢從「神的花園」裡遺落到今天的花，在飛揚的塵土間鮮艷，鮮艷了一萬年。

三六 每一步都面對孩子

一九九九年十月二十七日，夜宿加里利湖畔Nof Ginosar旅館

告別傑里科之後往北，很快就到了大名鼎鼎的「約旦河西岸」。約旦河見不到水，河谷中心有一些綠色的植物，兩邊都是荒山野地，一路上除了一道又一道的鐵絲網，很少有正常生活的跡象，倒是對面約旦高山下有一些房子，卻不知是不是民房。鐵絲網很細密，直封地底，連蛇也爬不過來。路旁經常出現軍車，士兵們見到我們這一溜吉普，都打招呼。以爲又來了軍事觀察團，其實我們連車牌都沒有，只怕被他們「觀察」到什麼。

前面有一個大關卡，我們再一次爲車子的牌照懸起了心。幾個軍人要我們停車，很負責地把頭伸進車窗，仔細地打量了一遍車內的情況，就放行了，他們忘了看車牌。

於是，我們進入了戈蘭高地。

高地先是堵在我們路東，一道長長的山壁，褐黃相間，偶有綠色，說不上什麼景色；待到我們漸漸翻了上去，它就成了腳下高低起伏的坡地，有軍營、炮車、坦克，也有綠樹，很多地方掛著一塊三角黃牌，寫明有地雷，那兒就雜草叢生。走著走著，我們已進入了以色列與敘利亞之間的隔離區，這時天色已晚，五輛車一頭撞到一個鐵絲網重重翻捲的關口就過不去了，抬頭一看，寫著UN only，是聯合國維和部隊的哨所，過了關口就是敘利亞。

哨所上沒見到有人影，我們很想拍攝這個關口，但光線太暗，只得把五輛吉普車的前燈全部開亮，直照過去，一時如同白晝，兩台攝像機同時開動。這事想起來十分危險，如果隱蔽在什麼地方的哨兵看到了這個怪異的景象又搞不清是怎麼回事，會不會向我們開槍，或把我們扣押？

雅各布博士自信地搖頭，說：「不會。這個關口的守衛者是奧地利官兵，現在一定喝醉了酒在睡覺。有一次我摸上崗樓還叫不醒他們，就順手拿起他們的槍放了兩槍，他們才醒。」

我們笑了，覺得雅各布一定在吹牛，因此，也沒有鼓動他再次去摸哨放槍，只管趁著夜色下山，找旅館睡了。

今天一早醒來，還是放不下戈蘭高地，覺得昨天晚上黑森森的沒看清什麼，應該再去一次。先到昨天晚上打亮車燈拍攝的那個關口，看見已經站著一位威武的哨兵。一問，果然是奧地利的，雅各布調皮地朝我們眨眨眼，意思是「我沒吹牛吧？」但我們誰也沒有問那位士兵昨夜是否喝醉了。然後我們登上一個高處，可以鳥瞰四周，沒想到那裡已有不少參觀者，是一個景點。最引人注意的是一座被現代戰火所毀滅的城市遺址，斷垣殘壁清晰可見，卻不是因爲十字軍東征，也不是因爲維蘇威火山爆發，而是以一種「現代啓示錄」的方式生楞楞展開在山腳下，讓一切現代人的目光都無法躲避。

我把目光移到遠處，突然想到，北方叢山背後，應該是紀伯倫的家鄉。

這位歌唱愛的詩人，我在十餘歲時就著迷了。不知他的墓園，是否完好？

下了戈蘭高地，我們一行又向西南奔馳，去拜謁耶穌的家鄉拿撒勒（Nazareth）。耶穌在伯利恆（Bethlehem）出生後隨家逃往埃及，後又返回拿撒勒度過童年，長大後又在那裡傳教。拿撒勒有一座天主報喜教堂，紀念天使向聖母預告耶穌即將降生的消息，造得氣勢恢宏。這個教堂在現代經過徹底重建，把古蹟和現代理念融於一體。現代以不加雕飾的原始形態來烘托和提升古蹟，使人領悟在至善至愛的領域，古今很容易相與而歡。世界各地的信徒們把一幅幅鑲嵌式的聖像掛在教堂大門右首的迴廊裡，表明能夠相與而歡的，不止是不同的時間，還有不同的空間。這是我見過的最有時空開拓力的教堂。

教堂門口出現了一隊隊前來參拜的小學生，穿著雪白的制服，在老師的帶領下一路唱著悅耳的聖詩。老師倒著身子步步後退，用笑臉對著孩子，用背脊爲孩子們開路，周圍的人群也都爲他們讓出了一條道。

眞不願相信這些天眞可愛的生命遲早也要去承受民族紛爭的苦難。上一代應該像這些老師，不是邁開自己的腳步讓孩子們追隨，而是反過來，每一步都面對孩子，只要面對孩子，一切都好辦了。

三七　寫三遍和平

一九九九年十月二十八日，以色列特拉維夫，夜宿Mercure旅館

坐吉普車旅行的一大好處是隨心所欲。不必像坐飛機、火車那樣要嚴格遵守時刻表，只要拿一張地圖往前開，見到有意思的地方就停下，停多久也憑自己的感覺，這就避免了很多時間的浪費和景物的遺漏。

你看今天我們去以色列最大的經濟、文化中心特拉維夫，半道上就選了兩個地方停留，後來才發現，這實在是爲特拉維夫鋪墊了重要的前奏。地理路線變成了邏輯路線，然後在特拉維夫做了一個小結。

先是凱撒利亞（Caesarea）。一看地名就知道與羅馬關係密切，再看到萬頃湛藍的背景前一道從遠方延綿而來的連鎖拱門，從石質判斷它的年齡應在千年以上，我們就停下來了。一問，凱撒利亞建城已有二千餘年，這是城市的命脈，從北方卡密山（Canmel）上引清泉進城的一個大工程。

在驕傲的地中海面前，人類除了感激它的陽光清風外，還不失尊嚴的向它近距離地展示了對淡水的需求，用一道倔強的黃色一路排開二千年而不潰敗，實在是有志氣。

再往前走，又見到了一座可容納三萬人的圓形劇場，地中海是天幕，所有的觀衆席既面對著舞台也面對著海天，氣魄之大不難想像。

無論是水渠還是劇場，都是一座健全城市的基礎設施，在那麼遙遠的年代就已經成熟到這種地步，可

見人類文明如果不遭遇太大的橫逆，不知會發展到什麼程度。

正這麼想，眼前一座城堡潑下了涼水。這是一座十字軍的城堡，修築於建城之後的一千餘年，目的是戰爭。我爬上城牆，與我剛剛爬上引水渠頂端時的心情完全不同。上方是城垛、箭孔，下方是飲戰馬的水槽，為防戰馬失蹄而鑿下深深紋路的石板，而這一切，有很多是拆除建城時羅馬風格建築之後才取得材料的。層層泥石裹脅著大理石柱的斷片，含而不露地留下了一個證據：戰爭裹脅過和平，破壞裹脅過建設，野蠻裹脅過文明。

第二個地方離特拉維夫很近，也可說已在它的範圍之內，叫雅法（Yafo），一座已有三千多年歷史的港口小城，它的名字曾出現在聖經中。當初所羅門王朝在耶路撒冷建造聖殿，所用木材就是經由雅法港口轉運的。但是這座小城直到近代還記錄了一場大衝突和大遷徙的歷史，一九〇九年全城猶太人都離開了，到北部不遠處去開闢新的居住地，可見當時與阿拉伯人衝突的嚴重程度。這個新的居住地就是今天舉世聞名的特拉維夫，前不久剛剛慶祝過建城九十周年。

如此說來，這裡銘刻著一部怨仇難解的「雙城記」悲劇，但是就在雅法臨海的聖彼得修道院近旁，我們發現了一條最動人的生態小街。起伏彎曲、層層疊疊，結構隱蔽而複雜，今天，一個個小門洞裡還可找到雅緻的小金鋪、作坊和家庭式博物館，記述著像血管般彎曲而強勁的和平渴求。

我想，一座城市不斷更換的總督姓名並不重要，正是這種血管般彎曲的巷道，使文明按照正常的路途延續，即使在傷殘後也能接通血脈。

就這樣停停走走、東拐西繞，我們終於在傍晚抵達特拉維夫。

到特拉維夫第一件要做的事，是去看拉賓廣場。拉賓遇刺已整整四年，回想那時在遙遠的中國，我和妻子一聽到這個消息便忍不住下淚。這幾天感受了那麼多有關戰爭與和平兩大命題的強烈對比，我想應該在這裡歇歇腳。

先找到特拉維夫政府大樓，登上他那天演講的平台，然後順著他那天的路線，朝東北方向的露天樓梯下樓，一共二十六級。樓梯底下，就是他倒下的地方，一個年輕的極端分子永遠切斷了老人呼喚和平的聲音。這地方現在有一個三十平方米左右的黑色大理石祭壇，祭壇前的石碑上刻著：就在這個地方，一個星期六的晚上，以色列總理拉賓遇刺身亡。祭壇中央疊著大塊的黑石，前方三個玻璃罩裡，點著很多蠟燭。我們俯下身去，點燭、獻花。以色列人默默地看著我們。

遇刺地點北側是一條小路，路邊長長的牆上密密麻麻留著大量祭奠者的題詞，由於太多太亂，當局正在用水龍頭沖洗，以保持祭壇附近的整齊肅穆。我對這些題詞很感興趣，便一把拉過妻子來到水龍頭還沒有沖洗的最後一塊牆上去辨讀，沖洗鄰牆的水珠已灑落在我們頭上，我們不管，滿臉濕漉漉地在希伯來文、阿拉伯文中間尋找英文，我一句句翻譯給妻子聽：

我的兒子出生在一九九四年十一月你倒下的那天，他現在已經知道你，並將生活在你帶來的和平

中。我們全家感激你……

事件發生的那年我還不知道你倒下的意義，但這幾年我明白了。這個國家需要你……

生在你這樣偉大的人物身旁，居然還有人與愛爲敵，向你舉槍，眞是可恥……

給和平一個機會吧……

世界不會忘記……

妻子說，我們也寫吧，儘管明天就可能被沖洗掉。

我說對，寫。

於是我找了一個空白處，用大大的中文字寫了三遍「和平」，然後簽名，再用英文註明，我們來自中國。

三八　交纏的聖地

一九九九年十月二十九日，耶路撒冷，夜宿Renaissance旅館

終於又回到了耶路撒冷。

謝天謝地，沒有一塊車牌的車隊行駛了大半個軍警重重的以色列，竟然沒有遇到任何阻攔。

在近代交通方式出現之前，世界各地的朝聖者來一次耶路撒冷的困難，眞可謂難於上青天。但他們中的極小一部分終於抵達了，當時耶路撒冷街道中衣衫襤褸的萬里苦行者的心情，已是我們難於想像。我們，實在太輕易了，只得把胸襟收拾乾淨，準備領受來自古代的巨大精神衝擊。

序幕是進舊城，面對濃濃的一個中世紀。

陰暗恐怖的城門開闢出無數狹小擁擠、小舖如麻的巷道，所有的人都被警告要密切注意安全，使我們對每一個彎曲、每一扇小門都心存疑懼。腳下的路石經過千年磨礪，溜滑而又高低不平，四周瀰漫的氣味，彷彿來自悠遠的洞窟。不知走了多久，突然一片敞亮，眼前一個廣場，廣場那端便是著名的哭牆（Wailing Wall），猶太教的最高聖地。

這堵牆曾是猶太王國第二聖殿圍牆的一部分，羅馬人在毀城之時爲了保存自己勝利的證據故意留下的，以後千年流落異鄉的猶太人一想到這堵牆就悲憤難言，直到現代戰爭中猶太士兵抵達這堵牆時仍然是

號啕一片，我見過那些感人的照片，很理解這種民族悲情。說小一點，就像一個大家族流離失所，最後回來時只見一截斷牆，能不跪地失聲？

靠近哭牆，男女分於兩端，中間有柵欄隔開。男士靠近時必須戴帽，女士離開時不能轉身，而應面牆後退。在牆跟前，無數的猶太人以頭抵著牆石，左手握經卷書，右手捫胸口，誦經祈禱，身子微微擺動，念完一段，便用嘴親吻牆石，然後向石縫裡塞進一張早就寫好的小紙條。紙條上寫什麼，別人不會知道，猶太人說這是寄給上帝的密信，牆是郵電局。於是我也學著他們，在祈禱之後寄了一封。

背後有歌聲，扭頭一看，是猶太人在給剛滿十三歲的男孩子做「成人禮」，調子已經顯得十分歡悅。於是，哭聲、歌聲、誦經聲、嘆息聲全都匯於牆下，一個民族在這裡完成一種壓抑千年的傾訴，宗教奧義和民族精神由一堵牆而變得可觸可摸、具體動人。

哭牆的右側有一條上坡路，剛攀登幾步就見到了金光閃閃的巨大圓頂，這是伊斯蘭教的聖地，叫金頂岩石清眞寺，也簡稱爲岩石圓頂（Dome of Rock）；它的對面，還有一座銀頂清眞寺，兩寺均建於阿拉伯軍隊在公元七世紀征服耶路撒冷之後。

我們在金頂岩石清眞寺門口脫下鞋子，恭恭敬敬地赤腳進入，只見巨大的頂穹華美精緻、金碧輝煌，地下鋪著厚厚的毛毯，中間一個深褐色的圍欄很高，踮腳一看，圍的是一塊灰白色的巨石，相傳伊斯蘭教的創始人穆罕默德由此升天。巨石下有一個洞窟，有樓梯可下，虔誠的穆斯林在裡邊禮拜。伊斯蘭教對耶

路撒冷十分重視，有一個時期這是他們每天禮拜的方向，直到現在仍是除麥加和麥地那之外的另一個重要聖地。走出金頂岩石清眞寺我環顧四周，發覺伊斯蘭教的這個聖地開闊、高爽、明朗，在全城之中得天獨厚，猶太教的哭牆只是處在它的腳下。

就在這兩個宗教聖地的交纏處，第三個宗教——基督教的聖地也明晰而強烈地盤旋其間。盤旋的方式是一條曲曲折折的小路，相傳耶穌被叛徒出賣、被當局處死之前曾背著十字架在這條路上遊街示衆。目前正在特拉維夫大學攻讀博士學位的中國留學生荊杰先生熟悉這條路，熱情地帶領我們走了一遍。

先是耶穌被鞭打、被戴上荊冠的地方，然後是他背負十字架遊街時幾次跌倒的處所，每處都有紀念標記。在他遊街遇到母親瑪麗亞的小街口上有一個浮雕，兩人的眼神坦然而悲愴，凝然直視，讓人感動。

最後，到了一個山坡，當年的刑場，從公元四世紀開始建造了一個聖墓教堂，來自世界各地的基督徒在這裡表情沉重而聖潔，教堂入口處有一方耶穌的停屍石，赭白相間，被後人撫摸得如同檀木，有兩位年老的婦女跪在那裡飲泣，而其他朝聖者也都跪在兩旁。

基督教把這條長長的小路稱作悲哀之路（Via Dolorosa），也簡稱苦路，幾乎不加修飾地讓人走一走，強烈地烘托出一種感受：無罪的耶穌被有罪的人們宣判爲有罪，他就背起十字架，反替人們贖罪。路，那麼眞切又那麼具體，幾乎成了聖經的易讀文本。

三個宗教都以各自感人至深的方式在這裡吐納著無數信徒的精神寄托，把一層層神聖的悲情疊加給這

座城市。任何像樣的宗教在創始之時總有一種清澈的悲劇意識，而在發展過程中又因與民族問題緊緊相連而歷盡艱辛，彼此都承受了巨大的委屈。結果，原始的悲劇意識中又加入了歷史的悲劇體驗，誰都有千言萬語卻誰都又欲哭無聲。這種宗教的悲劇感有多種走向，取其上者，在人類的意義上走向崇高；取其下者，在狹窄的意氣中陷於爭鬥。因此，耶路撒冷的路途也有多種方向，在淤積著無數次毀城血淚的街道上，每天存在著相知、相融、相悅的無限可能。

在從猶太人的哭牆攀登到伊斯蘭清真寺的坡路上，看到一群阿拉伯女學生，聚集在高處的一個豁口上俯看著哭牆前的猶太人，特別是倒著走路的猶太婦女。她們的眼神中沒有任何仇恨、鄙視和嘲笑，只是一派清純地凝視著，想著什麼。她們發覺背後有人，驚恐回頭，怕受到長輩的指責，或受到猶太人的阻止，但看到的是一群中國人，她們放心地笑了，繼續轉過身去觀看，神色更加寧靜。

三九　多一點遺忘

一九九九年十月三十日，以色列加沙地區，夜宿耶路撒冷Renaissance旅館

耶路撒冷太濃了，濃得稠稠粘粘，連呼吸都有點急迫。那麼，今天暫換一個方向，去加沙地帶。

這是目前世界上最敏感的地區之一，一到入關口就感到氣氛遠比約旦河西岸和戈蘭高地緊張。迎面是一個架勢很大的藍灰色關卡，以色列士兵荷槍實彈地站了三個層次，頭頂崗樓上的機槍，正對準路口，遠遠望進去，經過一個隔離空間，前面便是巴勒斯坦的關卡。

在這裡進出需要查驗護照，但誰都知道，護照上一旦出現了以色列的簽證和入關紀錄，以後再要進阿拉伯的其他國家就困難了，因此前幾天從埃及進關的時候用的是集體臨時簽證，但那份簽證今天並沒有帶在身邊，於是我們這幫人究竟是怎麼進入以色列的，都成了疑問。更麻煩的是，幾輛吉普車無牌照行駛的問題在這裡也混不過去了。有麻煩才有意思，看他們怎麼處置。有一輛警車朝我們的車隊駛來，我們的攝影師在車窗內悄悄地打開了鏡頭。

警車上坐著一位胖胖的以色列警官，看派頭級別不低，也不下車，只是看著圍上去的我們幾個人一個勁搖頭：「你們，居然連什麼文件也沒有？沒有簽證，沒有車牌，沒有通行許可？」他大概從來沒有遇到過這樣的車隊，聳聳肩，不再說什麼，只讓我們自己得出結論，便吩咐司機把車開走了。

既不好玩，也想不出別的辦法，只能打電話找中國駐巴勒斯坦辦事處。不多久，常毅參贊和他的夫人

潘德琴女士就開著車來到了關口，幾經交涉，以色列警官終於同意我們幾個人坐著辦事處的外交公務車進去。車子駛過巴勒斯坦關口，倒不必再停下檢查，我們向憨厚的士兵們招了招手，他們咧嘴一笑，就過去了。

加沙地區的景象，與傑里科那裡差不多。我們先到一個難民營，難民主要是一九六七年戰爭中失去家園的各地阿拉伯人，由於已經過了三十多年，現在也已形成了一個社區。滿眼是無數赤著腳向車隊奔來的天真孩子，按阿拉伯人的生育慣例，逃難過來的已是他們祖父一代了。生活當然還是貧困，但據巴勒斯坦電視台的朋友說，與三十年前相比，已發生很大變化。我問，這麼大的難民區是由什麼樣的機構管理的？他們說，是居民委員會。我再問，居民委員會上面是什麼機構？他們指了指街口說：他。我一看街口，是阿拉法特的巨幅畫像。

加沙地區被以色列包圍著，巴勒斯坦的阿拉伯人進出很不容易；但在以色列看來，他們整個國家都被阿拉伯世界包圍著，再有巴勒斯坦在疆域之內膨脹，真是裡外不安；更讓我驚奇的是，居然還有一群固執的猶太人在加沙地區住著，決不搬走，但他們只能用鐵絲網把自己圍住。

這就構成了一圈又一圈的包圍網，你包圍我，我包圍你，你深入我，我深入你，你中有我，我中有你，分不斷，離不開，扯不清，雙方都有一筆怨屈帳，互相都有幾把殺手鐧，就像兩位搬不了家的鄰居，把傷疤結在一起了。

很想去看加沙境內的猶太人居住點，遠遠見到有鐵絲網、崗樓、探照燈，我們想走近一點，阿拉伯朋

友說，這已經是最近了，再近他們就會射擊。其實，每一個定居點裡只住了十幾個猶太人，保衛的軍警數量與他們差不多。他們在定居點裡也沒有像樣的營生，艱難又危險，卻堅持多年，來表示他們的一種領土觀念。

我站在路邊看著這一圈圈互相包圍的網，覺得這是人類困境的縮影。事情開始時可能各有是非，時間一長早已煙霧茫茫。如果請一些外來的調解者來裁判歷史曲直，其實也有點冒險，因爲這樣會使雙方建立起自己的訴說系統，倒把本該遺忘的恩怨重新整理強化了。我在這裡與以色列和巴勒斯坦兩方的朋友都作了深入的交談，漸漸產生了一個想法：他們都應該多一點遺忘，讓往事如煙，然後擱置情緒，用現代政治智慧設計出最理性的方略。記性太好，很是礙事。

歷史有很多層次，有良知的歷史學家要告訴人們的，是眞正不該遺忘的那些內容。但在很多時候，歷史也會被人利用，成爲混淆主次、增添仇恨的工具，有的人甚至借著歷史來掩飾自己、攻訐對手，因此更應警惕。幾個文明古國的現代步履艱難，其中一個原因便是歷史負擔太重，玩弄歷史的人太多。只有把該遺忘的遺忘了，歷史才會從細密的皺紋裡擺脫出來，回復自己剛健的輪廓。

可惜直至今天，很多歷史只喜歡做皺紋裡的文章。

爲了加深對這一個問題的思考，決定明天去參觀耶路撒冷城西的大屠殺紀念館。那裡，出現了必須由全人類共同確認的一些原則，因此可以讓我們更直捷地體驗，歷史的哪些部位才不該遺忘。

四〇　尋找底線

一九九九年十月三十日，耶路撒冷，夜宿Renaissance旅館

大屠殺紀念館座落在耶路撒冷城西的赫哲山旁，紀念第二次世界大戰期間被德國納粹屠殺的六百萬猶太人。

進入主廳，每個男人都要從一位老漢手中接過一頂黑色小紙帽戴上。主廳黝暗，像一個巨大的洞窟，屋頂有一扇窗，一束光亮進入，直照地下一座長明火炬，火焰燃得寧靜，不露聲色地把鐫刻在地上的那些「現代地獄」的地名一一顯現出來。中間有一個小小的講台，表示這裡永遠有許多話要講，但今天沒有講述者，只有一點沉默的微光。每年五月的一天，以色列的總統和總理都會站到這裡，全城汽笛長鳴，各行各業立即停止一切工作，悼念兩分鐘。

離開主廳時，我把黑紙帽還給門口的老漢，說聲謝謝，老漢點一點頭，用渾濁的眼睛看著我，然後指了指東邊。東邊，我沒有料到，會有一個讓我淚下不止的所在。

那是一座原石結構的建築，門口用英文寫著：亞伯拉罕先生和他的妻子伊蒂塔，建造此館紀念他們的兒子尤賽爾（Uziel），尤賽爾一九四四年在奧斯維辛被殺害。

但是，這並不僅僅是一個私人的紀念，因爲還有一行觸目驚心的字：紀念被納粹殺害的一百五十萬名猶太兒童。

進入這個紀念館要經過一條向下延伸的原石甬道，就像進入最尊貴的法老的墓道，所有的人都低著頭沉重地往前走，沒想到一拐彎，就看到甬道盡頭一幅眞人大小的浮雕，是一張極其天眞愉快的兒童的臉，年齡在三、四歲之間，浮雕下分明寫著他的名字：尤賽爾。兒童的笑臉具有如此大的震撼力，是我以前沒有感受過的，我的心一下子就揪緊了，心想，年邁的父母要在自己死亡前用這麼多石頭留住兒子早就逝去的笑臉，這樣的舉動不能不觸動人類最基本的良知。

從尤賽爾的浮雕像再向裡一轉，我肯定，所有的人都會像釘子一樣釘在地上動彈不得，因爲眼前一片漆黑的背景中出現了各種各樣的兒童笑容，男孩，女孩，微笑的，大笑的，裝大人樣的，撒嬌的，調皮的都有。短髮似乎在笑聲中抖動，機靈全都在眼角中閃出。但他們，全被殺害了！這些從遺物中找到的照片，不是用憤怒，不是用呼喊，而是用笑容面對你，你只能用淚眼凝視，一動不動，拿手帕的動作都覺得是多餘。

我不敢看周圍，但已經感覺到，右邊的老人已哽咽得喘不過氣來，左邊一個年輕的妻子一頭扎在丈夫的懷裡，丈夫一隻手擦著自己的眼淚，一隻手慰撫著她的頭髮。

大家終於挪步，進入一個夜空般的大廳，上下左右全是曲折的鏡面結構，照得人就像置身太虛。不知哪裡燃了幾排蠟燭，幾經折射變成了沒有止境的燭海，沉重的夜幕又讓燭海近似於星海，只不過每顆星星都是樸樸騰騰的小火苗。這些小火苗都是那些孩子吧？耳邊傳來極輕的男低音，含糊而殷切，是父親們在囑咐孩子，還是歷史老人在悲愴地嘟噥？

走出這座紀念館的每個人，眼睛都是紅的。大家不再說話，慢慢走，終於走到了一座紀念碑跟前。內弧形的三面體直插雲霄，它紀念的是一切在反抗法西斯的鬥爭中犧牲的英雄，沒有國界，不分民族。法西斯摧殘的不僅僅是某個民族，而是全人類，所以全人類站到了同一條戰線。不遠處的牆角裡放著一條小木船，旁邊掛了一個說明，原來這條小木船是荷蘭的反抗者組織在那最險惡的年月每天深夜用來偷渡猶太人的。一條船至多能坐三個人，加上另外幾條，居然解救出七千多人。怪不得紀念館周圍的花壇、草坪上刻有大量感謝碑，感謝當年解救過猶太人的各國人民和各種組織。每個感謝牌邊還種一棵樹，如今已濃蔭蔽天。

我很看重耶路撒冷有這樣一座紀念館，因爲有它存在，多種宗教糾紛和民族衝突碰到了一條眞正劃分大善大惡的底線。有了底線，也就有了共同語言。

記得去年寒風凜冽的一天，我曾來到德國柏林的一個老式體育場，希特勒在那裡舉行過奧林匹克運動會。那次運動會理所當然地受到了世界上很多國家的抵制，因此當年這個體育場內的景況，是既囂張又淒涼的。那些國家對希特勒的軍事暴行無可奈何，但敢於抵制奧運會，原因就在於希特勒這次打扮出了一個文明的姿態，搖晃出了一個文化的美名，這就有機會讓他看一看文明的底線了。

對野獸無可理喻，但野獸居然也唸叨起奧林匹克，那就可以對它有態度了。

在羅馬時，處處都避不開墨索里尼的影子，事實上他在保存和弘揚古代文物方面眞是做了不少大手筆

的事，有時還能在電台聽到他當年演奏的樂曲，可見他對一般意義上的文明並不陌生，但作為法西斯頭子他逾越了底線，因此也就成了一個歷史的罪人。

文明可以成為一種點綴，但文明有最終指向。正是這種最終指向，維護了人類。

四一　碗是什麼

一九九九年十一月一日，耶路撒冷，夜宿Renaissance旅館

主持人許戈輝走了，換來了陳魯豫。

許戈輝走前，與我有一次輕鬆的話別。因爲對著鏡頭，也就成了一個節目。

我問許戈輝，這一個月來我們一起走了很多地方，你覺得最美麗的風景是在哪裡？她想了一想回答，還是第一天見到的雅典蘇尼恩海岬，海天一色，千年石柱，又找到了拜倫的刻名。

她問我，一個月來，最震撼的景物是哪一處？我說，是埃及盧克索的太陽神廟。希臘的美比較容易親近，埃及就不一樣，一切都神秘，而太陽神廟與金字塔相比，是一種更有審美衝擊力的神秘，站在門口就震撼了。

我問她，最不可思議的地方在哪裡？她說，當然是耶路撒冷，把幾大宗教全捏在一起了，成了世界的濃縮，彼此又咫尺之遙，走在老城街上幾乎無法相信。

她問我，遇到的最不可思議的事情是哪一件？我說，是從開羅到盧克索七百公里全部有重兵保衛，連裝甲車也出動了，而且他們天天如此。保護古蹟和旅客，居然成了一個著名大國的第一軍事行動，實在匪夷所思。

我問她，你認爲是哪一件？她說，在預計今天非常緊張的約旦河西岸、戈蘭高地穿行，反而沒有緊張

氣氛，聯合國維和部隊的戰士把槍扔在一邊與我們聊天，恨不得把槍送給我們，不可思議。

她問我，最感動的地方在哪裡？我說，是在反覆領略了此地宗教糾紛和民族衝突的嚴重性後，突然見到了拉賓倒下的那個街口。

……

又這麼互相問了一些，戈輝說，行程開始才一個月，今後的路更長，這些紀錄一定會打破，我說，打破了我會立即打電話告訴你。

但是，礙於電視拍攝，我們都遺漏了一個問題：最痛苦的事情是什麼？答案不可能有爭議：吃飯。

我們這些人成天走南闖北，又經常出國，照理在飲食上已有很大的適應性，願意嘗嘗各國的不同口味，對西餐和阿拉伯飲食並不抵拒，但是，誰也沒有料到，當很大的勞動強度與基本上吃不到中餐這兩件事碰在一起之後，恐懼很快出現。戈輝長相小巧卻很能吃苦，爲了拍一個西奈山的日出她通宵爬山，下來後兩腿發顫還在對著鏡頭說話，但對著餐桌，她一句話也說不出來了。

有很多次，我在琳琅滿目的自助餐櫃台前轉悠三遍，只能嘆一口氣，拿一片麵包，扒拉一點生的黃瓜、西紅柿、青菜葉，再也不想吃什麼了。在我們一行中，吃得如此「收斂」的遠不止我一個。有幾位胃口很好，偶爾發現一根尚可下咽的酸黃瓜就興奮地奔走相告。

於是我們開始了尋找中餐館的悲壯努力。

在希臘找到一家，十分低劣，收價甚高，我們在吃飯時拍了幾個鏡頭留念還要加收「拍攝費」幾百美元，眞讓人噁心。開羅和特拉維夫各有一家勉強可以，放到國內什麼也不是，可憐我們一行剛喝半口蕃茄雞蛋湯已滿臉親情地要以店爲家了。昨天陳魯豫初到，又有點感冒，想讓她吃一點好的，開車從加沙直奔特拉維夫，找那家勉強可以的中餐館，誰料還沒停車就看到狹小的店門外已有幾十個中國人在排隊，都是像我們一樣眼巴巴餓饞了的同胞，多數是香港、台灣的旅行者，不知會等到什麼時候，只好回耶路撒冷找。回到耶路撒冷已經深夜，連找兩家都已經人滿爲患，便決定忍痛放棄，到一家咖啡館去吃點什麼。但這時大家早已爲一口飯奔走得疲憊不堪，餓勁已過，陳魯豫一頭斜在車上睡了，不肯下車。《北京青年報》記者趙維抱怨：耶路撒冷變成了「一路傻冷」，要是能喝口熱粥多好！大家齊聲唏噓：「太奢侈了！」

陳魯豫這次來的時候帶了幾包方便麵，餓了想泡一碗，便打電話給客房部想借一個碗。外語裡雖然也有「碗」這個詞，但在很多地方看不到這種東西，只有大大小小的盤子。果然，客房部問：「碗是什麼？」魯豫用英語描述給他們聽：「比盤子深一點，凹下去的，可以盛吃的東西……」他們終於懂了，過了一會兒敲門送來，魯豫一看，居然是個塑料花盆！

——就憑吃飯這一點，我想，人類的各個群落在生態文明上確實難於眞正溝通。明乎此，才能尋找到在地球上共同生活的一些心理原則。你看，那些被我們適應了幾千年的口舌習慣，似乎早已天經地義，誰知有一個無比遼闊世界對它基本不清楚。更值得深思的是，那個世界的人也過得很好。如果我們用中國某個菜系的烹調規範來責難和嘲笑他們，那麼，眞正被嘲笑的一定是我們自己。

由此可知，不同的生態文明不應導致互貶互損，而應該導致多元共存。範圍大一點，這是各個民族的相處之道；範圍小一點，這也是現代文化的生存原則。但是社會上總有一些人喜歡以自己的一孔之見和習慣姿勢批判他人，結果成了對社會的一種騷擾。請看這兒隔三差五發生的衝突，並沒有多少歹徒搗亂，大多也是一種自以爲是的偏執情緒在燃燒。

四二　我們不哭

一九九九年十一月二日，耶路撒冷，夜宿Renaissance的旅館

明天就要離開耶路撒冷，今天我們幾個一大早又到老城轉悠去了。沒有方向，沒有目的，只想再細細地看它一眼，與它告別。

耶路撒冷風景太多太密，就我個人的興趣而言，最喜歡的一條路是從雅法門到錫安門，再經杜門進入其特倫山谷。這條路既有多種生態的反差對比，又有安靜、清潔的社區，不必承擔過重的宗教負擔，卻時時可見幾千年前的古蹟。漫步其間，有一種飽滿的悠閒。

在耶路撒冷，不愁不飽滿，就怕不悠閒。宗教激情、歷史激情和民族激情全在這些小街中傾注，無論本地人還是外來人都有點血脈賁張。因此，尋找一個能夠保持距離的視角，反而能投入一種滋味悠長的品賞。

說實話，我看了那麼多天，覺得猶太朋友們眞是優點多多，唯一的遺憾是過於自我和狹隘，缺少通脫和悠閒。如果說，這兒的阿拉伯朋友對於自我生態太不在乎，那麼，猶太朋友則太在乎、太緊張。

有人看到猶太人在哭牆前令人感動的種種表現就問，中國人爲什麼沒有這麼強烈的民族激情和宗教激情呢？似乎有點自慚，對此我不敢苟同。

我在哭牆前對著鳳凰衛視的攝影鏡頭說：猶太人二千年沒有自己的國土，因此必須尋找一個精神上的

國土，猶太教就是這個國土的邊防。猶太人長期流浪，因此必須精細地盤算、嚴密地自衛，否則何以在異國他鄉生存？這種強烈的群體防守和個體防守趨向，確實不像中國。中國一直擁有廣闊的國土，很少遷徙流浪。對此，我們既不必自傲，也不必自慚。但稍稍有一點自得，那就是：泱泱大國給了我一種從容的心態，茫茫空間給了我一副放鬆的神經。中華民族災難不少，但比之於猶太人，以千年目光一看，畢竟安逸得多了。我們沒有哭牆，我們不哭。

我在耶路撒冷的街道、古蹟間走走停停，一直想一個問題：以一個外來旅行者的客觀眼光，什麼是它今後最好的走向？

這個問題很尖銳。眼前，考古挖掘還在大規模地進行，我到考古現場一看大吃一驚，一座城門底下還壓著一座城門，原來每次毀城都是一種掩埋，以後的重建都是層層疊加。那麼，一個個聖殿挖掘出來，測定的年代都會令人咋舌，會不會給現實的紛爭又帶來新的依據？在我看來，一切古蹟只有在消除了現實火氣之後才有眞正的價值。如果每一個古蹟都虎虎有生氣地證明著什麼，表白著什麼，實在讓今天的世界受不了。妻子在旁邊說：「耶路撒冷最好成爲一個博物館。」

耶路撒冷太大，不可能整個成爲一個博物館，但它的種種遺址、古蹟（包括聖蹟），卻有必要提升文化意蘊和審美意蘊，使後人能夠更加愉快地欣賞。在這一點上，我突然懷念起佛羅倫薩。儘管羅馬人很對不起猶太人，但文藝復興時代的佛羅倫薩卻有一種激動人心的走向值得耶路撒冷參考。在那裡，許多宗教題

材（包括猶太教的題材）經由一代藝術大師的創造變成了全人類共享的藝術經典，在佛羅倫薩一個洗禮堂的外牆雕塑上我發現，藝術家的群像置於上帝和天使之間。這種把歷史融於藝術，把宗教融於美學的景象，我在羅馬、梵蒂崗、巴黎還一再看到。由藝術和美學在前面輝耀，千年歲月也就化作肌理勻停的人性結構，城市、古蹟、教堂也都隨之變得輕鬆和疏朗。我想，如果耶路撒冷也出現了這個走向，那麼，猶太朋友和阿拉伯朋友的群體心理結構，也會相應變得更加健康。

就這麼想來想去，最後我笑了。耶路撒冷，預支了我那麼多的虔誠，歸還了我那麼多的勞累，挑起了我那麼多的驚奇，留給了我那麼多的惆悵。我今後，大概很難再對一個古蹟發什麼感慨、寫什麼文章了，就像一場飽餐後難免厭食，不會再有飢渴時的敏銳感覺。

順便需要一記的是，歷史學博士雅各布先生有點不高興，這兩天不理我們了。原因之一，他見我們無牌駕駛，一路擔驚受怕，求我們嚴格限速，以防警察注意，而我們則認爲，一個比路上任何車輛都開得慢的車隊，最容易引起注意。原因之二，是他看上了我們一行中的一位未婚女子。先請示隊長能不能讚美，獲得許可後就動不動走到這位女子前讚美月亮，煩不勝煩。我們這位女子終於發火：「我也算中華烈女，餓死事小……」我說別，死了才算烈女，加一個字，叫烈女子吧。正由於烈女子的強硬態度，雅各布一陣傷心，不來了。

約旦。

四三　幽默的笑意

一九九九年十一月三日，約旦安曼，夜宿Arwad旅館

一條大河居然能從沙漠穿過，這無疑是一個壯舉，但也遲早會帶來麻煩。它聚集文明的方式太集中了，它帶給大地的綠色太狹窄了，因此對它的爭奪一定遠遠超過它能提供的能量。就像一個艱苦創業的長輩，即使已臥病在床，也不知如何滿足眼巴巴圍在兩旁的兒孫。

我說的是約旦河。

今天我們離開以色列去約旦，先是在約旦河西岸向北奔馳，過關後則在約旦河東岸向南奔馳，把整個河谷看了個遍。那麼多崗樓的槍眼，逼視著幾乎乾涸的河水，想想人類也真是可憐。

與幾千年前文明初創時完全是同一個主題，只不過那個時候河水遠比現在旺盛，爭奪也沒有現在這麼激烈。現在，逼視著它的槍眼背後，還躲藏著全世界的眼睛。

過關很慢，六個小時，與從埃及進以色列時差不多，這是預料中的。以色列一方的關口，乾乾淨淨地設置了很多垃圾箱，每隔二十分鐘，便有幾個女警察出來，逡巡在垃圾箱間，以極快的速度逐一翻看一遍，她們是在查定時炸彈；約旦一方的關口，也乾乾淨淨，卻沒有一個垃圾箱，丟垃圾要進入他們的辦公室，在衆目睽睽之下塞進一個口子很小的金屬筒裡，也是在提防定時炸彈。其實只是一河之渡、一橋之越，竟不得不如此緊張，河水的珍貴和險峻，可窺一斑。

自從我們進入埃及以來，一路都看到焦渴的恐怖、滴水的份量。尼羅河還大一點，你看以色列和約旦，不就是靠著約旦河谷的那點淡淡的濕潤、淺淺的綠意，在做國計民生的大文章？以色列在地中海還算有幾個比較大的港口，而約旦，百分之八十是不毛之地，只有南端有一個通紅海的港口，全國的生命線就是沿著約旦河谷的單路一條，生存的艱難可想而知。有時我們在路邊見到一叢綠草便停步俯下身去，爭論著它屬於哪個種類，卻沒有人敢拔下一根來細看，因爲它太不容易。我們站起身來搓搓手，常常自嘲身爲大河文化的子民平日太不知愛惜，愛惜那清晨迷濛於江面的濃霧，愛惜那傍晚搖曳於秋風的蘆葦。

沿約旦河東岸南行，開始一段還能看到河谷地區的一些農村，不久就盤上了高山，山路之險，不亞於廬山、五台山，倒近似於天山北坡。完全是沙山、石山，看不到一點泥土，但仍然想方設法種了很多樹，這種樹當然也不是珍貴品種，實在無法想像周圍的人們靠什麼生活。偶爾有些小鎮和村落，樣子與我們沿途經常見到的差不多，只是稍稍乾淨一點。托爾斯泰說，幸福的家庭都很相像，不幸的家庭各有不同。這個原則不適合沿途各國的景象，我們看到的事：所有的貧困都大同小異，一踏進富庶則五花八門。這不奇怪，貧困因爲失去了多種選擇的可能才眞正變得不幸，所以必然單調劃一；而所謂幸福也就是擁有了自由選擇的權利，因此各有不同。我想約旦是沒有多少選擇權利的，一切自然條件明擺著，領土之爭的陰雲籠罩著，它至多只能在貧困中選擇一點尊嚴。世間太多不平事，有的國家，你永遠需要仰望，而有的國家，你只能永遠同情。

但是，這番思考很快就停止了，因爲眼前的景象越來越讓人吃驚。應該是靠近安曼了吧，房屋漸漸多

起來，卻有一種不可思議的乾淨。這種乾淨猛一看是指街上沒有垃圾，牆壁尚未破殘，實際上遠遠不止，應包括全部景物的色調和諧，沿路建築的節奏勻稱，大到整體布局，小到裝飾細節，彷彿有一雙見過世面的巨手反覆打理過，而且這個過程已重覆了很久。

我敢肯定，一切初來安曼的旅行者都會不相信自己的眼睛，因爲不管他們從空中來還是從陸路來，都能看清周圍是多麼令人絕望的荒漠。不僅比開羅好得太多，甚至比耶路撒冷更加舒坦，但又找不到任何裝扮的痕跡，因爲滿街安靜、快速的高檔車流不可能無根無基地從到處調撥過來。沒有標語，沒有宣傳，一切都蘊含在一種不事聲張的低調中，這讓人有點生氣，因爲他們連一個得意的表情也不給，好像如此體面舒適是一種天造地設的存在，在這裡已延續了兩萬年。

我想，一個政治家最令人羨慕的所在，是這種讓所有的外來人大吃一驚的瞬間。我看到了牆上剛剛去世不久的胡笙國王的照片。皺紋細密的眼角中流露出幽默的笑意，這種笑意的內容，正由靜靜的街道注釋著。

四四　山洞盛宴

一九九九年十一月四日，約旦安曼，夜宿Arwad旅館

昨天在以色列、約旦邊境苦等時，由於兩國海關都告示嚴禁旅客攜帶任何食品，我們在驕陽、蠅群中饑餓難忍，與約旦海關商量，到他們的職工食堂買了一些粗麵餅包生黃瓜，一人還分不到一個，當然無法解決問題，夜間抵達安曼，只想到任何一個地方去塡飽肚子，即便是最粗劣的餐食也不會計較了。對於這個沙漠中的小王國，我們早準備好了承受的底線。

但是，車過一條安靜的小街，竟然看到了一盞大紅燈籠，喜融融的紅光分明照著四個篆體漢字：中華餐廳！

當時在我們心中，這眞是荒漠甘泉。急匆匆衝進去，見的幾個服務生都是約旦人，用英語招待，但我們的嗓門引出了廚師，一開口，道地的北京口音。於是，一杯茉莉花茶打頭，然後讓我們瞠目結舌地依次端出了：紅燒大黃魚、乾煸四季豆、麻菇煨豆腐、青椒炒雞丁！

筷子慌亂過一陣，心情才慌亂起來：這是到了哪裡？我們遇到了誰？難道是基度山伯爵安排的山洞盛宴，故意要讓我們吃驚？舉頭四顧，只見牆上還懸掛著各種中國古典樂器，又有幾幅很大的舊戲照，我和妻子對此還算內行，是《四郎探母》和《春香鬧學》，演員面相不熟，但功架堪稱一流。

直到上麵條之前，主角出場了。一位非常精神的中國老者，筆挺的身材，黑西裝，紅領帶，南方口

音，略帶一點四川腔。按照中國人歷來打招呼的習慣，我們問他是哪裡人，他說是安徽合肥東鄉店埠，妻子撫掌而笑，逗引他說了一通合肥土話。

他叫蒯茂松，七十一歲，曾是台灣政府駐約旦大使館的上校武官，一九七五年約旦與台灣斷交，與大陸建交，他就不回台灣了，留下來開中國餐館，至今已有二十五年。

我問他，像他這樣身分的人爲什麼選擇開餐館？他說，既然決定不回去了，總要找一件最適合中國人做的事，做其他事做不過當地人。但眞正開起來實在寸步難行，在約旦哪裡去找做中國菜的原料和佐料？

幸好原來使館一位上海廚師也不走了，幫助他，廚師退休後由徒弟接，現在的幾位廚師都是從大陸招來的。二十五年下來，這家中華餐廳在約旦首屈一指，又在阿聯酋開了一家等級更高的分店，生意都很紅火。連胡笙國王和王后也到這裡來用餐，滿口稱讚。顧客八成是約旦的阿拉伯人，二成是歐美遊客，中國人極少。

他一邊說，一邊習慣地用餐巾擦拭著盤子，用眼睛餘光注意著每個顧客的具體需要，敏捷地移過去一隻水杯、一瓶胡椒。我問：「這麼晚了，你自己吃過晚飯沒有？」他說：「侍候完你們再吃。」他輕鬆地用了「侍候」兩字，使我們無顏面對他的年齡。但奇怪的是，他的慇勤一點也沒有減損他的派頭。派頭在何處？在形體，在眉眼，在聲調，在用詞，在對一切人的尊重。

我又問，在這麼僻遠的地方居住幾十年，思鄉嗎？這是一個有預期答案的問題，但他的答案出乎意料：「不，不太思鄉。對我來說，妻子在哪兒，哪兒就是家；對妻子來說，從小與她相依爲命的阿姨在哪

兒，哪兒就是家。我們非常具有適應性，又好交朋友，到任何地方都不寂寞。我們天天聞到從中國運來的蔬菜食品的香味，各國客人到我這裡來品嘗中國，我是在異國他鄉營造家鄉。」

「怪不得你還蒐集了那麼多中國傳統文化的記號。」我指了指滿牆的樂器、戲照，說。

「戲照用不著蒐集，那是我妻子。」他趕緊說明。

「你太太？」我有點吃驚：「她的表演姿勢非常專業，怎麼會？」

「跟她母親學的。她母親叫姚谷香，藝名姚玉蘭，杜月笙先生的夫人。」

「這麼說，你是杜月笙先生的女婿？」我問，他點頭。

這種發現，如果是在上海、香港、台北、舊金山，我也就好奇地多問幾句罷了，不會太驚訝，但這兒是沙漠深處的安曼！於是，不得不冒昧地提出，允不允許我們明天到他家拜訪，看望一下蒯太太？

蒯先生眼睛一亮，說：「這是我的榮幸，我太太一定比我更高興，只是家裡太凌亂、太簡陋了，怕怠慢。」

四五 把傷痕當酒窩

一九九九年十一月五日，安曼，夜宿Arwad旅館

在安曼串門訪友，路名和門牌號都沒有用，誰也不記，只記得哪個社區，什麼樣的房子。要寄信，就寄郵政信箱。這種隨意狀態，與阿拉伯人的性格有關。

但這樣一來，我們要去訪問蒯先生家，只能請他自己過來帶路了。他家在安曼三圓環的使館區，汽車上坡、下坡繞了很多彎，蒯先生說聲「到了」，我和陳魯豫剛下車，就看到一位紅衣女子迎過來，她就是蒯太太，本名杜美如，誰也無法想像她已經七十一歲高齡。

他們住在二層樓的一套老式公寓裡，確實非常樸素，就像任何地方依舊在外忙碌的中國老人的住所，但抬頭一看，到處懸掛著的書畫都是大家名作。會客室裡已安排了好幾盤糕點，而斟出來的卻是阿拉伯茶。

杜美如女士熱情健談，陳魯豫叫她一聲阿姨，她一高興，話匣子就關不住了。她在上海出生，到二十歲才離開，我問她住在上海杜家哪一處房子裡，她取出一張照片仔細指點，我一看，是現在上海錦江飯店貴賓樓第七層靠東邊的那一套。正好陳魯豫也出生在上海，於是三人交談中就夾雜著大量上海話。我們感興趣的，當然是早年她與父親生活的一些情況；她感興趣的，是五十年不講的上海話今天可以死灰復燃，蔓延半天。

以下是她的一些談話片段，現在很多不了解杜月笙及其時代的讀者很可能完全不懂，但我實在捨不得在地中海與兩河流域之間的沙漠裡，一個中國老婦人有關一個中國舊家庭的絮絮叨叨。

「我母親一九二八年與父親結婚。在結婚前，華格鎳路的杜公館裡，已經有前樓姆媽沈太太、二樓姆媽陳太太、三樓姆媽孫太太，但只有前樓姆媽是正式結婚的，她找到還未結婚的我母親說，二樓、三樓的那兩位一直欺侮她，爲了出氣，她要把正式的名分作爲一個禮物送給我母親。我母親那麼年輕，又是名角，也講究名分，一九三一年浦東高橋杜家祠堂建成，全市轟動，我母親堅持一個原則，全家女眷拜祖宗時，由她領頭。那年我兩歲，我母親生了四個，我最大，到台灣後，蔣家只承認杜家我們這一房。」

「父親很嚴厲，我們小孩見他也要預約批准。見了面主要問讀書，然後給五十塊老法幣。所以在我心目中他很抽象，不是父親，父親的教育職能由母親在承擔，而母親的撫育職能則由阿姨在承擔。後來到了中學，家裡如果來了外國客人，父親也會讓我出來用英語致歡迎詞。有時我在課堂上突然被叫走，是家裡來了貴客，父親要我去陪貴客的女兒。母親一再對我說，千萬不要倚仗父親的名字，除了一個杜字，別的都沒有太大關係，要不然以後怎麼過日子？這話對我一輩子影響很大，我後來一再逃難、漂泊，即使做乞丐也挺得過去。」

「父親越到後來越繁忙，每天要見很多很多客人。一九四九年五月十九日才急匆匆從上海坐船去香港，在船上已經可以看到解放軍的行動。他還仔細地看了看黃浦江岸邊的一家紡織廠，他母親年輕時曾在那裡做工。在香港他身體一直不好，因嚴重氣喘需要輸氧，但又不肯戴面罩，由我們舉著氧氣管朝他噴。母親

問他現在最希望的事是什麼，他說希望阿冬過來說話，阿冬就是孟小冬，母親就答應了。父親還就這件事問過我，我說做女兒的是晚輩，管不著。後來他就與孟小冬結婚了。父親去世後孟小冬只分到二萬美元，孟小冬說，這怎麼夠……」

陳魯豫打斷說，我們談點愉快的吧，譬如，你們兩人是怎麼認識的？

這下兩位老人都笑了，還是杜美如女士在說：「那是一九五五年吧，已經到了該結婚的年齡，我們幾個上海籍女孩子到南部嘉義玩，參加了一個舞會，見到了他。但我是近視眼，又不敢戴眼鏡，看不清，只聽一位女伴悄悄告訴我，那位白臉最好，她又幫我去拉，一把拉錯了，拉來一位正在跟自己太太跳舞的男人……，當然我最後還是認識這位白臉了，見了幾次面，他壯著膽到我母親那裡準備提婚，正支支吾吾，沒想到母親先開口，說看中了就結婚，別談戀愛了。原來她暗地裡作了調查……」

蒯先生終於插了一句話：「我太太最大的優點，是能適應一切不好的處境，包括適應我。」

「是啊，」杜女士笑道：「我遭遇過一次重大車禍，骨頭斷了，多處流血，但最後發現，臉上受傷的地方成了一個大酒窩！」我們一看，果然，這個「酒窩」不太自然地在她爽朗的笑聲中抖動。

她五十多年沒回上海了，目前也沒有回去的計劃，而不回去的原因卻是用道地的上海話說出來的「住勒此地勿厭氣」。「厭氣」二字，很難翻譯。她說，心中只剩下了兩件事，一是夫妻倆都已年逾古稀，中華餐館交給誰？他們的兒女對此完全沒有興趣；二是只想為兒子找一個中國妻子，最好是上海的，卻不知從何選擇。她把第二件事，鄭重地托付給我。

我看著這對突然嚴肅起來的老夫妻，心想，他們其實也有很多煩心事，只不過長期奉行了一條原則：把一切傷痕都當作酒窩。

酒有點苦，而且剩下的也已經不多。

祝他們長壽，也祝約旦的中華餐廳能多開幾年。

四六 文字外的文明

一九九九年十一月六日，約旦佩特拉，夜宿Silk Road旅館

我在過去的旅行中得到一條經驗：一般高高低低的丘陵地帶不要太在意，如果在大平原裡突如其來地出現了高山，這要引起高度重視，裡邊很可能有勝景；如果這突如其來的高山又奇形怪狀，那就必須停車，否則遲早得後悔。

從安曼向南走，二百公里都是枯燥的沙地和沙丘，令人厭倦，突然，遠處有一種紫褐色的巨大怪物，像是一團團向天沸騰的湧泉，滾滾蒸氣還在上面繚繞。但這只是比喻，湧泉早已凝固，成了山脈，繚繞的蒸氣是山頂雲彩。人們說，這就是佩特拉（Petra）。

十九世紀，一位研究阿拉伯文明的瑞士學者從古書上看到，在這遼闊的沙漠裡有一座「玫瑰色的城堡」。這座城堡應該有一些遺跡吧，哪怕是一些玫瑰色的碎石？他經過整整九年的尋找，發現了這個地方。

山口有一道裂縫，深不見底，一步踏入，只見兩邊的峭壁齊齊地讓開七、八米左右，形成一條彎曲而又平整的甬道。高處的天與腳下的道，形成兩條平行的窄線。連接兩條窄線的峭壁，有的作刀切狀，有的作淋掛狀，但全部都作玫瑰紅，中間攙一些赭色的紋、白色的波，一路明艷，一路喜氣，款款曼曼地舒展進去。不知走了多少路、轉了多少彎，心中卻一點也不慌，因爲由藍天跟著，有玫瑰紅伴著，前面一定吉祥。

甬道終點是鑿在崖壁上的一座羅馬式宮殿，底層十餘米高的六個圓柱幾乎沒有任何缺損，進入門廳，有台階通達正門，兩邊又有側門，門框門楣的雕刻也十分完好。門廳兩邊是高大的騎士浮雕，人和馬都呈現為一種簡煉飽滿的寫意風格。二層是三組高大的亭柱雕刻，中間一組為圓形，共有九尊羅馬式神像浮雕。宮殿的整體風格是精緻、高雅、堂皇，集中了歐洲貴族的審美追求，二層的圓形亭柱和一層的寫意浮雕又有鮮明的東方風格。

這座宮殿，你甚至不願意把它當作遺跡，它的齊整程度，就像現代仍在啓用的一座古典建築，但現代哪有這般奢侈，敢用一色玫瑰紅的原石築造宮殿，而且是鑿山而建！

這座宮殿被稱之為「法老寶庫」，再走一段路，還能看到一座完好的羅馬競技場，所有的觀眾席都是鑿山而成，環抱成精確的半圓形。競技場對面，是大量華貴的歐洲氣派皇家陵墓。此外，玫瑰色的山崖間洞窟處處，每一個洞窟都有精美設計。站在底下舉頭四顧，立即就能得出結論，這是一個夢幻般美麗的城廓所在，但這個城廓被崇山包裹，只有一二條山縫隱秘相通。這裡乾燥、通風，又有泉眼，我想古代任何一個部落只要一腳踏入，都會把這裡當作最安全舒適的城寨。

佩特拉美麗神奇卻缺少文字，也許該有的文字還在哪個沒被發現的石窟中藏著，因此我們對它的歷史，只能猜測和想像。一般認為，它大約是公元前二世紀那巴特亞人（Nabataean）的庇護地，他們是遊牧的阿拉伯人中的一支，從北方過來，一度曾經顯赫，因此這個隱蔽的地方也曾熱鬧非凡，過往客商爭相繞著曲折的甬道進進出出，把它當作驛站。它也曾進入羅馬人的勢力範圍，因此打上了深深的羅馬風格印

記。

但是，大約到公元七世紀，它突然變得冷清，甚至漸漸死寂。究其原因，一說是過往客商已開闢海路，此處不再成爲交通驛站；二說是遇到兩次地震，滾滾下傾的山石使人們不敢再居住。總之，它徹底地逃離了文明的視線，差不多有一千年時間，精美絕倫的玫瑰紅宮殿和羅馬競技場不再有人記得，但它們都還完好無損地存在著，只與清風明月爲伴。

只有一些遊牧四處的貝都因人（Bedouin）在這裡棲息，我不知道他們面對這些壯麗遺跡時作何感想。他們的後代也許以爲，天地間本來就有如此華美的廳堂玉階，供他們住宿。那麼，他們如果不小心遊牧到巴黎，也會發出「不過爾爾」之嘆。

站在佩特拉的山谷中我一直在想這樣一個問題：我們一路探訪的，大多是名垂史冊的顯形文明，而佩特拉卻提供了另一種讓歷史學家張口結舌的文明形態，這樣的形態在人類發展史上應該比顯形文明更多吧？知道有王國存在過，卻完全不知道存在的時間和原因，更不知道統治者的姓名和履歷；估計發生過戰爭，卻連雙方的歸屬和勝敗也一無所知；目睹有精美建築，卻無法判斷它們的主人和用途……

顯形文明因爲理清了自己的歷史邏輯，容易使後人以誇張的方式來理解它們存在的廣度和深度。但這種誇張，掩蓋了多少實實在在的豐富、雜亂、爭逐和湮滅！人們對文明史的認識，大多停留在文字記載上，以及記載者制訂的規範上，這也難怪，因爲人們認知各種複雜現象時總會有一種簡單化、明確化的欲望，尤其在課堂和課本中更是這樣，所以，取消弱勢文明、異態文明、隱蔽文明，幾乎成了一種普遍的社

會心理習慣。這種心理習慣的惡果，就是用幾個既定的概念，對古今文明現象定框劃線、削足適履，傷害了文明生態的多元性和天然性。

因追求過度的有序而走向徹底的無序，因企圖規整文明而變成嚴重損傷文明，這是我們常見的現象。更常見的是，很多人文科學一直在爲這種現象推波助瀾。

佩特拉以它驚人的美麗，對此提出了否定。它說，人類有比常識更長的歷史、更多的活法、更險惡的遭遇、更寂寞的輝煌。

四七　告別妻子

一九九九年十一月七日，約旦佩特拉，夜宿Silk Road旅館

在佩特拉，我們這個隊伍要有一次人員輪換，攝影師高金光、信息傳送技師周兵、《北京青年報》記者于大公，以及司機楊玉會、孫建剛，都要從這裡直接去安曼機場回國，接替人員昨天已經來到。我的妻子也要在今天離開。

又傳來消息，伊拉克大概能進去了。這事幾個月來一直在與伊拉克駐中國大使館聯繫，由於我們無法隱瞞去以色列的行程，怎麼也辦不通手續。幸好在這裡遇到一位旅遊公司的老先生，利用他的私人關係走通了伊拉克駐約旦大使館，只不過我們必須在一切行李物品上撕去希伯來文的標記，簽證時只說去過埃及和約旦。如果能辦下來，我們面臨的是一段極艱苦的行程，第一天的駕駛距離是一千二百公里，大概要連續不休息地行駛二十個小時，中間沒有任何落腳地；巴格達食品嚴重匱乏，除了勉強在旅館包餐，不要指望在大街上購買到食品。伊拉克之後，伊朗、巴基斯坦的路途更長，而巴基斯坦政變後的局勢還不明朗，行路安全很難保證；印度水災後傳染病流行，尼泊爾進西藏有很長一段距離沒有像樣的路……總之，最麻煩的路程都在以後。

我們正在佩特拉崎嶇的山道口討論著行程，突然一輛吉普車駛來，說由於種種原因，告別的時間提前，要離開的幾位現在就去機場。

告別是一件讓人脆弱的事情，原來說說笑笑遮蓋著，突然提前幾小時，加上告別的地方不是機場或旅館門口，而是探訪現場，立即感受到一種被活生生拉扯開來的疼痛，妻子一下子淚流滿面，連蒙古大漢高金光也泣不成聲，引得大家都受不住。

我理解妻子的心情，她實在不放心我走伊拉克、伊朗、巴基斯坦、印度、尼泊爾這充滿未知的艱險長途，這幾天來一直在一遍遍收拾行李，一次次細細叮囑。她很想繼續陪著我，但發現在這樣的路上遇到艱險，妻子的照顧無法解決問題，何況國內還有很多事情等著她。

其實她流淚還有更深的原因。這次她從開羅、盧克索、西奈沙漠、耶路撒冷、巴勒斯坦一路過來，一直在與我討論著各種文明的興衰過程，她心中的文化概念突然變得鴻濛而蒼涼，這與她平時的工作形成巨大的反差。她和我一樣，本來只想與世無爭地做點自己和別人都喜歡的事情，無奈廣大觀眾和讀者的偏愛引發了同行間的無數麻煩。我們都想在新世紀來到之時一躲了之或一走了之，但在異邦文明的廢墟前，心情變得特別複雜。故國的文明比過去任何時候都更鮮明地呈現在眼前，我們願意為它奉獻，卻不知如何揮去煩囂，而且心裡明白，這種煩囂又與故國文明的某些陰暗部分牽連著。

例如，這出發前知道國內兩次報紙刊載了據稱是湖南出版界和學術界兩位先生的意見，說我不該接受湖南大學的邀請到該校嶽麓書院去講課，因為那裡太神聖。那我就奇怪，既然那麼神聖，他們為什麼不在我冒著風險寫〈千年庭院〉之前為朱熹和嶽麓書院多說幾句話呢？中國文化，為什麼總有那麼多在強權前面一聲不吭，在強權過後才變得威嚴無比的禁衛門神呢？

又如，總有人一直在報上含沙射影，好像我在文革中擔任過什麼。我每次聽這種誣陷總是一聲不吭，悄悄流淚，心想，如果他們的這個「任命」早三十年下達，我父親就可以免於長年關押，我叔叔就可以免於自殺身亡，我全家就可以免於流離失所了。中國文化界爲什麼總有那麼多人不願意丟棄文革惡習，一見某人出了一點名就立即爲他編製「歷史問題」呢？

更奇怪的是他們對盜版集團的態度。盜版集團已經把我的著作的十分之九的發行量牢牢佔領，爲了防止我的追究，先是籠絡我，後來看我不屈服就組織大規模的攻勢毀損我的名譽，來剝奪我的話語權力，這一切，文化界的人其實都看到了，他們中不少與盜版集團沒有什麼關係，但卻樂於看到一個同行被毀於毒手之下。這一切又使我回想起文革。妻子一再問我，文革禍難就是這樣擴大的嗎？我說是，當時雖有特殊的政治背景，但惡人數量並不大，讓惡泛濫成災的，是幸災樂禍的眼神，火上加油的呼聲。

今天最使妻子淚流滿面的，是她看到了我們這次考察的艱難與危險，以及對前路的未知。她由此聯想到包括自己在內的一切文化建設者的常年辛勞。環顧四周，建設者少而又少，而謾罵的嘲笑建設者的人數卻十分龐大，最近幾年幾乎到了一有建樹立即圍獵的地步。

但她知道我，我會走下去，在不答應他們任何要求、不理會他們任何哄鬧、也不懼怕他們任何要脅的情況下走下去。她知道我，寧肯擱筆也不會向他們屈服，寧肯死亡也不會與他們合作。因此她看著我流淚，又怕惹我傷心，戴上了太陽眼鏡，然後搖好車窗，低下了頭。

他們的車子走遠了。我們還要用車輪一步步度量著回國。不管回國會遇到什麼，那畢竟是我們的祖

國。

我正在出神，我們隊伍裡新來的陳吉勇先生在山道口見到了一個中國女子。在這一帶見到中國人十分稀罕，總會多看幾眼。這位中國女子和她的挪威丈夫在一起，一見到這隊印著中國字的吉普，立即走了過來，見到這些中國人，顯得很激動。陳吉勇告訴她，我們將橫穿幾個文明古國，一路返回中國，她一聽，眼圈紅了，轉身與丈夫耳語一陣，又對陳吉勇說，「我們想開著車跟著你們，一起走完以後的路程，有可能嗎？」陳吉勇說那肯定不可能，她便悻悻離去了。

大家不明白她爲什麼如此激動。從她與丈夫的關係看，顯然不是因爲有太多的個人委屈。我猜想，主要是因爲她獨個兒在長時間體驗著兩種文明的差異，今天發現居然有一批人用一隊吉普車來考察她的細微體驗，而考察者又是她離別已久的同胞，她怎能不喜極而泣。

這時，我突然想對已經遠去的妻子說，我們還是不要太在意。來自狹隘空間的騷擾，不應該只向狹隘空間清算。我們的遭遇屬於轉型期的一種奇特生態，需要在更大的時空中開釋和舒展。

我們早就約定，二十一世紀要有一種新的活法，這次跨國考察算是打了一個鮮明的句號。可惜由於考察時間拖延到春節，把句號也畫到了新的世紀。但是，不管我的名字失踪於何處，我們心中有關中華文明的宏大感受，卻不會遺落。

在佩特拉的山坡上我看著遠處的塵土和雲天，心裡默念著一句告別時一直不敢說出口的一句話：妻子，但願我們還能見面。

四八　人生的最後智慧

一九九九年十一月八日，回安曼，仍宿Arwad旅館。

回安曼的第一件事，是去瞻仰前國王胡笙的陵墓。

本來，現代政治人物不是我這次尋訪的對象，但到約旦之後，越來越覺得需要破破例了。幾乎所有的人都用最虔誠的語言在懷念他。我們隊伍裡有一位小姐，在一家禮品商店買了一枚他的像章別在胸前，只想作一個小小的紀念，沒想到被一位保護我們的警察看見，這位高個子的年輕人感動得不知怎麼才好，立即從帽子上取下警徽送給小姐，一是感謝中國小姐尊重他們的偉人，二是要用自己的警徽來保衛國王的像章，他知道，國王的像章將要作跨國旅行。

他們說，當國王病危從美國飛回祖國時，醫院門口有幾萬普通群衆在迎接，天正下雨，沒有一個人打傘。他出殯那天，很多國家的領袖紛紛趕來，美國的現任總統和幾位總統都來了，病重的利欽也勉力趕來，天又下雨，沒有一個外國元首用傘。出殯之後，整整四十天舉國哀悼，電視台取消一切節目，全部誦讀《可蘭經》，爲他祈禱。

人們尊敬他是有道理的。約旦區區小國，在複雜多變的中東地面，只能在夾縫中求生存，誰的臉色都要看，誰的噪音都要聽，要硬沒有資本，要軟何以立身，眞是千難萬難。大國有大國的難處，但與那種舉手之勞可以被扼住喉管、一夜之間可被吞併的小國比，畢竟沒有太多的旦夕之憂。胡笙國王明白這一點，

多年來運用柔性的政治手腕，不固執、不偏窄、不極端、不抱團、不膠粘、反應靈敏，處世圓熟，把四周的關係調理得十分勻當；可以說他「長袖善舞」，但他甩動的長袖後面還是有主體、有心靈的，人們漸漸看清，他多采多姿的動作眞誠地指向和平的進程和人民的安康，因此已成爲這個地區的一種理性平衡器。

這種角色可以做小也可以做大，他憑著自己的教育背景和交際能力，使這種角色一次次走到國際舞台中央，以國際間最能理解的通用思路嫻熟運作，結果，世界各國在對一地區的複雜局勢深深皺眉的時候，他與約旦反而成了一條容易溝通的渡橋。這使他由弱小而變得重要，因重要而獲得援助，因重要而變得安全。

我曾兩次登上安曼市中心的古城堡，也曾北行到杰拉西（Jerash）去瞻仰聲勢奪人的羅馬廣場，深深感受到這個國家在立國之前，多世紀永遠是多種外部勢力潮來潮去的流通地。誰都可以來頤指氣使，誰都可以留下自己的腳印，山谷間小小的君主，必須練就一身的政治技巧才能強毅地保境安民。我對本地歷史知之甚少，但從山勢遺跡已可找到這種政治技巧的印痕，而胡笙國王，則是方土智慧的集大成者。如果要評選二十世紀的大政治家，其中一部分要從小國家選，那麼他一定名列前茅。

很早以前我們還不知道約旦在哪裡，卻已經在國際新聞廣播中聽熟了「約旦國王胡笙」。這個專用名詞幾乎成爲一個現代國際關係的術語，含義遠超某一個國家某一個人。在紛亂複雜的國際爭鬥中，這個術語在今後仍然具有廣泛的啓發意義。這，正是我非要去拜謁陵墓不可的原因。

陵墓在王宮，王宮不是古跡而是眞實的元首的辦公地，因而要通過層層禁忌。終於到了一堵院牆前，

進門見一所白屋，不大，又樸素，覺得不應該是胡笙陵墓，也許是一個門樓或警察處？一問，是胡笙祖父老國王的陵寢。屋內一具白石棺，覆蓋著繡有《可蘭經》字句的布縵，屋角木架上有兩本《可蘭經》，其他什麼也沒有。躡手躡腳地走出，詢問胡笙自己的陵墓在哪裡，我是作好了以最虔誠的步履攀援百階千級、以最恭敬的目光面對肅穆儀仗的準備的，但不敢相信的事情發生了——

就在他祖父陵寢的門外空地上，有一方僅僅二平方米的沙土，圍了一小圈白石，上支一個布篷，也沒有任何人看管，領路人說，這就是胡笙國王的陵寢。

我和陳魯豫都呆住了，長時間地盯著領路人的眼睛，等待他說剛才是開玩笑。當確知不是玩笑後，又問是不是臨時的，回答又是否定，我們只得輕步向前。

沙土僅是沙土，一根草也沒有，面積只是一人躺下的尺寸；代替警衛的，是幾根沒有油漆的細木條上拉著一條細繩；最驚人的是沒有墓碑和墓誌銘，整個陵墓不著一字，如同不著一色，不設一階，不築一亭，不守一兵。

我想這件事不能用「艱苦樸素」來解釋。胡笙國王生前並不拒絕豪華，卻讓生命的終點歸於素淨和清眞。我一直認爲，如何處理自己的墓葬，體現一代雄主的最後智慧。胡笙國王沒有放棄這種智慧，用一種清晰而幽默、無虞又無聲的方式，對自己一生的追求作了一個總結。

這次陪我們去的，有一位來自陝西省、現在約旦大學攻讀伊斯蘭宗教學的年輕學者馬學海先生，他說，我們立正，向他祈禱吧。我們就站在那方沙土跟前，兩手在胸口向上端著，聽小馬用阿拉伯文誦讀了

《可蘭經》的開端篇。我在心裡默誦：國王，沒想到你以這樣一種方式在休息，請接受一個萬里而來的中國人的敬意。

伊拉克。

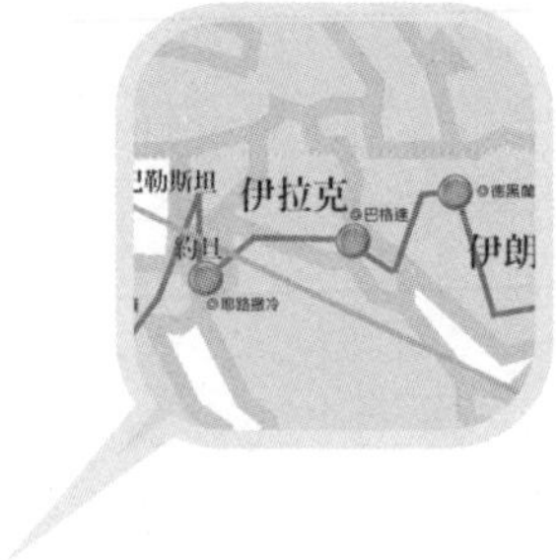

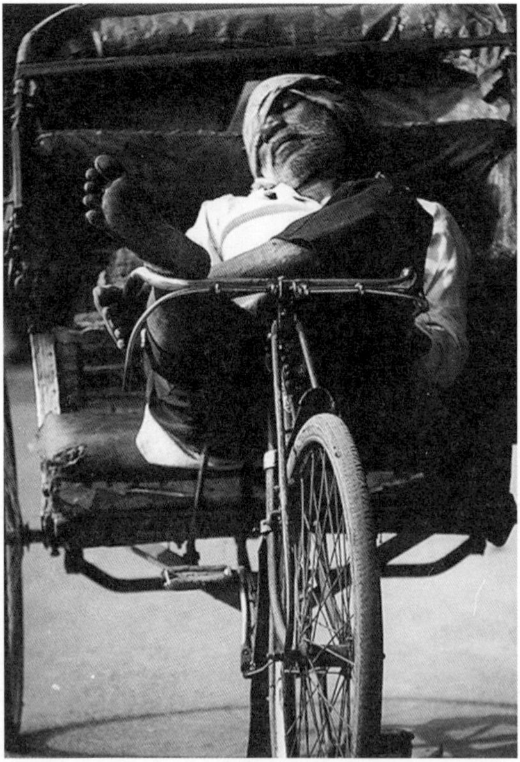

四九　我的大河

一九九九年十一月九日，伊拉克巴格達，夜宿Dar Al-Salam旅館

終於獲准可以進入伊拉克了。

從安曼到巴格達的距離是一千多公里，行車之苦可想而知，但大家明白，更麻煩的是進關。很多讓人驚慌的勸說這幾天不絕於耳，我們橫下一條心，即使遇到再惱火的事情也不露出絲毫不耐煩的神色。設想著打開每一個箱子，撕破每一個包裝，任何物件都被反覆搓捏，任何細節都被反覆盤問，而我們始終微笑以對的有趣情景。心想，到了別人的地界還有什麼脾氣，何況我們是自己找來的，忍一忍、熬一熬，沒有過不去的事。

但是萬萬沒有想到，我們遭遇的嚴重性遠遠超過一切預計——暫且按下不表吧，本日記在海內外很多報紙同步發表，不能給全隊這些天的活動帶來麻煩，我想廣大讀者是能理解的。

在邊防站的鐵絲網前，我實在看不懂眼下發生的一切，只能抬起頭來看天。今天早晨我們四時出發，在約旦境內看到太陽從沙海裡升起，現在又看著它漸漸輝耀於頭頂，再在我們的百無聊賴中移向西邊，終於在滿天淒艷的血紅中沉落於沙漠。就在這一刻，我怦然心動，覺得這淒艷的血紅一定是這片土地最穩固的遺留。

一次次輝煌和一次次敗落，都有這個背景，都有像我一般的荒漠佇立者。他們眼中看到的，是晚霞中

的萬千金頂，還是夕陽下的屍橫遍野？

我今天沒有看到這一些，只看到在骯髒和瑣碎中不把時間當時間，不把尊嚴當尊嚴。想想也是，這片最古老的土地，說起四五百年就像在說一瞬間，而對勝敗尊卑，早已疲鈍得不值一談。

直到黑夜，才勉強同意進關，而這時，我們面臨的是六百公里的沙漠，唯一的一條公路就是國際間非常著名的「死亡公路」，不知有多少可怕的車禍在這條公路上發生，據說不止一國的大使都是由此結束生命的。我們沒有其他選擇，只能餓著肚子拼命趕路，早已打聽明白，沿途除了一個加油站之外其他什麼也沒有，而劫匪卻經常在這一帶出沒。路上有一輛神秘的小車緊隨我們的車隊，我們快它也快，我們慢它也慢，我們故意停在一邊讓它超車它又不超，這在此地可稱是一個險情，不管是警是匪都十分麻煩。後來不知什麼原因它沒有任何行動，車隊終於在凌晨趕到了巴格達。

這是一個有著寬闊街道的破舊城市，遺憾的是並非古代的破舊。好像是一個本來就不考究的現代東西，在煙薰火燎中被擱置了二十年。路上亮著很多日光燈，白森森的，但看不到人，也沒有從屋子窗口泛出的燈光。也許是因爲我們到得太晚或太早。

就在這種無可言喻的沉寂中，眼前出現了一條灰亮的大河。自從我們告別尼羅河之後，再也沒有見到如此平靜又充沛的河。底格里斯河！我們終於醒悟，一切小學地理課本的開頭都是它，全人類文明的母親河。我輕輕叫一聲：您早，我的大河！

我們走那麼遠的路，就是在尋找人類的早期文明。在西方文明的搖籃希臘，我們看到了它受埃及滋養

的明顯證據，爲此，還特地到了滋養中的轉地克里特島。然後我們追根溯源來到埃及，但在多日驚嘆後也越來越明白，埃及不是起點。現在，世界學術界已不懷疑，滋養埃及的是兩河流域的美索不達米亞文明，而美索不達米亞（Mesopotamia）的含義就是兩河平原。考古學者們一次次發現，對埃及的古代語言追索越早，就越接近於兩河文明。兩河，從公元前一千年再往前推，至少有三千年左右的時間一直是早期人類文明的一個重心。

兩河，底格里斯河和幼發拉底河，如此緊密地靠在一起，幾乎大半個世界都接受過它們的文明浸潤，因此各種語言都無數遍地重覆著這兩個並不太好讀的名字。我現在終於看到了，在一個死寂的凌晨，在一種難以言表的徹骨疲憊中，在完全不知明天遭遇的惶恐裡。但是，一旦看到，一切都變了。謝謝您，我的大河。

五〇 如何下腳

一九九九年十一月十日，伊拉克巴格達，夜宿Rasheed旅館

凌晨抵達時找了一家號稱四星級的旅館住下，但全隊每一個人很快得出了一個共同的結論，這是平生住過的最差旅館，包括尚未改革開放的中國大陸在內。一個旅館破舊、簡陋、沒有設備，都可忍受，但應該比較乾淨，誰想這個旅館凡是手要接觸的地方都是油膩。束手斂袖不去碰，滿屋又充斥著一種強烈的異味，不是臭，而是一種悶久了的羶味加添了絲絲甜俗而變成的嗆鼻刺激，讓人快速反胃，好在我們已經十幾個小時沒有任何東西下肚了。幾位司機累得哪怕躺在野地裡都能睡著，來不及看屋子裡的一切就鼾聲陣陣，而我則長時間站在僅可一人容身的小窗台上不敢進屋。

必須搬，但不知道還有沒有稍稍像樣一點的旅館。突然想到，聯合國秘書長安南來伊拉克調解時住的是一家叫拉希德（Rasheed）的旅館，世界各國記者也住在那裡，在國際新聞中經常提起，應該不會太差。於是，我們的車隊好不容易掙脫一雙雙乞討的小手，去尋找拉希德。

果然不壞，但剛要進大堂，發現門口水磨石地下鑲嵌著一幅美國前總統布希的彩色漫畫像，下有一行英文字：「布希有罪」。這幅畫像做得很大，正好撐足一扇門，任何想進門的人都必須從布希先生的臉上踩過，很難避開。我對布希先生這位瘦瘦的老人印象不錯，前些天還在ABC電視中聽他談回憶錄出版和兒子競選，因此很想躲開他臉部最敏感的部位，小心翼翼從他肩上踩過去，但還是碰到了他的耳朵，真是抱

歉。不知安南秘書長經過這裡時，是如何下腳的。

住下了，總要換一些錢，順便打聽一下本地的消費情況，結果令人吃驚。這兒的貨幣叫第納爾（Dinar），原先一個第納爾可兌換三個多美元，現在官方宣布的比價也不低，但實際上，已貶值到一千九百第納爾兌換一美元，也就是說，一元人民幣可以換到二百四十個第納爾。政府每月配給每個居民九公斤麵粉，二公斤大米，以及少量的糖、食油、茶，至於薪水就微乎其微了。

我調查了一下，這兒一個工人的月薪是七百五十第納爾；一個中學教師的月薪是三千第納爾，相當於一個半美元；一個局長的月薪相當於五美元，一個政府部長的月薪相當於十美元。那就是說，除了政府配給的糧食，他們很難到商店裡購買任何東西了。例如，蘋果是一千五百第納爾一公斤，相當於一個中學教師半個月的薪水。中國產的普通鉛筆，每支七百五十第納爾，正好等同一個工人的月薪，而一個中學教師的全部月薪可購買四支，這也是多數兒童失學的重要原因。更離譜的是，在我們所住的旅館小賣部，不包含郵資的明信片每張一千第納爾，而一本普通的旅遊畫冊居然高達四萬第納爾，等於中學教師全年的薪金。市場，是爲外國旅遊者和暴富的走私者開著，但又有多少外國旅遊者呢。

讓我們這個車隊感到興奮的是，汽油的價格低廉得難以置信，只需五十第納爾一公斤，也就是一元人民幣可灌足五公斤，而且是高質量的好油。由此想到，這個國家只要在比較正常的情況下實在沒有理由貧困。我在一本國際地理書籍中讀到過這樣一個斷語：「巴格達，簡直是浮在油海上的一個島。」更何況，兩河流域依然水草豐美，魚肥羊壯。如果說，這點水草曾經是大大地潤澤了歷史，那麼，浩瀚的油海能給

二千萬人民帶來何等的富強！

但是，極度輝煌的古代文明和極度優越的自然條件，在這兒都變成了反面文章。現在，連世界上最貧瘠地區的人們，也在遠遠惋惜這個眞正「富得冒油」的地方。

陳魯豫到街上走了大半天，回來告訴我，這兒的人們已經度過了疑問期、憤怒期和抱怨期，似乎一切都已適應，以爲人生本該如此。我自言自語：「不知有沒有思考者？」魯豫說：「大概很少，甚至沒有，這就是爲什麼我在街上逗留五分鐘就十分沮喪。」文明的傳統那樣脆弱，大家似乎成了另一種人，再也變不回去。

城中最高的塔樓上有旋轉餐廳，可吃到底格里斯河的烤魚和烤全羊，擺設也上規格。吃一頓的價格是二十美元，即相當於一個政府部長兩個月的全部薪水。但那裡吃客不少，莫非所有的部長今夜都下了孤注一擲的決心？

這座塔樓以一位領導人的名字命名，海灣戰爭中被炸毀，立即重新建造，比原來的更高、更豪華。在塔樓旋轉餐廳由上往下看，燈光最亮的地方是剛剛落成的又一座總統府；在塔樓底下，有一座巨大的全身站立銅像，在他腳邊，是一些爆炸物的殘骸，又夾雜著科威特領導人、撒切爾夫人等的白鐵鑄像，布希先生當然也忝列其中，可惜瑣小得全成了鋪路的渣滓，等待著巨腳的踩踏。

五一　一屋悲愴

一九九九年十一月十一日，巴格達，夜宿Rasheed旅館

我歷來在旅行中尋訪的重點，是遺跡現場而不是博物館，但又喜歡在尋訪之前或之後去一下博物館，找一個索引或做一個總結。一直處於戰爭陰霾下的伊拉克，古跡的保存情況如何？對此我一無所知，心想不如先去一下國家博物館了解個大概再說。

博物館在地圖上標得很醒目，走去一看，只見兩個持槍士兵把門，門內荒草離離。我們的編導辛麗麗小姐前去接洽，答覆是九年來從未開放過，所有展品為防轟炸都曾裝箱轉移，現在為了迎接二千年的到來準備重新開放，已整理出一個廳，能否讓我們成為首批參觀者，必須等一位負責人的到來再決定。

於是，我們就坐在路邊的石階上耐心等待。

院中前方有一尊塑像，好像是一個歷史人物，但荒草太深我走不過去，只能猜測他也許是漢摩拉比（Hammurape），也許是尼布甲尼撒（Nebuchadnezzar），我想不應該是第三個人。這麼一想，我站起身來，慢慢在博物館的門口徘徊，趁著等待的閒暇搜羅一下自己心目中有關兩河文明的片斷印象。

先得整理一下時間概念。現在國際學術都知道的「楔形文字」，證明早在公元前四千五百年前兩河下游已有令人矚目的古文明，但大家在習慣上還是願意再把時間往後推二千五百年，從公元前二千年以後的三

個王朝說起，那就是巴比倫王國、亞述帝國和後巴比倫王國。這三個王國代表著兩河文明的顯赫期，歷時共一千五百年，大約與古埃及的歷史平行。當一千五百年的光輝終於黯淡，希臘、中國、印度正好進入一個早期文明的爆發期，孔子、老子、釋迦牟尼和埃斯庫羅斯他們差不多同時發出了光彩。這就是說，我們以前有關種種古代文明談論的起點，恰恰是兩河文明顯赫的終點。其實我們也只有精力關注它的顯赫期了，不如乾脆把兩河文明精縮爲巴比倫文明。

範疇一精縮，心裡就比較踏實了，我也才有可能捕捉以往對巴比倫文明最粗淺的印象。無非是三個方面：一部早熟的法典，一種駭人的殘暴，一些奇異的建築。

先說法典。誰都知道我是在說《漢摩拉比法典》。我猜測博物館院子裡雕像的第一人選爲漢摩拉比，正是由於他早在四千多年前制訂了這部二百多項條款的完整法典。法典刻在一個扁圓石柱上，現藏法國巴黎羅浮宮。但羅浮宮的藏品實在太多，我去兩次都沒有繞到展出法典的大廳。倒是讀過一些法律史方面的學術著作，約略知道法典在結語中規定了法律的使命是保證社會安定、政治清明、強不凌弱、各得其所，以正義的名義審判案件，使受害者獲得公正與平靜，眞是令人欽佩和吃驚。聯想到這片最早進入法制文明的土地，四千年後仍無法阻止明目張膽的故作非爲，眞不知脾氣急躁的漢摩拉比會不會飲泣九泉。

順著說說殘暴。巴比倫文明一直裹捲著十倍於自身的殘暴，許多歷史材料不忍卒讀。我手邊有一份材料記錄了亞述一個國王的自述，最沒有血腥氣了，但讀起來仍然讓人毛骨聳然：

經過一個多月的行軍，我摧毀了埃及全境。我在那裡的土壤裡撒上了鹽和荊棘的種子，然後把男女老幼和牲畜全部帶走，於是，那裡轉眼間不再有人聲歡笑，只有野獸和荒草。

帶走的人少數爲奴，多數被殺，但我覺得最恐怖的舉動還是在土地上撒上鹽和荊棘的種子。這是阻止文明再現，而這位國王敘述得那麼平靜，那麼自得。

再說說建築。巴比倫王國時已十分了得，但缺少詳細描述，而到了後巴比倫王國的尼布甲尼撒時代，巴比倫城的建築肯定是世界一流。希臘歷史學家希羅多德在一百多年後考察巴比倫時還親睹其宏偉，並寫入他的著作。建築中最著名的似乎是那個「空中花園」，用柱群搭建起多層園圃結構，配以精巧的灌溉抽水系統，很早就被稱爲世界級景觀，但我對這類建築興趣不大，覺得技巧過甚，總非藝術。

當然，巴比倫文明還向人類貢獻了天文學、數學、醫藥學方面的早期成果，無法一一細述。可以確證的是，法典老了，血泊乾了，花園坍了。此後兩千多年，波斯人來了，馬其頓人來了，阿拉伯人來了，蒙古人來了，土耳其人來了……誰都想在這裡重新開創自己的歷史，因此都不把巴比倫文明當一回事，只有一些偶然的遺落物供後世的考古學家拿著放大鏡細細尋找。

想到這裡，博物館的負責人來了，允許我們參觀。我們進入的是剛布置完畢的伊斯蘭廳，對兩河文明來說實在太晚了一點，而且所展物件稀少而簡陋，我走了一圈就離開了。一路上看到走廊邊很多房間在開

會，卻沒有在二千年來臨之際開館的確實跡象。一排排以馬賽克爲外牆的房間空空蕩蕩。

我很難過，心想，這家博物館究竟收藏了些什麼？分明是一屋的空缺，一屋的悲愴，一屋的遺忘。

五二　奇怪的巴比倫

一九九九年十一月十二日，巴格達，夜宿Rasheed旅館

今天去巴比倫。

光這六個字，就有童話般的趾高氣揚。

巴比倫在巴格達南方九十公里處，一路平直，草樹茂盛，當民居漸漸退去，一層層鐵絲網多了起來，它就到了。一個古蹟由這麼多鐵絲網包圍，讓人有點納悶，也許是爲了嚴密保護遺產吧，但到古城門口一看，又沒有衛兵，進出十分隨便，這就更奇怪了。

古城門是一座藍釉敷面、刻有很多動物圖形的牌坊式建築，我們以前在各種畫冊中早就見到過。這個城門叫伊什塔（Ishtar）女神門，原件整個兒收藏在德國貝加蒙博物館，這是一個仿製品，但仿製得太新，又太粗糙。

進門有一個乾淨的小廣場，牆上有一些現代的油彩畫，畫了巴比倫王國的幾個歷史場面，其中一幅是《漢摩拉比法典》頂部的浮雕，表現漢摩拉比正在接受正義之神的囑托，成了人間的立法者。刻有這個浮雕的法典原件，也在外國。想想也眞是不公，巴比倫王國的文物大家都爭著搶，而在巴比倫的原地卻所剩無幾。

從小廣場右拐即可看見一條道路，是巴比倫王國的儀仗大道。道路現在用鐵欄圍著，不能進入，可看

見中間地面上有斑剝狀的一片片黑塊，這是當年的瀝青路。浮在海油上的巴比倫古城一定會燃油取火，但居然已經用瀝青鋪路，則是沒有想到的。據說這個路面後世曾有無數次的修補、增層，但是後加的一切均已朽腐，只有最早的瀝青留存至今。這未免讓我們又一次懷疑起人類在很多方面的進步程度。

巴比倫古城除了這段路面，再加上前面的一條刻有動物圖象的通道，一座破損的雄獅雕塑以及幾處屋基塔基，其他什麼也沒有了。亞述人占領時是放幼發拉底河的水把整個城市淹沒的，以後一次次的戰爭都以對巴比倫的徹底破壞作爲一個句號。結果，眞正留下的只有一條路，搬不走、燒不毀、淹不倒，失敗者由此逃奔，勝利者由此進入。這老年的瀝青，巴比倫古城儀仗大道上的唯一存留，不知是後悔還是慶幸幾千年前從地底湧出？

現在，在這儀仗大道和其他遺跡四周，已經矗立起許多高牆和拱門，是根據考古學家們的猜測復原圖建造的，新嶄嶄的十分整齊，但走近一看，也僅止於高牆和拱門，腳下仍是泥沙，頭上沒有屋頂，牆內空無一物，任憑荒草叢生。有標牌寫著，這兒是北宮，那兒是南宮，轉彎是夏宮，但從氣味判斷，這由一堵堵新牆圍攔著的荒地，已成爲遊人們的臨時廁所。陳魯豫對著鏡頭介紹了一個巴比倫古城的歷史，然後轉身對我說，她最受不了這種新不新、舊不舊的所謂「古蹟復原」。

她的感覺深合我意。記得很多年前聽說北京圓明園要復原，急忙寫了一篇文章論述廢墟之美，該文後來還被收入中學語文課本，但好像並沒有什麼人聽我的呼籲。我並不是反對一切古蹟復原，譬如某些名人故居，以及名聲很大而文物價值卻不高的亭台樓閣，復原修建是可以的，而對那些打上了強烈的歷史滄桑

感的遺跡，萬不可鏟平了遺址重新建造，甚至連「整舊如新」也不可以。人們要叩拜的是歷盡艱辛、滿腔皺紋的老祖母，「整舊如新」等於爲老祖母植皮化妝，而鏟平了重建則等於找了個略似祖母年輕時代的農村女孩，當作老祖母在供奉。

但相比之下，圓明園畢竟只是年歲不大的一組建築罷了，而將永久輝煌人類文明史的巴比倫古城如此「復原」，實在叫人不知說什麼好。魯豫說，世界上凡是經濟貧困、文化落後的地方，最容易用這種方法「復原」古蹟。

回想我們一路過來，從希臘、埃及、以色列、約旦，一切古蹟的所在都小心翼翼地保存著頹柱斜陽、古階殘刻，讓人肅然起敬，從未遇到像巴比倫古城的修復方式，心中便略有舒慰。

忽然，我見到城磚上有些異樣，似乎有一些「楔形文字」。「楔形文字」是五千多年前這裡的古人用一種楔形的尖棒在泥板上刻寫的字跡，是人類最早的文字之一，十九世紀中期被發現後幾乎改變了歷史學界對人類早期文明源流的認識。難道，「復原」當局把幾塊眞正價值連城的古物鑲嵌在城牆中？魯豫連忙拉來一位先生動問，結果讓人發呆。原來，這種用最原始的方式刻寫的文字是阿拉伯文，文句爲：「感謝偉大領袖薩達姆於一九八二年復原巴比倫古城」。一連寫了很多遍。

緊靠著「復原」的城牆不遠處有一個丘陵，丘陵頂部有一座城堡形的龐大現代建築，俯瞰著整個巴比倫古城遺址。正想拍照，立即有人過來阻止，因爲這是總統府。總統府我們這兩天在巴格達城中已見過兩處，其中一處光從圍牆看就巨大無比，這是第三處。據有幸進去參觀過的記者顧正龍先生告訴我，豪華不

下於羅浮宮，只不過牆上掛的畫沒有什麼藝術價值罷了。

由此我猛然醒悟，爲什麼巴比倫古城遺址前會有那麼多鐵絲網。

五三　你們的祖先

一九九九年十一月十三日，巴格達，夜宿Rasheed旅館

從「復原」了的巴比倫古城回來，大家一路無話，而我則一直想著「楔形文字」。從城牆上見到的現代贗品，聯想到四、五千年前當地古人的眞正刻寫。感謝考古學家們在破譯「楔形文字」上所作的努力，使我們知道在這種泥板刻寫中還有眞正的詩句。

這些最原始的詩句表明，這片土地在四、五千年之前就已經以災禍和離亂爲主題，而這種殘酷的主題又必然地產生了脆弱可憫的情感效應。例如，無名詩人們經常在尋找自己的女神：

啊，我們的女神，
你何時能回到這荒涼的故土？
女神也有回答：
他追逐我，
我像隻小鳥逃離神殿；
他追逐我，
我像隻小鳥逃離城市。

唉，我的故鄉，
已經離我太遠太遠！

這是四、五千年前從這裡發出的最柔弱的聲音。

順著這番古老的詩情，我們決定，今天一定要找一所小學和兒童醫院看看。

很快如願以償，因爲這裡的當局很願意用這種方式向外界控訴美、英等多國部隊和聯合國對他們的轟炸、包圍和禁運。

孩子總是讓人心動。當我們走進巴格達一家據稱最好的小學的教室，孩子們在教師的帶領下齊呼：「打倒美國！反對禁運！不准傷害我們！薩達姆・哈珊總統萬歲！」呼喊完畢，兩手抱胸而坐，與我們小時候在教室裡兩手放到背後的坐姿不一樣。孩子們多數臉色不好，很拘謹地睜著深深的大眼睛看著我們，毫無笑容，這與世界上其他地方的同齡孩子有很大差別。

魯豫彎下身去要前排一個男孩子拿出課本來看看，男孩子拿出來的課本用塑料紙（塑膠袋）包著，但裡邊有很多破頁。老師在一旁解釋說，課本的破頁不是這個孩子造成的，由於禁運，沒有紙張，課本只能一個年級用完了交給下一個年級用，不知轉了多少孩子的手，你看破成這個樣子還都那麼珍惜，用塑料紙包著。

這種細節讓我們十分心酸，立即想起在約旦時聽一個老人說，如見到伊拉克孩子最好送一點小文具。我們倒眞是買了一些，趕快到車上取出，每人發點鉛筆、橡皮、卷筆刀（削鉛筆刀）之類。小小的東西塞在一雙雙軟綿綿的小手上，眞後悔帶得太少。

到操場一看，一個班級在上體育課，女孩子跳繩，男孩子踢球。我走到男孩子那邊撿起球往地下一拍，竟然完全沒有彈力，原來是一個裂了縫的硬塑料球。老師說，這樣的破塑料球全校還剩下三個，踢不了多久。

我們知道，這是最好的學校，其他學校會是什麼情景，不得而知，而在伊拉克，失學兒童的比例恐怕不是一個小數字。問過這裡的官員，回答是沒有失學兒童，只有少數中途退學。這話顯然不眞實，只要大白天向任何一個街口望一眼就知道。我們離開小學的時候，就在門口見到兩個男孩推著很大的平板車經過，桂平連忙把他們攔住，魯豫趕過去一問，是兄弟倆，哥哥十三歲，大大方方地停下來回答問題，弟弟則去把兩輛平板車拉在路邊。

這個哥哥捲頭髮，黝黑的臉，眼神靦腆而又成熟，一看就知道已經承受了很重的生活擔子。問他為什麼不讀書，他平靜地說，父親死於戰爭，家裡還有母親和妹妹。這個簡練的回答使我們都沉默了。

我從口袋裡摸出兩枝圓珠筆，塞在兄弟倆的手上，想說句什麼，終於沒有開口。是的，孩子，你們可能都不識字，用不著圓珠筆，但你們的祖先是世界上最早發明文字的人。在你們拉車空閒時，哪怕像祖先刻寫楔形文字一般劃幾筆吧，這番心意，來自你們東方那個發明了甲骨文的民族。

去兒童醫院，心裡更不好受。那麼多病重的孩子，很多還是嬰兒，等待著藥品，而藥品被禁運。病房的每張床上都坐著一個穿黑衣的母親，毫無表情地抱著自己的孩子，魯豫想打開話題，問一位母親：「這麼小的孩子病成這樣，你心裡一定……」話沒說完，這位母親便淚如雨下，泣不成聲。魯豫想道歉，但自己也早已兩眼含淚。

我們想給病房裡的每位母親留點錢，但剛摸出，就被醫院負責人嚴詞阻止。我只得走出病房，在走廊裡徘徊。走廊裡，貼著很多宣傳畫，都以兒童爲題材，一幅的標題是：「禁運殺害伊拉克兒童」，另一幅的標題是「記住」，畫了一雙嬰兒的大眼。

我心中湧出了很多不同方向的話語，一時理不清楚——

我想說，許多國際懲罰，理由也許是正義的，但到最後，懲罰的眞正承受者卻是一大群最無辜的人。你們最想懲罰的人，仍然擁有國際頂級富豪的財富，過著世界上最豪華的日子。

國際懲罰固然能夠造成一國經濟混亂，但對一個極權國家來說，這種混亂反而更能養肥一個以權謀私的階層。你們以爲長時間的極度貧困能滋長人民對政權的反抗情緒嗎？錯了，事實就在眼前，人們在缺少選擇自由的時候，什麼都能適應，包括適應貧困；貧困的直接後果不是反抗，而是尊嚴的失落，而失落尊嚴的群體，更能接受極權統治。

有人也知道懲罰的最終承受者是人民，卻以爲人民的痛苦對統治者是一種心理懲罰，這也是一種一廂

情願的推理。鞭打兒子可以使父親難過，但這裡的統治者與人民的關係，並不是父親和兒子，甚至也不是你們心目中的總統和選民。

當然，也想對另外一個方面說點話。你們號稱當代雄獅，敢於抗爭幾十個國家的圍攻，此間是非天下自有公論，暫不評說；只不過你們既然是堂堂男子漢，為什麼總是把最可憐的兒童婦女端在前面作宣傳，引起別人的憐憫？男子漢即便自己受苦也要掩護好兒童婦女，你們怎麼正好相反？

以上這些，只是一個文人的感慨，無足輕重，想來在這個國家之外，不會有發表上的困難吧。

我想我有權利發表這些感慨，以巴比倫文明朝拜者的身分。巴比倫與全世界有關，而眼前的一切，又都與巴比倫有關。

五四　中國有茶嗎

一九九九年十一月十四日，伊拉克卡爾巴拉（Karbala），夜宿巴格達Rasheed旅館

伊斯蘭教什葉派有兩個聖地在伊拉克，一是納傑夫（Najaf），二是卡爾巴拉（Karbala），很想去拜訪，選了稍近一點的卡爾巴拉，在巴格達西南約一百公里處。

伊斯蘭教分為很多派別，最大的一派叫遜尼派，約占全世界穆斯林的百分之八十，其次是什葉派，主要分布在伊朗、伊拉克等地。這兩派在選擇先知穆罕默德接班人的問題上產生分裂，對峙至今已有漫長的歷史，其間產生過很多仇仇相報的悲劇。卡爾巴拉就是其中一個悲劇的發生地，什葉派由此產生了對「殉教者」的永久性紀念。我們過去對什葉派知之甚少，中國的穆斯林絕大多數是遜尼派，但是自從伊朗什葉派領袖霍梅尼領導了「伊斯蘭革命」，繼而又爆發兩伊戰爭，不能不對什葉派關注起來。實際上，這是一個在伊斯蘭教中組織特別嚴密，宗教熱情特別高漲，也特別富有戰鬥性的一個派別，不可忽視。

卡爾巴拉市以兩座清眞寺為中心，其他建築層層環繞，向邊緣輻射。兩寺都有閃光的金頂和圓柱形的塔樓，構成對稱，中間是一個相間五百米左右的廣場。與巴格達不一樣，這裡所有的婦女都包裹黑袍，幾乎無一例外，這使我們車上的幾位女士突然緊張起來，趕緊下車找店鋪購買黑袍，以免遭到意想不到的處罰。

辛麗麗小姐本來個子就小，被黑袍一裹就不知怎麼回事了。魯豫在背後聲聲呼叫：「麗麗，是你嗎？

是你嗎？」想把她從擁擠的黑袍群中認出來，而麗麗雙耳裹在裡邊，根本聽不見，偶爾回頭，還是看不到她的臉，只見一副滑到鼻尖的眼鏡，從一圈黑布中脫穎而出。忽聽眼鏡下發出聲音：「黑袍讓我安靜極了，眞好！」

我們先要去市政府，申請在卡爾巴拉活動。市政府大門上方有沙壘和機槍，兩個士兵一直處於瞄準狀態。我們在機槍下大約等了一個小時，申請被批准，便趕到一座清眞寺，請求以非穆斯林的身分進入。答覆是，考慮來自遙遠的中國，可破例進入圍牆大門，卻不能進寺內的禮拜堂。

這座清眞寺建於公元七世紀，後經幾次重修。進入大門，只見圍牆內側是一圈迴廊，無數黑衣女子領著孩子坐在地毯上，神態安靜。黑衣服背後，是碧藍相間的彩釉圖案組成的高牆，高牆上方是金頂白雲。這樣的組合，從自謙的人到輝煌的天，一層比一層明亮，一層比一層高敞，對比強烈，眞是好看。

記得有一位英國建築學家說過，伊斯蘭清眞寺建築體現了一種沙漠中的「綠洲文明」，我覺得很有道理。阿拉伯人早期，一直過著現在還能看到的貝都因人那樣的遊牧生活，事實上穆罕默德在創教過程中就與貝都因人產生過密切的聯繫。荒涼大漠的漂泊者在尋找自己精神棲息點的時候，需要從很遠就看到高大而閃光的金頂，需要有保障安全和安靜的圍牆，圍牆之內，需要有蔭涼的柱廊和充足的水源供人休息和洗沐，中間的禮拜堂，不管多麼富麗堂皇，都是帳篷結構的延伸（霍梅尼在隱居巴黎郊區期間，就曾以一個眞實的帳篷作爲清眞寺的禮拜堂）。這種基本功能和結構，使清眞寺的建築簡潔、明快、實用，即便在圖案上日趨繁麗也未能改變主幹形態，爲建築美學提供了一個佳例。

我這一路過來，拜謁過埃及的薩拉丁城堡清真寺、耶路撒冷的岩石圓頂清真寺，還到約旦的皇家清真寺參加了一次完整的大禮拜，其他順便參觀一下的清真寺就更多了，大體上都保持著這種形態，但相比之下，要數卡爾巴拉的這兩座清真寺最符合始源性的「綠洲文明」旨意。其他清真寺過於城市化，遊客也太多，而在這裡，基本上都是虔誠的禮拜者。我們問了坐在迴廊前地毯上的一家四口，是不是經常來這裡，回答是每兩個月來一次，就這樣坐一天，念念《可蘭經》，心靜就會變得平靜。我看迴廊內外席地而坐的一個個家庭，神情都很安靜。他們都有各自不同的生活境遇和甜酸苦辣，但在金頂下的院落裡坐上一天，就覺得一切都可忍受了。然後在夜色中，相扶相持回家。他們多來自外地，黑袍飄飄地要走過很長的沙地。

我們雖然未被批准進入禮拜堂，但兩座清真寺的主管卻一定要接見我們。什葉派在伊拉克沒有當政，因此無法判斷「主管」的宗教身分。他們的客廳都是銀頂的，很寬敞，有高功率的空調，掛著好幾幅總統像。

兩位主管都很胖，精神健旺，抽著紙煙，會講英語，講話時不看我們，抬著頭，語勢滔滔。但他們沒有談宗教，一開口就講國際政治，講自己對總統的崇拜，中心意思是，世界上最有文化的國家，一是伊拉克，二是中國，所以西方國家眼紅，但被伊拉克頂住了。

這時有位老者端著盤子來上茶，用的是比拇指稍大一點的玻璃盅，也不見什麼茶葉，只有幾根茶梗沉在盅底。主管隆重地以手示意，要我們喝，順便問了一句：「你們中國，有茶嗎？」

我們假裝沒有聽見，把臉轉向窗外的雲天。

五五　河畔烤魚

一九九九年十一月十五日，巴格達，夜宿Rasheed旅館

底格里斯河，從第一天凌晨抵達時見到它，心裡一直沒有放下。已經來了那麼多天，到了非去認眞拜訪一下不可的時候了。

夜幕已降，兩岸燈光不多，大河平靜在黑暗中。沒有洶湧，也看不到漪漣，只有輕輕閃動的波光。雜亂的岸草衛護著它，使它有可能不理會歷史，不理會身邊的喧囂。

也沒有看到船。今夜人們對大河的唯一索取，是魚。我們走進一家幾乎沒有任何裝飾的魚餐館，其實是河灘上的一個棚屋，簡單得沒有年代。

魚是剛剛捕捉的，很大，近似中國的鯉魚，當地人說，叫底格里斯魚。有一個水槽，兩個工人在熟練地剖洗。他們沒有繫圍單，時不時把水淋淋的手在衣服上擦一下，搓一搓，再幹。

棚屋中間是一個巨大的石火塘，圓形，高出地面兩尺。火塘一半邊沿上，有一根根手指般粗的黑木棍，半圓形地撐著很多剖成半片的魚，魚皮朝外，橫向，遠遠一看彷彿還在朝一個方向游著。石火塘中間是幾根粗壯的杏樹木，已經燃起，火勢很大，稍稍走近已覺得手臉炙熱。杏樹木沒什麼煙，只有熱流晃動。那些橫插著的魚經熱流籠罩，看上去更像在水波中舞動。

烤了一會兒，魚的朝火面由白變黃，由黃轉褐，工人們就把它們取下來，把剛才沒有朝火的一面平放

在火塘餘燼中。不一會，有煙冒出，魚的邊角還燃起火苗，工人快速用鐵叉平伸進去，把魚取出，擱在一個方盤上，立即向顧客的餐桌走去。有幾條魚的邊角還在燃燒，工人便用黑黑的手把那些火捏滅，或把燃燒的邊角摘下，兩三個動作做完，正好走到餐桌邊。

桌餐邊坐著的全是黑森森的大鬍子，少數還戴著黑圈壓住的白頭巾或花格頭巾，就像阿拉法特。他們伸出粗粗的手指，直接去撕火燙的魚，往嘴裡送。工人又送上一碟切開的檸檬和一碟生洋蔥，食客用右手擠捏一塊檸檬往魚上滴汁，左手撈起幾片洋蔥在嘴裡嚼。然後，幾隻手又同時伸向烤魚，很快就把烤得焦黃的外層消滅了，只剩下中層白花花的肉。這使食客們有點掃興，便稍稍休息一會兒，桌邊有水煙架，燃著刺鼻的煙塊，大鬍子們拿過長長的煙管吸上幾口，撲嗤撲嗤地。

烤魚兩邊焦黃的部位又香又脆，很多食客積蓄多時來吃一頓，爲的就是這一口。因此，吃烤魚是高潮在前，餘下來的事情就是以魚肉果腹了，動作節奏開始變得緩慢。中間的魚肉是優是劣，主要是看脂肪含量，脂肪高的，顯得滑嫩，脂肪少的，容易木鈍，近似北京人說的「柴」。但是，「柴」的魚肉容易成塊，滑嫩一點的就很難用手指撈取，何況大鬍子們的手指又是那樣粗。這就需要用麵餅來裹了，伊拉克的麵餅做得不錯，但在這種魚棚裡是不會現攤麵餅的，工人們便從一個像行李袋一般大的破塑料包裡取出一大疊早就攤好的薄麵餅，一失手全都灑落在油膩的泥地上，沒有人在意，一張張撿起來，直接送上餐桌。食客一笑，左手托薄餅，右手撈魚肉，碎糊糊的撈不起，皺皺眉再慢慢撈，撈滿一兜，夾幾片洋蔥，一裹，就進了嘴。在現今的伊拉克，這是一餐頂級的美食了。

我在石火塘前出了一會神，便坐在餐桌前吃了一點。旁邊有位老人見我吃得太少，以為我怕燙，下不了手，便熱情地走過來用手指撈了一團一團的魚肉往我盤子裡送，我一一應命吃下，但覺得再坐下去，不知要吃多少了，便站起身來向外蹓躂。棚外就是底格里斯河，我想，今天晚上的一切，幾千年來不會有太大變化吧？

底格里斯河千載如一，無聲流淌，而人類生態的最根本部位其實也沒有發生多大變化。狄德羅說，現代的精緻是沒有詩意的，眞正的詩意在歷久不變的原始生態中，就像這河灘烤魚。又想起以前在哪本書裡讀到，好像是在阿拉伯歷史學家寫的書裡吧，早在公元六世紀，中國商船就曾從波灣進入兩河，停泊在巴比倫城附近。那麼，中國商人也應該在河灘的石火塘前吃過烤魚。吃了幾口就舉頭凝思，悠悠地對比著故國江南蟹肥蝦蹦時節的切膾功夫。

五六　忽閃的眼睛

一九九九年十一月十六日，巴格達，夜宿Rasheed旅館

突然接到當地新聞官通知，今天是巴格達建城紀念日，有大型慶祝活動，如果我們想拍攝報導，可獲批准。我們問：「薩達姆．哈珊總統參加嗎？」回答是：「這個誰也不可能知道，如果來，你們眞是太幸運了。」

那就去一下吧。

由新聞官帶領，我們到了離市區很遠的一個體育場。看台上已坐滿觀衆，高官們也正逐一來到，主要是穿軍裝的軍官。沿途士兵不斷地做著頓腳狀的行禮動作，而軍官們一下車則一一互相擁抱，用鬍子嘴在對方的鬍子臉上親來親去。他們的高級軍官都太胖，但軍裝設計得很帥氣，尤其是帽子，無論是大蓋帽還是貝雷帽都引人注目。在花白頭髮上扣上一頂貝雷帽眞是威武極了，連身體的肥胖都可原諒。

經過層層崗哨，我們這批人全被當作了拍攝記者，直接被放到了體育場中心表演場地上。同伴們覺得我什麼攝影機也沒帶，又西裝畢挺，在人家的表演場地上晃悠三、四個小時不是事兒，我覺得這樣自由的方位才有意思。忽然看見主席台的貴賓席上有一位先生一邊向我招手一邊在一級級地往下擠，定睛一看，是中國駐伊拉克大使張維秋先生。張大使執意要我坐到貴賓席去，我則告訴他，在戒備森嚴的中心我居然能在這麼大草地上自由自在地竄來竄去，求之不得。大使立即明白，笑了笑也就由我去了。

今天這麼大的活動，外國媒體只有我們一家，再加上韋大軍、謝迎、桂平幾位都穿著印有「鳳凰衛視」字樣的鮮紅工作服，長長的攝影機往肩上一扛，成了慶祝活動開始前全場最主要的景觀。忽聽得山呼海嘯般一陣歡呼，我以爲薩達姆到了，轉身一看，哪裡啊，原來只是我們的韋大軍把攝影機轉向了這個方向，這個方向的觀衆興奮了。那邊又響起了鋪天蓋地的喧囂，也沒有別的事，只是覺得韋大軍在這邊停留時間太長，嫉妒了。

有一大方陣的荷槍士兵席地而坐，我試探著走進他們的方陣，想拍張照，沒想到從軍官到士兵都高興得漲紅了臉，當然不是爲我，爲攝影。有幾個等待參加表演的漂亮姑娘你推我搡地來到我們跟前，支支吾吾提了個要求，能不能拍張照，我們一點頭，她們就表情豐富地擺好了姿勢，快門一按，她們歡叫一聲像一群小鳥一樣飛走了。她們壓根兒沒想過要照片，只想拍照。一位坐在看台前排的老太太不斷向我示意，讓鏡頭對準她一下，我好半天才弄明白她的意思，這對韋大軍來說是舉手之勞。事後，她一直激動地向我們翹著大拇指。

這種渴望著被拍攝而不想要照片的情景，我們都是初次遇到，甚覺不解。但我又突然明白了，告訴同伴們：這就像在山間行路，太封閉、太寂寞，只想唱幾聲，卻誰也不想把歌聲撿回。渴望被拍攝，就是渴望用自己的形象哼兩聲。

薩達姆終於沒有來，新聞官解釋說他太忙了。慶祝活動其實就是一次廣場表演，內容是縱述巴格達的歷史。這種廣場表演中國早已做得爐火純青，從場地設計到服飾道具看，這裡只夠得上中國縣級運動會的

水平。但是，當他們追溯巴格達的悠久歷史，一大群演員赤著腳、穿著舊衣服走過寬闊的表演場地時，你會感到一種從外貌到神情無可替代的古今一致，兩河文明和巴格達的歷史，就是這樣的腳踩踏出來的。

接下來表演遠近各國對巴格達的臣服和朝覲，載歌載舞，頗爲誇張，坐在貴賓席裡的各國大使看了會發笑。我怕看到有中國人前來朝覲的表演，結果倒沒有，鬆了一口氣。這時滿場早已戰鼓隆隆，戰爭開始了。敵人很多，一撥一撥來，一仗一仗打，我看得清的，是打猶太人、波斯人和韃靼人。有些仗，不知是和誰在打，趕緊去找新聞官，他很有把握地回答：「enemy!enemy!」——反正是和「敵人」在打。

突然場上好看起來了。一邊是一大群驃悍的馬隊，一邊是一大群赤膊的士兵，狹路相逢。馬隊中先竄出一騎，圍著赤膊士兵奔馳一圈，然後整個馬隊就與赤膊士兵穿插在一起了。反覆穿插的結果是，全體赤膊士兵都傷臥疆場，遼闊的體育場上，只見滿地都是他們在掙扎，這個景象很有氣魄。勝利者的馬隊又一次上場，踱著驕傲的慢步，完全不顧滿地掙扎的敵兵，突然，兩匹勝利者的馬因勞累而倒地，騎士臥倒在它們跟前悲哀地撫摸著。馬隊回去了，倒下的馬和騎士還在，沒有想到，兩匹馬慢慢地掙扎起來，在全場的掌聲中去追趕自己的隊伍。

——看到這裡，我心頭一熱，古代戰爭並不重要，只是在這些部位，我看到我的藝術家同行在工作了。我的同行，你們在哪裡?你們只要稍稍動作，我都能發現和捕捉，不管你們是否動作在整體不喜歡的作品裡。你們的日子，過得還好嗎?

很快藝術家又休息了，或者說被自以爲是的官員們趕走了，場上出現兩個小丑，一個美國，一個以色

列，邊講些愚蠢的話，邊跳迪斯可。由於這兩個小丑，新的戰爭爆發，下面的表演都是現代軍事動作的模擬，沒法當藝術看了。

表演結束散場時，我們隨便與觀衆閒聊。見到一位很像教授的儒雅老人，我們問：「爲什麼你們國家與很多國家關係緊張？」老人回答：「因爲巴格達太美麗了，他們嫉妒。」

抓住一位要我們拍照的十四歲女孩，問她：「你是不是像大人們一樣，覺得美國討厭？」沒想到她用流利的英語回答：「你是指它的人民還是它的政治？人民不討厭，政治討厭。它沒有理由強加給別人。」

「你討厭美國政治，爲什麼還學英語？」

回答竟然是：「語言是文化，不一定屬於政治。」天哪，她才十四歲。

她的年齡和視野，使我們還不能對她的討厭不討厭過於認眞，但她的回答使我高興，因爲其間表現了一種基本的邏輯規範和理性能力。這片土地，現在正因爲缺少這種雨露而燥熱，而乾旱。不必向別處祈求這種雨露，它正蘊藏在孩子們忽閃的眼睛裡。

五七　過關

一九九九年十一月十七日，巴格達，夜宿Rasheed旅館

後天就要離開伊拉克，該是把入關時的遭遇補敘一下的時候了，現在已不可能再有橫生枝節的危險。

那天入關前，我們的車隊在約旦與伊拉克之間的隔離地帶停留了很久，爲的是最後一次剔除帶有以色列標記的物件。伊拉克給我們的簽證上寫著，如有去過以色列的記錄，本簽證立即作廢。我們只好冒稱是從埃及坐船到約旦的，以色列方面也很識相，沒有在我們護照上留下點滴痕跡，給我們的是所謂「另紙簽證」。這樣一來，消滅行李裡的以色列痕跡成了頭等大事，因爲誰都知道，伊拉克邊關檢查行李很苛刻。只要有一個人漏餡，全隊都麻煩。

儘管前一天已認眞剔除過，但這種痕跡幾乎無所不在，稍稍一想想還會冒出來。攝影師韋大軍站在趙維的箱子邊幫著辨認希伯來文，趙維在以色列買了太多「死海化妝品」，總不能讓她全擠出來往臉上抹。正發愁，大軍狠狠拍了一下自己的腦袋，記起自己還有一罐從以色列買的咖啡沒有清除出來。他翻咖啡的時候竟然又翻出了一面小小的以色列國旗，這屬於不要命的事情了，魯豫一把奪過就向沙漠裡扔，這時沙漠裡早已琳琅滿目，十幾個打開的箱子不斷有東西蹦跳出來。大軍買以色列國旗，毫無政治用意，只是爲了好玩，現在見它橫躺在沙漠裡，於心不忍，說人家好歹也是一面國旗呀，便小心將它撿起來在沙地上插好，又把那罐以色列咖啡供在前面，雙手捧起一把沙，讓沙從手指間緩緩流下，流在國旗和咖啡上。掬沙

而瀉，是一種原始的祭奠方式，大軍當然不是在祭奠哪個國家，而是祭奠一種兼愛天下的心願不得不在沙漠中暫時掩埋。

終於到了伊拉克邊關。我們的車在一個空地停下，交上有關文件，就有兩個人出來，互相爭論著我們的停車方位，爭了半小時還沒有結果，我們也就不聽了，懶洋洋地坐在水泥路沿上，告誡自己轉換成麻木心態，決不敏感，也不看手錶。

兩個小時之後，出來一個人，說我們應該換一個門，於是我們上車，開一大圈，換一個門。這個門兩邊有幾十米長的水泥台，想來是檢查行李的地方。但沒有人理我們，周圍也沒有其他旅客。

好不容易來了兩個人，向我們要小費，不知他們是誰，又不敢不給，給了些美元。又過了兩小時，再來兩個人——這兒我要趕緊說明，一次次過來的人都不穿制服，分不清是旅客、流浪漢、乞丐還是海關官員——要我們每人拿出攝影機來登記。總算來事了，我們有點高興，十幾台攝影機堆了一堆，由他們登記牌子、型號，好半天，各人取回，放妥，又沒消息了。中間又有人來要小費，給完再等。等出一個大鬍子中年人，說要把剛才登記的攝影機再檢查一遍，於是重新取出交給他，他每一台都橫看豎看好半天，對小型的傻瓜相機更感興趣，估計是覺得更像間諜工具。他走後又毫無動靜了，大家一次次上那間髒得無從下腳的廁所，故意走得很慢，想打發掉一點時間。

盼星星盼月亮又盼出三個人，要我們把所有的手提電話都交出來。我們以爲是檢查，誰知是全部封

存。他們拿來一隻舊塑料袋，把一大堆手提電話全部裝進去，說離開伊拉克之前不准拿出來，邊說邊從地上撿起一根小麻繩，把塑料袋打了死結，又焊了一個鐵絲圈。接下來就查其他通訊設備，當然很快發現了海事衛星傳送設施，他們搞不懂是什麼，請人去了，很久，請來一位衣衫破舊的老人，對那設備捉摸了好半天，終於取出焊封，用鐵條把它封死了。

這比什麼都讓我們心焦，因爲這樣一來每天拍攝的內容就傳送不出去了，又失去了任何聯絡的工具，等於摘取了我們的器官，徹底斬斷了我們這一行的基本職能，那還有什麼必要進去呢？但在這種情況下仍然無法給這些人說明我們拍攝和傳送的眞相，越說他們越懷疑，關押都有份。

十多個小時過去了，天色已暗，還沒有放行的消息，我們原想在天黑之前趕完六百公里的「死亡公路」，現在竟然還沒有出發……正愁得捶胸頓足不知怎麼辦才好，見又出來了人，要我們再換一個門。

我們忍無可忍開了一圈，回到上午來時停車的門口，這次倒是很快過來三個人，要我們打開後車倉的門，準備檢查行李。好像是一批剛剛上班的人，一切從頭開始。

既然已被剝奪了工作職能，也就沒有什麼可怕的了，何況我們是外國人。先是辛麗麗小姐用高聲調的英語要他們回憶一天來我們的經歷，對方正奇怪一個小姐怎麼會發那麼大的火，我們的陳魯豫出場了。她暫時壓住滿腔憤怒，以北京市英語演講賽冠軍的語言鋒芒，劈頭蓋臉地問了他們一連串問題又不容他們回答。魯豫說，一隊早就由他們政府批准的外國傳媒，被毫無理由地在這裡阻攔了十幾個小時，沒有地方坐，沒有地方吃飯，也不知如何走六百公里的夜路，現在又要重新開始檢查，這種情況，能在別的任何一

個國家發生嗎？我們不是私人旅遊，請問，中國對伊拉克，還算比較友好的，是嗎？……我不相信他們能完全聽明白語速如此快的英語，但他們知道，這位小姐發的火比剛才那位更大，而她背後，站著一排臉色峻厲的中國男人。

三個人退後兩步，想解釋又噎住了，看了魯豫的目光一眼，終於低頭揮了揮手，居然就這麼通過了。大家仍在火頭上，魯豫一上車就流淚，她還是被氣哭了，但不能讓他們看到。

以後的事情已經寫過，需要補充的僅是一項：我們的技師謝迎仔細研究了海事衛星傳送設備上的焊封，發現隔著封條仍能撥號。傳送天線在車頂，怕發送時引來監視，就把車開到中國大使館內的空地上，可惜使館離我們住處太遠，因此經常把車停在路邊作等人狀，完成發送，活像間諜，卻保證了鳳凰衛視的每天播出。我的這篇日記，三小時後也要用這種方式傳回北京和香港。

我想，一切防衛都會有自己的理由，但當防衛的極度嚴密和極度低效連在一起的時候，實在令人厭煩；而如果這種防衛又嚴重地傷害了本來有可能爲他們說點話的客人，那就更加得不償失了。

我眞爲他們可惜。

五八　且聽下回分解

一九九九年十一月十八日，巴格達，夜宿Rasheed旅館

在巴格達不應該忘記一件事：尋訪《一千零一夜》。

理由很簡單，全世界的兒童，包括我們小時候，都是從那本故事集第一次知道巴格達的。以後，不管在新聞媒體上聽到巴格達的什麼消息，都小心地爲它祝祈，因爲這是屬於我們童年的城市，不忍心讓它有傷害。

這些天來，看到和聽到的巴格達，無論是它的歷史還是它的今天，都很沉重。不必說它的屈辱了，即使是它的光榮，也總是殺氣沖天。我一直想尋找一點那個屬於我們童年的城市的痕跡，又怕沖淡嚴肅的話題。曾從車窗裡看到街頭的一座雕塑，恍惚迷離，似乎有點關係，但再次尋找時卻被另一種千篇一律的領袖雕塑所淹沒。直到今天即將離別，才支支吾吾地動問。

新聞官聽了一笑，揮了揮手，讓我們跟他走。

先來到一條大街的路口，抬頭一看，正是我在車窗裡見到的那座雕塑。一個姑娘，在向一大堆罈子澆水，很多罈子還噴出水來，可見已經澆滿。從雕塑藝術看，這是上品，令人稱道的是那幾十個罈子的處理，層層纍纍地沒有雕塑感，但有姑娘在上方一點化，又全部成了最具世俗質感的實物雕塑，眞可謂點石成金，舉重若輕。其次是噴泉的運用，源源不絕地使整座雕塑充滿了活氣和靈氣。其實，這裡是以水代

油，正經應該澆滾燙的油，取材於《一千零一夜》，叫「阿里巴巴與四十大盜」，太有名的故事。說的是，阿里巴巴全家發現了強盜們的一個藏寶庫，搬了幾袋金幣回家，他哥哥知道後也去取，被強盜殺死。強盜又來追殺阿里巴巴全家，一再失敗，便生一計，由一個強盜化裝成賣油商人馱著幾十個油罈到阿里巴巴家借宿，其實只有一罈是油，其他每一罈都藏著一個強盜。這事被一個聰明的婢女看破，她煮沸了那罈油，一勺勺澆到其他罈子裡，幾十個強盜全被燙死。

這個故事初聽痛快，細想又未免有點過於殘忍，那我們就取其痛快的一面吧，也算是正義戰勝邪惡。

第二座有關的雕塑在底格里斯河邊，刻劃了《一千零一夜》全書的起點性故事：國王因妻子不忠，要向女人報復，每晚娶一個少女，第二天早晨就殺死。有一位叫山魯佐德的姑娘爲了阻止這種暴行，自願嫁給國王，每天給國王講一個故事，講到最精彩的地方戛然而止，留待明天再講。國王的胃口就被這樣一直吊著，無法殺她，吊了整整一千零一夜。其實這一千零一個故事已經潛移默化地完成了一次對國王的啓蒙教育，他不僅不再動殺心，而且眞的愛上了她。於是接下來的事情也就變得十分通俗：兩人白頭偕老。

《一千零一夜》的這個開頭眞正稱得上美麗，我想這也是它流傳百世的重要原因。但是，恕我直言，這個雕塑卻不美麗，兩個人一坐一站，木木的，笨笨的，沒有任何形體魅力和表情語言。聯想到剛才看到的那座雕塑，也是罈子勝於人體。這是可以理解的，在阿拉伯美學中，歷來拙於人體刻劃，細於圖案描繪。這大概與伊斯蘭文明反對偶像崇拜和人像展示有關，宗教理念左右了審美重心，屬於正常現象。你看現今街頭大量的宣傳雕塑，連人體比例也不大對頭，更有趣的是我們旅館大門口的一座巨型雕塑，大概是在控

訴聯合國的禁運吧，一個女人的右眼射出噴泉，算是淚雨滂沱，悲情剎時變成了滑稽和兒戲。這一切姑且由它去，只是在如此密集的劣質雕塑叢中僅有的兩座《一千零一夜》雕塑也沒有把人體做好，有點可惜。

《一千零一夜》的故事開始流傳於八世紀至九世紀，歷數百年而定型，橫穿阿拉伯世界大半個中世紀。中世紀未必像以前人們描述的那樣黑暗，但愚昧和野蠻長時間地掩蓋了理智的光輝，卻是事實。在這樣的年代，傳說故事就像巨岩下頑強滋生的野花，最能表現一個民族的群體心理結構，並且獲得世界意義，因此它們的地位應該遠遠高於一般的文人創作。遺憾的是，由於種種原因，阿拉伯世界走出中世紀的整體狀態不如歐洲，結果《一千零一夜》也就沒有被很多後起之秀所蔭掩。意大利薄伽丘的《十日談》受過《一千零一夜》的很大影響，但《十日談》之後巨匠如林，而《一千零一夜》一直形影孤單。我在滄桑千年、至今還在苦渡危難的巴格達街頭看到唯一與文化有關的形象仍然是它，既為它高興，又為它難過。

既然如此，我們還是在它的雕塑前多站一會兒，體味一下那些故事的含義吧。

這麼多故事，只有兩座，確實是太少了，但光這兩座也已說明，對於世間邪惡，不管是強盜還是國王，有兩種方法對付，一是消滅，二是化解。化解當然是上策，卻不等於規勸。這是把世界上最美好的聲音梳理成細細的長流，與一顆殘暴的心靈慢慢廝磨。這條長流從少女口中吐出，時時可斷卻居然沒斷，一夜極限卻擴大千倍，最後是柔弱戰勝強權，美麗制伏邪惡，那個國王其實是投降了，俘虜了，愛不愛倒在其次。

一切善良都好像是傳說，一切美麗都面臨著殺戮，間離了看它們毫無力量，但在白天和黑夜的交接處它們卻能造成期待。是的，正是期待，成了善良和美麗的生命線。「欲知後事如何，且聽下回分解」，只要願意聽，一切都能延續，只要能夠延續，一切都能改觀。文明的歷史，就是這樣書寫。民間傳說的深義，眞讓人驚嘆。

伊朗。

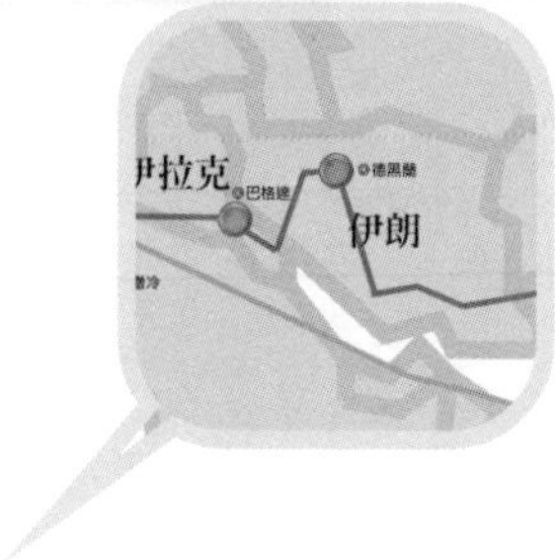

五九　白鬍子、黑鬍子

一九九九年十一月十九日，從伊拉克赴伊朗，夜宿巴赫塔蘭Resalat旅館

終於離開伊拉克了。

粗粗一想會覺得伊拉克之行十分令人失望，原先滿懷憧憬的巴比倫遺跡尚且已經被糟踐成一個低劣的現代模型，當然更不必說其他了。但時間一長又覺得不能一概而論。例如昨天晚上我們被一位老人帶到一個神秘的地方，從小街小門進入，順階梯往下走，抬頭一看，是一個近似中世紀古城堡的昏暗所在，巨大而恐怖，卻坐滿了人。中間有瘋狂的樂隊和歌手，唱著淒楚而亢奮的阿拉伯歌曲，四邊很多狹小的洞窟式小間裡擺滿各個時期的文物供人選購，中廳也可用餐。

我高一腳低一腳在角落裡探看，過來一個中年男子，用英語對我說：「你應該到樓上去看看。」我順著他的指點摸到樓梯，又小、又陡、又暗，眞有點提心吊膽。樓上更是中世紀，看到很多洞窟卻沒有人，燈光全是底樓泛上來的，嚇得趕緊下樓，像做夢一般地與同伴一起割烤全羊、喝石榴汁。

這時我想，在白天單調的大街上，怎麼想得到會岔出一條小街，小街裡邊又隱藏著這麼一個令人發怵的大空間？伊拉克的社會結構也會是這樣的吧，各種各樣夜間的歌聲，地下的通道，隔代的收藏，奇怪的熱鬧，一定也都以自己的方式深潛著，誰也不敢說看透了這個地方。

今後中國人會以什麼方式出現在這個地方，也有多種可能。日前說到中國商船早在一千多年前就已經停泊在幼發拉底河河口，我特地到那個河口去了，一個先進的灌溉發電系統，正好是中國建造的，由於戰爭而未能付款，幾億美元的債，留幾個人守著。有一天一對年輕的中國夫妻在街上攔住了我們的車隊，熱情邀請我們全隊十餘人到他家吃飯，他們是被另外一家公司派來「守債」的。等國際制裁解除之後，對於伊拉克石油資源的競爭，很多中國公司也不想袖手旁觀。因此，說不定哪一天會有不少中國人出現在巴格達街頭。

但今天，我們還是爲離開而高興。因爲這意味著我們被封存的手機可以發還，海事衛星可以堂而皇之地開通，也意味著終於可以擺脫天天千百遍映現在眼前的同一個人的相片，擺脫車前車後無數乞討的小手。只是幾位女士有點發愁，因爲伊朗對女人在公共場所遮蓋頭臉的要求，比伊拉克嚴格得多，而我們這幾位女子，恰恰必須在公共場所拋頭露面地工作。

我們行駛在從巴格達去伊朗的沙漠公路上，心裡明白，這裡在兩伊戰爭中必然是激烈的戰場，因爲在沒有公路的沙漠上打仗是意義不大的。戰爭已經結束，但戒備依然森嚴。八年的兩伊戰爭兩方面都損失慘重，僅伊拉克，隨意看到一個紀念碑就悼念五萬烈士，這樣的紀念碑全國有幾個？全國的總人口又是多少？據說幾乎每個家庭都死了人，這是可以想像的。那麼，眼下，茫茫沙漠裡，不知有多少怨魂在日夜呼喊。

邊關到了。兩伊的邊關之間倒沒有什麼隔離帶，這與我們從約旦到伊拉克的那段路有很大的差別。兩國邊關都豎起一幅巨大的元首像，作為國家標誌，居高臨下地注視著對方的土地。由於都想「寸土必爭」，因此兩幅畫像靠得很近，變成了四目相對。

這個情景很有趣味。一個是白色的大鬍子，一個是黑色的小鬍子，兩人都不笑，光靠眼睛做文章，一動不動地瞪著對方。全世界都看著他們打了很多年架，沒想到他們在這裡臉貼臉地親近著。從黃昏到月夜，這兒不會有其他人跡，氣溫又低，只有這兩個上了年紀的男人，誰吐口熱氣都能呵得著對方。

此刻，就在這兩個男人的下巴底下，發出了一陣喧鬧。我們還沒過關，只見從伊朗方面飛速奔過來幾個男女，在緊閉的鐵欄門中向我們熱烈招手，我們趕緊把手伸過去拉在一起。原來，這兒又是「千禧之旅」的一個換班地點，編導桂平、攝影師韋大軍都將從伊朗坐飛機回北京，新來的編導張力、樊慶元正在這裡迎候，在約旦的佩特拉離開的高金光又回來了，先期到伊朗「打前站」的吳建國也趕到這裡，所以一片熱鬧。過兩天主持人陳魯豫也要回香港，接替她的將是台灣來的孟廣美小姐。

六〇 翻開伊朗史

一九九九年十一月二十日，伊朗，從巴赫塔蘭到哈馬丹，夜抵德黑蘭，入宿Laleh旅館

按照我們的心意，一進伊朗應該直奔首都德黑蘭，然後再以德黑蘭爲基點，一天天向四周幅射。這是想盡量減少住宿地點，因爲每住一個地方都要把那麼多設備行李從車上搬上搬下，眞是勞累。按照這一路的治安情況，哪怕把車停在旅館的車庫裡，如果不把設備行李卸下，也難免被撬竊。

但是昨天晚上我們顯然無法實現計畫了，過關耽擱到傍晚，按當地人的說法，從邊境到德黑蘭行車需要九小時，其中又有大量山路。盤算再三，只能在巴赫塔蘭住一夜，今天起一個大早就出發，把早餐安排在半路上。開了兩個多小時後，肚子確實餓了，見有一個小城就停下吃早餐，這個小城叫哈馬丹（Hamadan）。

在吃早餐時與當地人閒聊，竟然發現這個偶然撞上的小城，也有一些古蹟可看。算算今天趕路的時間還比較寬鬆，那就順便看看吧，權當爲深入伊朗作一個適應性的準備。這也是被伊拉克的教訓嚇怕了：毫無準備地一頭扎到「巴比倫古城」，沮喪得連一句話也說不出來。伊朗總該好一點吧？

第一個古蹟就在城裡，一個古城發掘現場，近旁有一個展示廳。我們問了工作人員一些問題，工作人員覺得比較專業，立即請出一位戴眼鏡的瘦瘦學者，自我介紹叫瑞吉巴倫（M. R. Ranjbaran），考古工作

者。經他簡單一說，我立即嚴肅起來，難道，我們這次偶爾停留，眞的停在那麼重要的地方？

他說，這是五年前才發現的米底（Medea）王國的首都。我想光這句話就會使一切伊朗史的研究者激動起來。米底是伊朗人建立的第一個王國，這個王國統一了伊朗的各個部落，消滅了以殘暴和強大稱雄於西亞的亞述帝國，而自己又在公元前六世紀中期滅亡。對於這個王國，人們了解得很少，只有巴比倫發現的楔形文字中有一些記載，希臘歷史學家希羅多德也曾提到，但都是間接的。我們只是粗略知道米底人原是北方的遊牧民族，向南發展，在一個叫黑克瑪塔納（Hegmataneh）的地方建都，據記載這是一個四方交匯的山谷，又有雪山消融的水流可供灌溉。誰能想到，我們今天偶爾踏入的，居然是發現不久的黑克瑪塔納古城！這眞不知是什麼力量，讓我們從伊朗歷史的第一頁讀起了。

我環顧四周，果然是一個山谷，不遠處的雪山在陽光下十分耀眼。然後低頭走進發掘工地，這裡已經搭起一個大棚，中間有一條鋪了木板的過道，過道下面就是二、三千年前米底王國首都的遺址，密集的房舍、小小的街道，都設計得十分周致。從大棚出來，再走不遠就是米底城門的發掘現場，層層城磚清晰可見，邊上還挖掘出一個瞭望塔的基座。我問瑞吉巴倫先生，在考古現場，是否發現了這座古城當初湮滅的原因，譬如兵禍、火災或地震？

瑞吉巴倫先生說：「沒有發現。其實它沒有以突然方式湮滅，只是人們一代代在這裡居住，經歷無數次改朝換代，拆卸、掩埋、填土、重建，完全忘了它以前是什麼地方。在挖掘過程中，還發現了以後各個時代的文物，波斯帝國時代的，亞歷山大時代的，安息王朝和薩珊王朝時代的，以至伊斯蘭時代的都有。

直到三、四十年前還有人在上面建房，他們哪裡知道腳下正是歷史學家們苦苦尋找的黑克瑪塔納！」

我問五年前發現的經過，他說是一次修路施工時發現的，立即由一位考古學教授主持發掘。這位考古學教授是伊朗人，名字很長，我沒有記下來，但我心中已經明白，在伊朗已不可能出現「巴比倫古城」的鬧劇。

吃一頓早餐竟然見到了黑克瑪塔納，我抱著大喜過望的心境與它惜別。眞不想讓第二個古蹟沖淡了對它的印象，但我們的車隊已經按照當地熱心人的指點在一條小街停了下來，說是去看一座猶太人的墳墓。

這條小街很古老，走不遠見一座有圓頂的磚石建築，正是墳墓所在，進門，穿過一個小院，見一個極低矮的石洞，石洞有一石門，石門上有一個小孔，看門老人用手伸入，摸了一下，石門開了。老人要我們脫鞋，躬身進入，進入後一腳踩在厚厚的地毯上，直腰一看，有兩具黑漆發亮的棺木。這個過程如此神秘，終於把我注意力調動起來了。

看門老人眼睛奇亮，炯炯有神地看著我們，開始介紹。沒想到他一介紹，與剛才一樣，我又驚異是什麼力量在驅使了，傻傻地站著不會言動，因爲我眼前翻開的，正是伊朗史的第二頁，而這一頁又是那麼光輝！

以黑克瑪塔納爲首都的米底，最終是被一個來自波斯境內黑山地區的年輕統治者征服的，他便是名震整部世界歷史的居魯士（Cyrus，或拼作Kurus）。我們很早就知道了他，是因爲歷史學家公認，他是古代世

界史上特別寬厚仁慈的征服者。不管征服了什麼地方，他總是對那個地方的宗教予以尊重，甚至到了畢恭畢敬的地步，這使被征服地的人民大感意外。他攻入巴比倫之後，把當初被尼布甲尼撒從耶路撒冷擄掠來的萬名猶太人解放，宣布這些著名的「巴比倫之囚」可以自由返回故鄉。這就開始了一個動人的事實：古代波斯成爲對猶太人最有禮遇的地方。我們眼前的墳墓，安葬著他所開創的王朝後代統治者的一個王后，她的名字叫愛絲特（Ester），是猶太人，她的夫君戰死疆埸，未能合葬；她身邊棺木裡安葬的是她的叔叔莫德哈伊（Mordkhai），猶太人中一位著名的智慧先知。

看門老人非常激動，說他自己也是猶太人，有幸在這裡守望著二千三百年前猶太人和波斯人友誼的人證物證。他說那個小小的石門和棺室裡的樑柱、天窗，都是二千多年前的原物，又說至今還有世界各地的猶太人到這裡來參拜。我問他的名字，他說叫瑞沙德（N. Rassad）；我又問這個墓地所在的街名，他說叫夏略底街（St. Shariati）。我說我會記住，並告訴別人，因爲這個地方觸及了我萬里尋訪的一個主題。這個主題那麼早就出現在伊朗史的第二頁上，眞讓我興奮。

萬分慶幸在哈馬丹的短暫停留，上車吧，對伊朗之行我已經心中有底。

六一　闊氣的近鄰

一九九九年十一月二十一日，伊朗德黑蘭，夜宿Laleh旅館

從哈馬丹到德黑蘭的路上，我心情非常愉快。

順著在哈馬丹偶爾翻開的第一、第二頁，我在心中繼續把對伊朗史的粗淺印象輕輕攪動。先回想起在希臘時曾見到一個希臘和波斯激烈戰鬥的海灣，我前前後後看了很久，又知道更激烈的戰鬥發生在馬拉松。希波戰爭是希臘人的驕傲，他們又擅長寫作，不知有多少歷史書和文藝作品表現過這個題材。古代波斯人是看不起寫作的，認爲那是少數女人的娛樂，男人的正經事是習武和打獵。結果，希臘人的得意文章就成了歷史定論。其實，波斯人還是很厲害的，居魯士已經建立了羅馬之前最龐大的帝國，而大流士（Darius）則更加雄才大略，向北挺進到伏爾加河流域，向東攻占印度河河谷，最終長途跋涉遠征希臘，才一敗塗地。

波斯政府的行政管理結構很好，後來羅馬曾多方沿襲，但作爲一個從打仗爲主業的政權，具有巨大權力的軍隊快速腐敗，有不少將領打仗出征時，還帶著一大群妻妾。記得有一場關鍵的戰鬥，希臘只損失幾百人，而波斯則損失十萬大軍，對比太懸殊了。好在戰勝者亞歷山大比較理智，自己又娶了大流士三世的一個女兒爲妻，據說關係融洽。

亞歷山大死後，這兒政局挺亂，公元前三世紀東北部的遊牧民族建立了一個王朝，首領叫阿薩息斯，

中國就從這個首領的名字中取音，把這個地方叫做安息。安息王朝持續了四百多年，在公元三世紀被薩珊王朝所取代。薩珊王朝在文明建設上取得極大成就，幾乎奠定了現代伊朗文化的基礎，但在公元七世紀又被阿拉伯人打敗，伊朗進入了伊斯蘭時期。以後又遭遇過突厥、蒙古、帖木兒的進攻，尤其是十三世紀蒙古人的進攻，損失慘重。但是伊朗居然在重重災難中成了伊斯蘭文化的一個重鎮，以獨特而緩慢的步伐走進了近代。

說到伊朗的薩珊王朝在公元七世紀被阿拉伯人打敗的事，就牽涉到我們中國了。中國本來在漢代就與安息產生了密切的聯繫，當時的「絲綢之路」，安息是中轉站。到薩珊王朝與阿拉伯人打仗，已是唐代，薩珊王朝曾向唐朝求援，但路途太遠，唐朝一時幫不上忙。薩珊王朝滅亡後，王子卑路斯（Pirouz）繼續求助，唐朝先任命他爲「波斯都督府」都督，後任命他爲將軍，但他復國無望，病死長安。連他的兒子，唐朝也任命過將軍，但最終也在中國去世。

在當時，還有不少波斯人在中國從商、做官、拜將、爲文，例如清末在洛陽發現墓碑的那個叫「阿羅喊」的波斯人在唐代就做了不小的官，據現代學者考證，他的名字可能就是Abraham，現在通譯亞伯拉罕，猶太人的常用名字，多半是一個住在波斯的猶太人。至於文人，最有名的大概是唐末那個被人稱爲「李波斯」的詩人李珣了，他是波斯商人之後，所寫詩文已深得中華文化的精髓，我在《文化苦旅》的〈華語情結〉一文中專門論述過。

這麼一想，眼前這塊土地就對我產生了多重魅力。古代亞洲真正的巨人，一時氣吞山河，但當中國真正接觸它、稱呼它的時候，它最強盛的鋒頭已經逝去。它的第二度輝煌曾與我們的唐代並肩，但唐代又痛惜萬分地目睹這種輝煌的殞滅，一再想慰撫又無濟於事。這是一個離我們很近，交往又不淺的「大戶人家」，我在這兒漫遊，就像是去拜訪祖父的老朋友。兩家都「闊」過，後來走的道路又是如此不同。

伊朗被征服的次數太多，有些征服破壞得非常徹底，因此我估計，在這兒要像在埃及和希臘那樣見到很多遠古遺跡不大可能，但總會有一些的，例如昨天在哈馬丹就見到兩處。

那麼，還是放眼看看這片土地吧。一切故事、一切交往都在這裡發生，這裡是全部歷史的永恆背景。

就自然景觀而言，我很喜歡伊朗。它最大的優點是不單調。既不是永遠的荒涼大漠，也不是永遠的綠草如茵，而是變化多端，豐富之極。雪山在遠處銀亮得聖潔，近處一片駝黃，一排排林木不作其他顏色，全都以差不多的調子薰著呵著，托著襯著，哄看護著。有時怕單調，來一排十來公里的白楊林，像油畫家用細韌的筆鋒劃出的白痕；有時則稍稍加一點淡綠或酒紅，成片成片地融入駝黃的總色譜，一點也不跳躍刺眼。一道雪山溶水在林下橫過，泛著銀白的天光，但很快又消失於原野，不見蹤影。

伊朗土地的主調，不是虛張聲勢的蒼涼感，不是故弄玄虛的神秘感，也不是炊煙繚繞的世俗感。有點蒼涼，有點神秘，也有點世俗，一切都被綜合成一種有待擺布的詩意。這樣的河山，出現偉大時一定氣韻軒昂，蒙受災難時一定悲情漫漫，處於平和時一定淡然漠然。它本身沒有太大的主調，只等歷史來濃濃地渲染。一再地被大富大貴、大禍大災所伸拓，它的詩意也就變成了一種空靈形態。

六二 黑袍飄飄

一九九九年十一月二十二日，德黑蘭，夜宿Laleh旅館

到伊朗才幾天，我們隊伍裡的女士、小姐都已叫苦連天了。

這兒白天的天氣很熱，嚴嚴地包裹著頭巾確實不好受。她們有的是導演，拍攝時要在大街上跑來跑去地指揮；有的是節目主持人，要隨時隨地對著鏡頭又說又笑；有的是記者，聽到或看到什麼立即要掏出筆來唰唰記錄；有的還兼總管，需要大聲地召集人員、點菜付款、叫出租車——她們竟然都要把頭髮、耳朵、脖子全都蒙起做這一切，其間的艱難和有趣，自可想像。

她們在公共場所奔忙完了，一頭衝上吉普車就把頭巾解下來想鬆口氣，立即聽到有人敲窗，扭頭一看，敲窗者正比劃著要求女士把頭巾重新戴好。一位女士心中來氣，搖下窗來用英語對那人說：「我是在車內，不是公共場所！」那人也用英語回答：「你的車子有窗，所以還是公共場所！」

那就戴好吧，車子開到一家從老闆、廚師、侍者都不是中國人的「中國餐館」，女士們見到大紅燈籠和紅木窗格，覺得這已是中國地面，總可以解下頭巾了吧，沒想到剛剛動手，兩位侍者就快步上前，輕聲喝令不可造次。這下女士們急了，大聲說：「這是中國餐館！吃中國餐沒法戴頭巾！」一個白鬍子老頭出來，搖了搖手，算是這次赦免了，看神情他是老闆，這麼做只是爲了賺錢，我們幾個女士頓時歡呼起來。

其實，這頓飯質劣價昂，但她們一直爲這個小小的勝利興奮著，每一口都吃得津津有味，誇張地鼓動著沒

有遮掩的咀嚼中的腮幫，順便用手擼一下頭髮。

但這畢竟只是一個小機會，絕大多數時間還必須老老實實戴上。她們這些女子哪裡受得了如此委屈？於是成天在我們面前喊壓抑。我們雖然也曾有過幾分竊喜，故意神態放鬆地在車窗下逛來逛去，但同情之心還是占了上風，在行車途中盡量順著她們，覺得這是男士們可以自由瀟灑的代價。我們的五輛吉普車都裝著對講機，行車途中時時可以作全隊交談。一位女士冷不丁地說，前面山上這朵烏雲眞好看，話音未落，所有男士齊聲呼應：「眞好看，好看極了！」另一位女士指著路邊的小樹說：「這好像是蘆葦。」大家又異口同聲：「蘆葦，當然是蘆葦！」態度之好，終於使女士們疑惑起來。

其實，我們的女士只包了一塊頭巾，車下滿街的伊朗婦女完全是黑袍裹身，嚴格得多了。對這件事，外來人容易產生簡單的想法，覺得這兒的婦女太可憐了，需要有一次服飾解放，理由是這樣的服飾禁錮了婦女的身心自由，遮蓋了婦女的形體美，阻斷了現代的社交活動和國際交往。這種想法雖有一定道理，但從文化人類學和民族生態學的眼光來看，並不公平。我想，除了中國古代裹小腳，有些土著穿鼻、撐頸等明顯帶有生理傷殘的習俗應該廢棄外，對於一般的服飾文化沒有必要樹立一個統一的衡量標準。記得以前我曾在〈一個王朝的背影〉中討論過清初清末漢族士大夫在「毀我衣冠」的問題上所產生的嚴重心理掙扎，可見此事關及一種歷時悠久的文化尊嚴，比簡單的「服飾解放」深刻得多。

我們在德黑蘭街上專門爲黑袍的問題問過幾個年輕的女學生，她們的回答是：「我們的這個服裝傳統已延續了一千多年，而且與我們的宗教有關。我們沒有感到壓抑。」由此想起，第二次世界大戰以後有一

段時間，伊朗、土耳其政府曾明令要求人們把傳統服裝改爲西式服裝，但到七十年代積極呼籲恢復傳統服裝的，主要是受過高等教育的現代青年。他們甚至認爲，只有穿上傳統服裝，才恢復自己的眞面目。我想此間情景有一點像中國餐飲，一度有人提出中國餐飲太複雜、太浪費，油膩和味精也不符健康要求，提倡西化餐飲，但到後來即使是年輕人也渴望恢復祖父一代的口味。在這類事情上外人一廂情願地想去「解放」別人，有點可笑。

至於是不是毀損了一般意義的女性美，我看也不見得。我們一行中很多人得出一個以前怎麼也不會相信的初步結論：從雅典出發至今，各國女性之美首推伊朗。優雅的身材極其自然地化作了黑袍紋折的瀟灑抖動，就像古希臘舞台上最有表現力的裹身麻料，又像現代時髦服飾中寬大的深色風衣；她們並不拒絕化妝，卻讓一切干擾的色彩全在黑袍中躲避，只讓唇、眼和臉頰成爲唯一的視角焦點。這種風姿，也絕不像外人想像的那麼寒傖。

當然也面臨問題，那就是：在要求世界對它多元寬容的時候，它也應該對世界多元寬容，包括對本國人民。對於進入本國的外國女性，不應有過多的限制。對於正當的企圖追求另類生態的本國女子，只要行之有方，也不應過多地厲聲呵斥。老是敲人家車窗的業餘「風化警察」，應該大大減少，而袍子的色彩和裁剪方式，則應該大大增加。

由此想起了伊朗伊斯蘭革命後客死異鄉而不准返回的巴列維國王，他的有些西化政策可能不合民情，但畢竟是在尋找民族傳統和國際溝通之間的橋樑。在埃及時，我和王紀言、郭瀅兩位特地到開羅呂法伊

（Rifaay）清眞寺拜謁了他的陵寢，一間綠色雪花石的廳堂裡安放著他的白石棺，邊上插著一面伊朗國旗，攤開著一部《可蘭經》。我想，對他也應寬容，他是伊朗歷史的一個組成部分。

廳堂裡靜謐無風，因此那面伊朗國旗永久地垂落。

六三　再鑿西域

一九九九年十一月二十三日，德黑蘭，夜宿Laleh旅館

想一個人逛逛德黑蘭，出門前先到旅館大堂貨幣兌換處換點錢。遞進去一張一百美元，換回來一大疊伊朗最高面值的紙幣，讓我吃了一驚。他們最高面值的紙幣是一萬里爾（Rial），印著霍梅尼威嚴的頭像，現在捏在我手上是八十一張，即整整八十一萬里爾！想起伊拉克最高面值的紙幣印的薩達姆威嚴的頭像，每張二百五十第納爾，我們早已習慣成疊地發給路邊乞討的兒童，但那個數字畢竟還遠遠小於伊朗。貨幣兌換處邊上站著一位風度很好的老人，一定看慣了外國人接受這麼一個大數字時的驚訝表情，便用渾厚的男低音給我開起了玩笑：「先生眞有錢！」我說：「是啊，轉眼就成了大富翁。」

揣著八十一萬現款逛街，心情很舒暢。見一家小店裡有束腰的皮帶，選了一條，問價錢，老闆說三千，我想這與八十一萬相比實在太便宜了，連忙抽出一張一萬里爾的紙幣塞過去，老闆不僅不找錢，反而樂呵呵地按住我的那一疊錢又抽去了兩張，說眞正的價錢是三萬里爾。爲什麼把三萬說成三千呢？原來老百姓在日常應用中也嫌數字太大，就自作主張，約定俗成地去掉一個零，以縮小十倍來稱呼，也不叫里爾了，叫特曼，結果市場只說特曼，銀行只說里爾，很不方便。這種事情，按照我們的想法是必須解決又很容易解決的，不知爲什麼卻一直不方便下去。民族性格的差異，眞是到處可見。

德黑蘭最讓人驚喜的地方，是街道邊潺潺的流水。流在深而無蓋的石溝中，行人需要邁大一點的步子

才能跨過。水質清純，水流湍急，從不遠處的雪山下來，而德黑蘭又在斜坡上，因此等於是喧騰的山溪。在鬧市中見到山溪終究稀罕，不能不抬起頭來仰望東北方向直插雲天的達馬萬德山（Damavant Mt.）。一座城市，有名山相襯，有激溪相伴，也眞可以說是得天獨厚了。

但是，就在潺潺流水近旁，出現了德黑蘭最大的遺憾，那就是交通。車多，好的少，都在搶道，越搶越擠，一塞好半天，到處充溢著濃烈的廢氣。這很影響情緒，而駕車的人情緒一壞最容易碰碰撞撞，反正塞車沒事，就下來打架，兩方面扭得很緊，難分難解，邊上塞車的人也正無聊著，便跳下車來圍觀，也沒有人勸解。想想也是，如果勸開了，兩人再並排地塞車，反而尷尬，因此大家明白，只有等車流開始移動，才會不了了之。車流中有很多出租車，奇怪的是可以大大超載，司機邊上的那個座位，擠著兩個胖男人，後邊一排還有兩個人疊坐在別人的膝蓋上，「坐懷不亂」。

德黑蘭的交通問題歷來嚴重，人口一千二百萬，本來已經不少，但由於很少高層建築，城市撐得很大，幾乎是北京的兩倍，誰也離不開車，市民早已怨聲載道。十幾年前下決心造地鐵，也已經在地下挖空一些土方，兩伊戰爭中成了防空洞，戰爭結束後大家又惦念起來，於是繼續開工，但進度極慢。終於有市民貼出一張漫畫，畫的是二千五百年去世的波斯先祖居魯士大帝從陵寢中發來一道聖諭：「德黑蘭的地鐵，什麼時候才能修成呀？」連他老人家都等得不耐煩了。

政府壓力很重，決定國際招標。中標的不是別人，正是中國。工程隊已經來了兩年，正在緊張施工。眞希望地鐵建成後德黑蘭能重現疏朗、優閒的風貌。在擁擠和局促中，很容易導致暴躁和極端，其實

波斯民族應該是很大氣的。現在德黑蘭遇到的困境是許多東方都市的共同難題：不管歷史多麼悠久，風景多麼美麗，一嘈雜擁擠，什麼都變了味。因此，現代化的宿命，必然是先走進這個胡同，再走出這個胡同。此間最有趣味的事情是，本來已經夠嘈雜擁擠的中國，居然騰出手來幫別人解決這個問題了。初一看讓人疑惑，細一想很有道理，因為我們至少已經積累了大量以快捷方式緩解嘈雜擁擠的經驗，既有正面的，也有負面的，相當於「久病成良醫」。

逛街回到旅館，在大堂遇見一個高個子的中國年輕人，他就是負責德黑蘭地鐵工程的中信公司總代表周志偉，已從電視裡知道我們的來到，專程邀請我們一行到工地作客，還指定我必須發表講話。於是，我們很快又進入了一個中國人的世界，見到牆上貼的中國字就興奮，更何況一進院子就聞到了中國飯菜的久違香味。假裝沒聞到，一本正經地熱情握手。

講話我是推不掉的了，便對工程技術人員們介紹了歷史上中國和伊朗的交往趣事。最後我說，過去中國的史書把通西域的壯舉寫成「鑿通西域」或「鑿空西域」，你們倒眞是在地下「鑿」了。何時鑿通，他們的居魯士會高興，我們的張騫也會高興。

伊朗人把中國叫成「秦」，我已擬好了居魯士大帝的第二道聖諭：「東土秦人，好生了得！」

張騫則謙恭地回答：「彼此彼此。」

六四　荊天棘地

一九九九年十一月二十四日，從德黑蘭去伊斯法罕，夜宿Abbasi旅館

今天離開德黑蘭向南進發。

第一站應該到伊斯法罕（Isfahan），第二站到設拉子（Shiraz）和波塞波里斯（Persepolis），都是歷史文化名城；下一站是向東拐，到克爾曼（Kerman），進入危險地區，一直到札黑丹（Zahedan），再往東就進入巴基斯坦。

這一條行車路線，每站之間相隔五百多公里，大多是一天一站，全在伊朗高原，其間辛苦可想而知；但焦心的是路途不靖，眞不知會遇到什麼麻煩。

日前問過一位在伊朗住了很多年的記者，有沒有去過克爾曼、札黑丹一帶，他的回答是：「這哪裡敢呀，土匪出沒地帶，毫無安全保證。一家中國公司的幾輛汽車被劫持，車上的人紛紛逃走，一位胖子逃不下來，硬是被綁架了整整三個月！更慘的是一位地質工程師，只是停車散步，被綁架了八個月，他又不懂波斯語，天天在匪徒的驅使下搬武器彈藥，最後逃出來時鬚髮全白，神經都有點錯亂了。」

我問這是什麼時候的事，他說是不久前。

開始我懷疑他是不是有點誇張，但讀到此間伊朗新聞社的一篇報導，才知道事情確實有點嚴重。

報導所說的事情發生在今年十一月三日，也就是在二十天之前，地點是札黑丹地區。當地警方獲得線

索，一些毒品販子將在某處進行錢物交割，便去捉拿。出動的警察是三十九名，趕到那個地方，果然發現五名毒販，正待圍捕，另一批毒販正巧趕到，共四十五名。於是，三十九名警察與四十五名毒販進行戰鬥，歷時兩個小時，結果讓人瞠目結舌：警察犧牲了整整三十五名，只有四人活著！

我和幾個同伴反覆閱讀了那份報導，怎麼也想不明白這場戰鬥爲何打成這個樣子。警察缺少實戰的訓練和素養，在這些國家是完全有可能的，但那伙毒品販子也太厲害了。

另一篇報導則說，除了毒品販子，那個地區的匪徒劫持外國人質，索要贖金極高。

現在，我們就在向這個地區進發。

即使終於越過了這個危險地帶進入巴基斯坦，那麼，幾乎所有的人都在警告我們，那兒的情況比伊朗更嚴峻，有很大一個部分不在政府嚴密控制之內。

當然，再遠的事情更沒法想了。例如已有消息，今冬喜馬拉雅山雪鎖冰封、寸步難行；如果改道繼續向東，在雲南入境，那麼又怎麼通過緬甸？連著名的Discovery探險隊也沒有走通，原路而回。

由此想起，我們出發至今，無論是每天的報導還是我的日記，基本上都是「報喜不報憂」。一是怕給人留下「危言聳聽」的印象，二是覺得麻煩未曾解決時不應該寫，一旦解決了又不值得寫，結果給人的感覺是一路上消消停停，輕鬆自在。其實根本不是那回事。

到出來才知道，以前在國內和世界發達地區旅行時早已習以爲常的安全保證和訴求網絡，在這些國家

大多不存在。像我們這樣一個在性質上只屬於民間，在形態上卻引人注目的車隊，不尋求保護很危險，尋求保護更危險。一些本來很遙遠的傳媒概念，如「極端主義分子」、「宗教狂熱分子」、「反政府武裝」、「扣押外國人質」、「製造國際事件」等等，雖非必定遇到，但肯定已從書報跳到我們近旁。文明的秩序當然也存在，但若即若離、時近時遠，很難指望，也沒有資格指望。

許多政府雖然對外態度強硬，對內的實際控制範圍卻不大，自己政府首腦安全都保證不了，怎麼來保證我們？我們每天走過的地方屬於什麼勢力控制，很不清楚，唯一清楚的是他們與國際社會長期脫離，什麼也說不明白。

以往我們也會興致勃勃地羅列自己到過世界上哪些地方，其實那是坐飛機和火車去的，完全不知道機翼下和鐵道旁的山河大地，有極大部分還與現代文明基本無關。但是，我們研究文明，不是研究它的河床，而是研究它的流域，因此必然要穿越現代文明尚未抵達的荊天棘地。

寫到這裡，不禁又一次爲身邊伙伴們的日夜忙碌而感動。每天奔馳幾百公里，一下車就搬運笨重的器材和行李，吃一口肯定不可口的飯，嘴一抹就扛著機器去拍攝。哪兒都人生地不熟，也無法預料究竟會看到什麼，鏡頭和語言都從即興感受中來，只想在紛亂和危險中捕捉一點點文明的蹤跡。拍攝回來已是深夜，必須連夜把素材編輯出來，再由傳送技師傳回香港。做完這一切往往已是黎明，大家都自我安慰說「車上睡吧」，但車上一睡一定會傳染給司機，我們的司機大多是領隊、總務、攝影、技師兼的，昨晚也不

可能睡足。於是就在渾身困乏中開始新的一天的顛簸，前面是否會有危險，連想一想的精力都沒有。

我比別人輕鬆之處就是不會駕車，比別人勞累之處是每天深夜還要寫一篇短文、一篇長文，寫完立即傳出，連重讀一遍的時間都沒有。只能把現場寫作的糙礪讓讀者分擔了，好在我的讀者永遠會體諒我，這是多年的交情了，我心裡最明白。

六五　絲路旅棧

一九九九年十一月二十五日，伊斯法罕，夜宿Abbasi旅館

每天早晨五點出發在伊朗高原上行車，見到的景象難於描述。

首先搶眼的是沙原明月。以前在別的地方沒有見過黎明時分還有這麼明徹的月亮，這兒奇怪了，晨曦和明月同時光鮮，一邊紅得來勁，一邊白得夠分，互不遮蓋，互不剝蝕，直把整個天宇鬧得光色無限。這種日月同輝的無比美景悄悄地出現在人們還在酣睡的時刻，實在太可惜了。

正這麼想，路上車子密了，仔細一看，一車一家，都在向我們車隊招手。晨光月光同時輝映著他們的臉，顯得特別明麗。這也許是伊斯蘭世界獨有的風景吧，全家剛剛結束晨禱，便一起擁有了一個完整的早晨。爲什麼全家大清早要在離城很遠的沙原裡趕路，這不清楚，但這種情景無論如何是令人羨慕的。

接下來晨曦開始張揚，由紅豔變成金輝，在雲嵐間把姿態做盡了。我們平時在城市看日出總是狹窄匆迫，哪會有這樣的寬天闊地慢慢地讓它調色鋪彩？等了很久，旭日的邊沿似乎要出來了，卻湧過來一群沙丘，像是老戲中主角出場時以袖遮臉，而當沙丘終於移盡，眼前已是一輪完整的旭日。此時再轉身看月亮，則已化作一輪比晨夢還淡的霧痕，一不小心就找不到了。我看手錶，正好七點。

一路奔馳，過中午就到了伊斯法罕。這個城市光憑一句話就讓人非去不可了，那就是：「伊斯法罕，世界之半」。對於剛剛走過那麼多國家，自己的國家又那麼遼闊豐富的我們一干人來說，這句話顯然是無法

接受的。我對同伴們說，這是一種藝術語言，就像中國古人說天下第一樓、第二泉之類，或者說天下幾分明月，揚州占了幾分等等，不必過於頂眞。但無論如何，伊斯法罕也總該有點底氣，足以把這句話承擔數百年吧？

伊斯法罕的底氣，主要來自十七世紀沙法維（Safavid）王朝的阿巴斯（Abbas）國王。這個年代對歷史悠久的波斯文明而言實在是太晚了，因此我的興趣不大。但到了一看，發現正由於近，一切遺跡都還虎虎有生氣，強烈地表現出阿巴斯的個人魅力，很難躲避。

他治國、外交上很有一套，這裡按下不表，光從遺跡看，便可說明他充滿世俗情趣和親民能力。例如橫穿市區的薩揚德羅河上有他主持建造的兩大座大橋，不管以古典目光還是以現代目光看，都很美。尤其是那座哈鳩（Khaju）橋，實際上是一個蓄水工程，橋面和橋孔之間有一條長長的甬道，走在甬道中只見左右是水，腳下是水，頂部遮蔭，十分涼爽。據說在盛夏季節，阿巴斯國王還在這條甬道中與平民互相潑水。現在這條甬道仍保留著極世俗的氣氛，變成了一溜茶廊，喝茶在次，主要是吸水煙。進門就有一撮撮白色的煙土賣，越往裡走煙香越濃，一支支水煙管直往你嘴裡塞。

除世俗情趣外，他又有一份高雅，證據就是他的離宮「四十柱廳」（Chehel Sotun Palace）。雖經外侵者破壞，今天一看仍像巴黎郊區的離宮楓丹白露，只是比楓丹白露小一些。我到這裡才看到燦然的紅葉，濃濃的秋色。一路過來不是沙漠就是鬧市，哪裡領略過那麼醉人的季節信號？

當然更令人注目的還是對伊斯蘭教的弘揚。伊斯法罕最老的清眞寺叫星期五清眞寺，我們去看了一

下，有點陳舊了，而阿巴斯時代建造的國王廣場，則把伊斯蘭文化的優勢充分集中了起來。廣場很大，據說比威尼斯的聖馬可廣場大七倍，我回億了一下聖馬可廣場，覺得不到七倍，大概四、五倍吧，反正也是夠大的。國王廣場邊上有兩座清眞寺，四周樓房的二層陽台全是清一色的觀禮台，廣場中央則是寬大的水池、草地和石路，石路上緩緩駛過一輛輛馬車。到了宗教節日，整個廣場會聚集起很多人，把宗教與世俗、朝廷與平民、禮拜和歡樂全都結合起來，阿巴斯國王自己的觀禮台現在還在，雕木結構，像個中國的舊戲舞台，只是在這裡端坐和朗笑的主角退場已久。

我們住的旅館就是以阿巴斯國王的名字命名的，走廊上掛著幾個世紀前西方畫家在這裡寫生的複製品，可知現在的建築樣式與當時基本沒有區別，只是翻新了。再早一點，這兒正恰是絲綢之路的重要旅棧，中國商人大多到此爲止了，由波斯商人把買賣往西方做；但也有繼續走下去的，那麼這兒就是一個歇腳點。據說當時的旅棧拴滿了大量的駱駝，東西方客商雲集的景象熱鬧非凡，沒有變化的是隔壁清眞寺的藍色圓頂。今夜我也聽著那兒傳出的禮拜聲酣然入睡，做著與古代中國商人差不多的故園夢。

六六　中國人爲他打燈

一九九九年十一月二十六日，伊朗設拉子，下榻Homa旅館

自從在哈馬丹不期然地讀到了伊朗史的第一、第二頁之後，我就一直把目光投向南方。我堅持否認波斯文明的雄魂在德黑蘭或在伊斯法罕的說法，儘管這些地方近幾個世紀以來最繁榮也最重要。波斯文明的雄魂一定仍然在波塞波里斯、設拉子一帶遊蕩，兩千多年來沒再挪移，遊蕩在崇山荒漠間，遊蕩在斷壁殘照裡。它沒有理由挪移，也沒有挪移的跡象。

因此，今天從伊斯法罕出發南行，心情急迫。我知道兩千多年不會留下太完整的東西了，這不要緊，只要到那個地方站站就成。路途很遠，有很大一部分還是險峻的山道，那些寂寞的遺跡很難找到，必須請伊朗新聞部門、文化部門和旅遊部門的專家帶路。他們正好也樂意，於是開出一輛麵包車領頭，我們的車隊隨後。

但是開了一陣之後，我們全體都不耐煩了，時速六十公里，這哪裡是我們的速度？趕上前去商量，他們說，山路太險，交通部門警告過，必須限速。我們說，這樣的速度半夜才能到目的地，深夜在山上開車豈不更危險？他們一想有道理，又爲我們急於去看他們民族早已冷落的遺跡而感動，決定加快到時速八十公里，神情間有一些悲壯感。這樣開了一陣還是不對勁，我們又一次超車把他們攔下，說交通部門的罰款由我們交付，你們的車跟在我們後面吧，只要有一個人到我們第一輛車上引路就行。這些專家神情異樣看

著我們，都願意到我們車上引路，我們只請了一位上車，便呼地一聲竄出去了，時速一百二十公里。看得出來，跟在我們後面的麵包車遲疑了一陣，然後還是跟上了，只是故意保持了一段距離。

就這樣我們超過不知多少車輛，一會兒上坡，一會兒下坡，坐在上面就像乘當年的老式電梯一樣，中腔都在癢嗖嗖地發顫。一直開到晚霞滿天，汽油即將耗盡，便拐進一個山間油站加油。那輛跟在我們身後的麵包車就趁這個當口悄然超前去執行前導任務了，但我們誰也沒有發現。

加滿油後上路不久，我們就在一個岔道口見到了它，不禁大吃一驚。難道它是飛越我們的頭頂先期到達這兒的？他們笑笑，只是莊嚴地指著岔道說：這兒，就是居魯士大帝的陵寢。

這句話對我來說震聾發聵，根本顧不得他們超前的原因了，忙催促車隊趕快拐到岔道上向前開。一會兒就到，推開車門跳下，誰也不作聲了。

這時太陽剛剛沉入大地，西天一片琥珀紅，平野千里間，只有眼前一個石築，約八米高，六米見方，由灰褐色的大石砌成，由於逆光，看不眞切，卻壓人眼目。快速趨近，只見下面是階梯式台座，上方是一個棺室，開有小門。整個陵寢構架未散，但大石早已稜磨角損，圓鈍不整。除了這個不大的石築，周圍什麼也沒有了，不知平日是否還有人偶然想起，拐進岔道來看看？

但是，我們就是爲此而來。這裡長臥的，是波斯帝國的眞正締造者，古代亞洲偉大的政治家居魯士大帝。他的氣概和魄力，他所統治的帝國之龐大，他在軍事征戰和行政管理上的才能，不能說古往今來無人

比肩，但能比的人數確實不太多。如果要在這不太多的人數中繼續以仁慈的標準來衡量，餘下的就更少了。

在陵寢的東北方有他的宮殿遺址，當然早已是一片斷殘石柱。我們摸黑走到了他接見外國賓客的宮殿，高一腳、低一腳地有點艱難。當地的文化官員指給我看一方石碑，上面用古波斯文寫著：「我，居魯士大帝，王中之王，受命解救一切被奴役的人……」我想他至少已經部分地做到了。我佩服他征服巴比倫後釋放當年被尼布甲尼撒擄掠來的四萬多名猶太人，發還本來屬於他們的全部金銀祭器，並鼓勵他們回耶路撒冷重建聖殿；我佩服他把當年巴比倫強征豪奪來的各城邦神像歸還給各城邦，而對巴比倫本身的信仰又極其尊重，甚至，對於被他戰勝的巴比倫末代君主也予以寬容和優待。他喜歡遠征，但當時很多邦國對他的臣服，主要是由於他的政治氣度。於是，我請求車隊的每一盞車燈都朝這裡照射，好讓我們多拍幾個鏡頭。今天，我們中國人爲他打燈。

到這時我才明白爲什麼今天我們會著了魔似地在高原險路上如此莽撞地往前趕，原來是一種神秘的力量在召喚。如果晚一點，連夕陽的餘暉也消失了，車隊不可能再拐到這條岔路上來。現在四周已經一片漆黑，只有我們的車燈亮著，指認著伊朗高原的千年穴位。車燈照著我，攝影機也已打開了燈光，引導我們來的伊朗專家們正站在我面前，我就對著鏡頭說了一番話，大意是：如果說歷史像個舞台，那麼走上台去的各色人等最終會劃分出主角和配角，而主角永遠是極少數；我們在黑夜裡趕來，只是因爲這裡站立過一個眞正的主角。

這個主角太精采了，致使他退場至今，再響亮的鑼鼓也只能誘發人們對他的回憶。因此，在我看來，這個民族的靈魂在此結穴。

六七　一代霸主

一九九九年十一月二十七日，伊朗設拉子，夜宿Homa旅館

一切順理成章，昨夜拜謁了居魯士陵墓，今天去探訪大流士宮殿。

大流士是繼居魯士的一個兒子和一個篡位者後以政變而掌權的又一個偉大的波斯統治者。他快速消除了由居魯士兒子的殘暴變態和篡權者的宗教陰謀所帶來的種種惡果，重新恢復了波斯帝國的尊嚴，並把帝國的版圖和實力在居魯士大帝的基礎上繼續擴充，眞可謂到了「烈烈揚揚」的地步。他以《漢摩拉比法典》爲底本制定法律，統一度量衡，開鑿運河，建立驛站，保證了一個龐大帝國的有效行施權力，而且還時時謀求擴張，不僅把印度當作自己的一個行省，而且已經把目光投向了希臘。

他的宮殿所在地叫波塞波里斯（Persepolis），離我們下榻的設拉子六十多公里，其實波塞波里斯的原義就是波斯都城，建於公元前五一八年，是波斯人根脈所繫，因此也是當時帝國的典儀中心。

一眼看去，這個遺跡挖掘、保護得不錯，占地很大，柱墩、門臼、台階、浮雕歷歷在目，而更清晰的是殘存的氣勢。背靠一座石山，在山坡底部削切出一個巨大的平台，六宮一殿依次排列；只要穿過一道道門，看過一排排石雕，就能見到一處高殿，寬大的階梯平緩而上，階梯邊的石壁上是一幅十幾米長的連環浮雕，雕刻著各國使者前來朝拜和納貢的熱鬧情景。每年冬去春來的時節，各國使者都趕到了這裡，按照浮雕上的姿態和氣氛拾級登殿，美術形象與眞實形象完全重合；使者們抬頭一看，軒敞的儀仗殿就在眼

前，巨柱如林、金碧輝煌，而就在儀仗殿前方，華扉重重處正是大流士的私人寢宮，他已滿臉笑容地走出來……

其實這裡所說的「各國使者」與現代概念是有差異的，實際上是指被居魯士和大流士的波斯帝國征服的那些邦國，說臣服國、保護國、附屬國都可以。在居魯士和大流士看來，天下各國應該和平往來、和平相處，但何以做到這一點呢？有人做不到該怎麼辦呢？所以必須首先讓它們服從一種絕對意志，接受一種共同秩序，而他們，就是這種絕對意志和共同秩序的代表者，所以自稱為「王中之王，諸國之王」。他們不斷倡導的各國間的睦鄰關係，也是以此為前提的。這個概念一直吸引著後世的世界征服者，例如羅馬帝國一直傳揚一個原則：「在羅馬帝國領導下的各國和平」。但不管怎麼說，居魯士和大流士用波斯帝國的強大武力做到了這一點，大流士很想把這種政治圖譜用一種儀式直接體現出來，於是專門營造了這個宮殿。

幾位伊朗專家領著我們仔細觀看了台階邊上的長幅浮雕。他們還能指出浮雕上每一個朝貢隊伍來自什麼地方，屬於哪個民族。浮雕上各個邦國的代表神情喜悅而安詳，由宮殿的禮賓官熱情地執手引導，一隊隊依次上前，每一隊都捧持著各種賀禮，有的還攜帶著自己民族的武器，禮賓官不以為忌，表現出當時大流士王朝的自信和互信。

在這種「八方來朝、舉世歡愉」的圖象不遠處，有一批刻在牆上的銘文，明白道出了這種氣氛背後的權力依據，值得抄錄其中之一：

> 我，大流士，偉大的王，諸王之王，諸國之王，阿契美尼德族維什塔什卜之子，承神聖阿胡拉的恩典，靠波斯軍隊征服了這些國家。這些國家害怕我，給我送來了王冠，它們是：胡齊斯坦、米底、巴比倫、阿拉伯、亞述、埃及、亞美尼亞、卡帕杜基亞、薩爾德、希臘、薩卡提、帕爾特、扎爾卡、赫拉特、巴赫塔爾、索格特、花拉子模、魯赫吉、崗達爾、薩卡、馬那……

我還無法把這些國名與現在世界上所處的地區全部一一對應起來，但是被一種睥睨天下的霸氣和豪氣震撼了。

陳魯豫數著圖像和地名，抬起頭來說：倒沒有碰到我們中國。我說，那時大流士似乎還不清楚中國，中國也不了解他的帝國。他在這裡接受各國使者朝貢的時候，孔子即將出生。中國了解波斯，是波斯早已結束大流士的輝煌之後。

圖像上以突出的地位雕刻了印度人的朝貢。希臘人的朝貢也有，但誰都知道，這是這個王朝的陷阱，但大流士當時並沒有感覺到，巨大的空間統治權使他氣吞萬匯，什麼也不在乎了。但他畢竟是明智的，冥冥之中還有一點害怕，祈禱著他所信奉的光明之神阿胡拉的保佑。我還看到了一則銘文，伊朗的朋友逐句翻譯給我聽，大流士的口氣與上面引述的那一篇銘文很不一樣了：

> 大流士祈求阿胡拉和諸神保佑，使這個國家、這片土地不受仇恨、敵人、謊言和乾旱之害。

你看，如此強大的大流士還害怕四樣東西。他把仇恨放在敵人之前是可以理解的，因爲他打了這麼多年的仗，征服了這麼多國家，深知敵人不足懼，麻煩的是仇恨，仇恨造就難於戰勝的敵人。他把乾旱列爲害怕的對象也非常合理，因爲伊朗處於高原和沙漠之中，最偉大的君王也無法與自然力抗爭。但奇怪的是，他把謊言列在乾旱之前，居然成了他最害怕的東西，非要祈求光明之神來驅逐不可！

這一點對我很有衝擊力，因爲這些年我目睹謊言和謠言對中國社會和中國文化的嚴重侵害，曾花費不少時間研究，還寫出了專題文章，但我怎麼也沒有想到在古代幾乎無所畏懼的一代霸主，對謊言的恐懼超過自然災害。想想也對，仇恨可以用仁慈澆滅，強敵可以用武力征服，自然災害雖然不容易對付但形態明確，而謊言呢？仁慈和武力都沒有用，而形態又是那麼曖昧，怪不得它千年蔥蘢、萬古不滅，有那麼多小人躲藏在它後面戰無不勝、攻無不克。

大流士讓我們看到了他的害怕處，一下子顯得更可愛了。

六八　西風夕陽

一九九九年十一月二十八日，由設拉子去克爾曼，夜宿Kerman旅館

在大流士宮殿閱讀銘文時，經常可以看到「阿胡拉」這個詞，大流士大帝把它看作至高無上的神靈，對它畢恭畢敬。我對這個詞很敏感，因爲對古代波斯的一種宗教——拜火教關注已久，知道這個「阿胡拉」也就是阿胡拉——馬茲達，是拜火教崇拜的善良之神、光明之神。

我開始關注這種宗教的原因，是它的創始人的名字：查拉圖士特拉。一個大概生活在公元前六世紀早期的雅里安人，尼采曾借用這個名字寫過著名的《查拉圖士特拉如是說》，對近代世界包括中國很有影響。波斯人很大一部分是幾千年前遷移到伊朗高原的雅里安人，查拉圖士特拉的血統說明了這種淵源，後來希臘人用自己的語言把查拉圖士特拉的波斯讀法讀成了瑣羅亞斯德（Zoroaster），所以拜火教又叫瑣羅亞斯德教。

很長時間以來我對拜火教的教義也有興趣。世界各地許多原始宗教所崇拜的神往往集善惡於一身，人們既祈求它又害怕它，宗教儀式是取悅它的一種方式，有的神還很野蠻，例如要求多少童男童女去供奉之類；而成熟的宗教就不同了，大多獨尊一神，而這個神確實也充滿神性，善待萬物，啓迪天下。拜火教與這兩種情況都不太一樣，它主張一神崇拜，又是一種二元論宗教，即認爲主宰宇宙的有兩個神，一個是代表善良、光明的阿胡拉，另一個是代表邪惡、黑暗的阿里曼。它們時時激戰又勢均力敵，人們爲阿胡拉祈

禱、吶喊、助威，用熊熊烈火張揚它所代表的光明，而且相信它終究戰勝。拜火教有一種戰鬥意義上的樂觀，堅信人的本性由善良之神造就，光明的力量總會壯大。最終大家都會面臨偉大的「末日審判」，連死去的人也會復活接受判決。那麼，一個人何以皈向光明呢？拜火教又提出了一系列倫理原則，最著名的一條幾乎與中國先秦思想家的說法完全一樣：「己所不欲，勿施於人」；明確規定了人的三大職責：化敵為友、改邪歸正、由愚及智；還有三大美德：虔誠、正直、體面。這些都挺好，遺憾的是拜火教還宣布了世界存在的時間（一萬二千年），宣布了異教徒絕不寬恕，又宣布了除波斯人之外的外國人都是劣等人。拜火教的經典為《阿維斯塔》（Avesta），據說是光明之神阿胡拉交給查拉圖士特拉，要他到人間來傳道的。

我知道大流士篤信拜火教，也知道由於他的篤信，拜火教成了波斯帝國的精神支柱。自從我們一行進入伊朗以來，經常與伙伴們提起。昨天剛剛要走出大流士宮殿時，郭瀅和辛麗麗趕過來對我說：「好消息，我們打聽到你感興趣的拜火教遺址就在附近，趕快去！」

那當然要去。從大流士宮殿出來往東北方向走六公里，就見到一座山的石壁上鑿有一座座殿門，石壁前是一個寬闊的平坡，像一個狹長的廣場，須攀登才能抵達。我第一個爬了上去，正在一一仰望，與我們一起來的一位伊朗文化專家也跟了上來，他已年邁，氣喘吁吁地對我說，那些石壁上的殿門是大流士與另外三個國王的陵墓，由於他們都信奉拜火教，便按照拜火教的方式安葬，與天地同在。鑿壁為幕，是帝王的特殊待遇。

我看這些墓窟離地面總有五十多米高，便問專家是否上去過，他說沒有，聽說墓室裡有一個拜火教的

神壇。我們只能看外面，刻著柱子和圖案，但由於太高，什麼圖案看不清。

他突然問我：「你去過約旦的佩特拉嗎？」我說去過，他說他曾從照片上看到，佩特拉的岩壁墓穴與這兒很相似。我說正是，但那兒的墓穴雕刻更希臘化，這兒當然也有，但顯然又東方化、簡潔化了。這便是波斯文化的特點，既然八方來朝就八方吸納，但又不會陷落於一方。

在墓窟底下，比我們人體略高的地方，有幾幅完整的浮雕畫，其中最大的一幅是一位波斯將軍騎在馬上，馬前跪著一個人。專家說，馬上的騎士是後來薩珊王朝的一個國王，而跪著的人是被俘虜的東羅馬皇帝。這顯然又是炫耀蓋世武功，而沒有什麼宗教精神了。

半山廣場的西部有一個古老的白石建築，與面前的千丈石壁相比顯得很小，窄窄的一兩間房的面積，倒是深到地下，有台階相連，這是眞正的拜火教神殿。拜火教淪落之後，全國各地神殿均遭破壞，只剩下這座比較完好，我想大概是出於對大流士的尊敬，照顧了它。我快步走到神殿前，西邊吹來的風已很峭厲，我沒有穿夠衣服，抱肩看了一會就轉身返回，只見夕陽把我的身影拉得很長很長，幾乎拖遍了整個平坡。

拜火教的淪落是一個悲劇。當初查拉圖士特拉創教，就是希望人們能從原始宗教的占卜、巫術中擺脫出來，走向更有智慧的宗教境界，但當拜火教在統治者的倡導下度過極盛時期後，廣大而又龐雜的信徒隊伍又開始伸發其中的占卜、巫術內容。這不奇怪，普通民眾的宗教狂熱慣常地拒絕理性，遲早會滑入荒唐的臆想之中，於是它也快速地產生質變，回歸於原始宗教的愚昧狀態，失去了內在的精神力量和外部的傳

播力量，奄奄一息，在以後的外族入侵中很自然地被其他宗教代替而基本消亡。

西風殘照中的拜火教神殿，有點淒涼。

六九　我會鼓掌

一九九九年十一月二十九日，克爾曼，夜宿Kerman旅館

兩天前發生了一件不太愉快的事，需要補記。

那天晚餐，大家實在太累了，剛剛落座，幾位女士就把頭巾退下了，想鬆鬆地歇口氣。像往常一樣，沒人招呼，沒人點菜，沒人倒水，而且大家早就明白，根本點不出一個稍稍覺得可喜的菜，而等這麼一個菜的時間是兩小時。正有點窩火，終於過來一個中年侍者，他板著臉走到我們的編導張力小姐背後，一聲不吭地伸手去把她的頭巾拉了起來！

「不許碰她！」坐在對面的陳魯豫眼快，大聲喝止。全桌的人都憤怒起來。

憤怒的理由顯而易見。這麼多天，爲了尊重他們的風俗，我們這幾位小姐、女士一個個都把頭包得嚴嚴實實，進進出出都謹小愼微，爲了怕有不周全之處盡量減少出門，減少下車。她們來幹什麼？不是別的，恰恰是想滿腔熱忱地把這兒的文化遺產介紹給世界上很大一部分觀衆。天氣那麼炎熱，工作那麼勞累，耳邊卻永遠是同一個指責：包頭！包頭！包頭！今天，我們爲了讓她們晚餐時稍稍放鬆，已經找了這個完全沒有其他顧客的冷僻角落，安安靜靜地面牆而坐，能招惹得了誰呢？倒好，連勸說、喝令都不用了，直接動了手，動到了小姐的頭上。

一定要去投訴。但，投訴給誰呢？

第二天上午，還是魯豫，開始詢問一直跟隨著我們的那位新聞官員。她已想過，不談昨天的事，只談婦女包頭的事。

魯豫：「你們國內的服裝規定我們管不著，但我們是外國婦女，初來乍到，一定要按照你們的服裝規定來要求，是不是強人所難？如果你們的婦女到了我們中國，強迫她們必須穿旗袍，心裡會好受嗎？」

新聞官：「這是我們國家的法律，外國人進入我們國家也要遵守。」

魯豫：「說法律就沒法談下去了。但這樣的規定總有一個基本理由，你覺得男人看到了女人的頭髮和耳朵，就一定會產生不良的念頭？」

新聞官：「在我們這兒，女人的頭髮和耳朵只給丈夫看。對不起，我還沒有看別的女人的頭髮和耳朵的思想準備。」

魯豫：「你英語這麼好，一定出過國吧？」

新聞官：「當然。」

魯豫：「那麼，你在外國街道上見到過別的女人的頭髮和耳朵嗎？」

新聞官：「在外國我想，他們就是因爲女人這樣拋頭露臉，所以離婚率那麼高。」

魯豫：（大笑）「那你就錯了，你以爲離婚率與頭髮、耳朵的暴露有關？」

……

這樣的談話自然很難進行下去。

下午，在旅館大堂，一位文化專家找到我，說要與我談談。

他說，跟了我們這麼多天，印象極好，現在只剩下了一個擔憂，就是女士戴頭巾的事，一定不要再產生任何疏忽。

我說，既然你已把我看作朋友，那我也如實說。在我們中國，像這樣一群傳媒電視界的傑出女士，哪怕自己國家的領導人對她們的服飾提出什麼建議，她們也可聽可不聽，根本不會當一回事。到了這兒，她們已經乖到極點，忍到極點，居然如此認眞地天天包頭，照常工作，出乎我的意料之外，還要她們怎麼樣呢？

他說，我們這些人倒無所謂，但我們國家爲了抵制西化，很多家庭在戰爭中死了人，如果這些家庭的成員看到你們的女士戴頭巾有疏忽，可能會鬧事……

他這麼一說，我就激動了。我說：你們有自己的民族原則，我們中國婦女也有自己的民族尊嚴。爲了我們的民族尊嚴，中國犧牲的人不比你們少，當然並不僅僅爲了衣服。中國婦女有時脾氣挺大，譬如昨天晚上的事如果再一次發生，我估計我們的女士會——

「會怎麼？」他問。

「會把一杯熱水潑在那個侍者頭上。」我說。

「那您也不阻止？」他奇怪地看著我。

「我會鼓掌。」我肯定地說。

彼此一陣靜默。

最後，我把手按在他的手上，推心置腹地談了一段話。我說：「如實相告，我在前幾天的日記裡還專門寫到要尊重你們的民族服飾文化，對伊斯蘭的宗教文化之美，我也推崇備至。你已經聽到，我在伊斯法罕的大街上對著電視攝影機講了這麼長篇的話來分析清眞寺的建築美學，這一切至少說明，我是你們眞誠的朋友。但是我想告訴你這麼一個被中國這二十年的改革開放證明了的事實：一個民族要眞正獲得尊嚴，必須大踏步地謀求社會發展；而在現代謀求社會發展，不能拒絕與外部世界交流和對話。如果在服飾這樣的問題上對外國人限制重重，國際投資如何進入，國際交流如何進行？我們過幾天就離開了，作爲一個中國文化人，臨別贈言只有兩句話：第一句，只有發展，才有尊嚴；第二句，只有尊重別人的尊嚴，才有自己的尊嚴。」

他看著我，沒有說什麼，緊緊地握著我的手。

這次輪到陳魯豫爲我喝采了。她說：「余老師，講得好！」

我說：「那當然。」

她明天就要離開。

七〇 再闖險境

一九九九年十一月三十日，由克爾曼赴札黑丹，夜宿Esleghlal旅館

今天，我們終於要進入目前世界上最危險的區域了。

危險到什麼程度？近兩個月內，在這條路上，已有三批外國人被綁架，最近一批是在五天前；剛剛接到消息，就在昨天，札黑丹地區三十二名警察被阿富汗的販毒集團殺害，作爲對該集團一個首領被捕的報復。

上午五時起床，六時發車。克爾曼是個小城，剛離開幾步就是沙漠了。這裡的沙漠從地形上就會讓人提起警覺：路邊有很多七、八米直徑的不規則石墩、石台，活像地堡；又有不少自然的石坑，活像戰壕；更嚴重的是，在離公路各約三百米的兩側，是兩道延綿的低矮山梁，簡直是伏擊的最佳地形。山梁上多少人都藏得下，一旦衝鋒能快速抵達地面，即便公路上有武裝部隊狙擊，也能憑藉石台、石坑處於有利地位。

我們一直在這樣的一條路上走著，不能說多害怕，心倒是一直懸著，設想著不久前三批外國人被綁架的各種情景。這些外國人現在都還關著吧，至少五天前綁架的那一批？他們會關在哪裡？

中午時分見到一個很大的古城堡，整個呈泥沙的灰黃色，沒有一絲別的顏色，形態古老，城門狹小，有護城河，可見古代此地也很不安全。古城堡邊有小鎮，叫北姆（Bam），一問，知道城堡是安息王朝時的

遺跡，至今已有二千多年。但這個遺跡一直有人住，到兩百年前才廢棄，成爲盜寶者們挖地三尺的地方。我們幾個進入古城堡後在條條街道間穿行，大體搞清楚了古代官衙、禁衛軍、馬廄和平民住宅區的劃分，基本上是以官衙爲中心制高點，層層輻射開來。官衙因地處高敞，排水系統完善，建築材料用了很有韌性的蜜棗木，保存最好；平民住宅區很擁擠，其實在古代幾乎沒有城堡外的居民，一個城堡已經囊括了絕大部分邦國人口。

在北姆參觀古城堡時我們被告知，從這裡到札黑丹必須有警車保護，於是就到當地警察局去申請，這倒是沒費多少周折就批准了，但由於形勢險惡，警力供不應求，警方希望我們或者在北姆等候，或者先往札黑丹開，等警車回來後再來追趕，好在我們的車隊比較容易辯認。我們不知要等多久，眼看太陽偏西，走夜路更危險，因此選擇了後一個方案，即讓警車來追，便冒險出發了。

離開北姆不到一小時我們就遇到了沙漠風暴。但見一片昏天黑地，車窗車身上沙石的撞擊聲如急雨驟臨，車只能開得很慢，卻又不敢停下，沙流像一條條黃龍一般在瀝青路面上橫穿。兩邊的沙地上突然出現了很多飛動的白氣流，但飛動的速度不快，倒像蒸籠邊的蒸氣，與耳邊呼呼的風聲相比顯得很優閒，使我聯想到在奔騰而下的瀑布前也常常有一種似乎沒有快速瀉落的水光，高高低低地移動著，讓人誤以爲瀑布竟如此優閒。處在這種風景中最大的擔憂是不知它會加強到什麼程度，車隊一下子變得很渺小，任憑天地間那雙巨手隨意發落。

沙漠風暴終於過去了，剛想鬆口氣，氣又提了起來：夜幕已臨，而眼前卻是一片高山！保護我們的警

車還沒有來，四周的情景越來越凶險，不敢停車拂去車身上的沙土，我們便咬著牙一頭向這危險地區的山路撞進去，對講機裡互相輕輕囑咐一句話：「眼觀六路，耳聽八方。」這裡的每一個轉彎都不知會碰到什麼，每一次上坡下坡都提心吊膽。兩邊的山巒因地殼變動而猙獰怪誕，車道邊深深的懸崖又不知落向何處。沒有草樹，沒有夜鳥，沒有秋蟲，一切都毫無表情地沉默著，而天底下最可怖的就是這種毫無表情的沉默。

我們不知是怎麼竄出這迷魂陣一般的黑夜山道的，突然路勢平緩，進入一個高原平地。這時聽得後面有喇叭聲，一輛架有機槍的車輛追了上來。這種車在中國叫小貨車，這輛小貨車在貨艙上方的金屬棚下挖一個大洞，伸出一個人頭和一支機槍，其他人則持槍坐在駕駛艙裡。停車後他們告訴我們，他們是警察，前面眞正進入了危險地帶，特此趕來保護我們。

我們無法驗證一切，又不敢細問，就讓他們跟在車隊後面，繼續往前走。我們只是心慌：怎麼冒了半天險到現在才進入危險地帶？他們究竟是誰？古人所說的「眼觀六路」大概是指前方和左、右各兩路吧，但我們現在的關注重心至少有一半要分到背後去了。

又走了很久，背後那輛架機槍的車竄了上來，叫我們停車，說是他們值班時間到了，會有另外一輛警車來換班，要我們和他們在這裡一起等待。

我們環視四周，這裡又是一個山坳，黑黝黝的什麼也看不清。隊長郭瀅一想，在這世界上最危險的地區，半夜裡，山坳間，與一些不明來歷的武裝人員在一起，我們又和他們一起等候著另一批武裝人員……

沒有想完他就大喊：開車，快速離開！

我們的車隊呼隆一下便像脫韁的馬隊一般飛馳而去，直到深夜抵達札黑丹。

七一　札黑丹話別

一九九九年十二月一日，札黑丹，夜宿Esleghlel旅館

札黑丹是一個小地方，卻因處於伊朗、阿富汗、巴基斯坦三國交界處，十分重要。近年來此地成爲世界著名販毒區域，殺機重重，黑幕層層，更引人關注。

伊朗政府爲了向世界表明它的禁毒決心，曾邀請一些外國使節和記者在重兵保護下到這裡來參觀銷毀毒品的場面，但一般記者是不敢到這裡來的。他們只是看著地圖向世界各地報導我在前兩篇日記中說過的這類新聞：本月初，三十五名警察在札黑丹地區被販毒集團殺害，兩天前，犧牲的警察又是三十二名……販毒集團目前窩藏在阿富汗較多，一些反政府武裝也與此事有關，扣押外國人質是反政府武裝與政府討價還價的籌碼，因此幾類事情完全混爲一體了，難分難解。因販毒而積累的巨大資金，和頻頻發生的國際事件互相渦漩，使這個地區神秘莫測，讓人望而生畏。

我們必須從這裡去巴基斯坦，因此避不開。對我來說，這種經歷也是文化考察的一個部分，願意冒險。讓我感動的是，我們在伊朗新認識的朋友曼蘇爾·伊扎迪醫生（Dr. Mansour Izadi）也趕到札黑丹來送我們。深夜了，有人敲門，一看是他，手裡提著一口袋鮮紅的大石榴，要我在路上吃。

曼蘇爾醫生不僅能說一口極標準的中國普通話，更讓我驚訝的是，他口中流出來的上海話居然十分純正。第一次見面時我簡直不敢相信，因爲我說過，幾乎沒有外地人能把上海話學好，何況他是外國人。原

來他是上海第二醫科大學的泌尿外科專業碩士，已經在上海做了很久的門診醫生，上海話是他的門診語言。他準備不久後再到法國去讀一個企業管理方面的學位，所以從上海回到伊朗來準備一陣，沒想到遇到了我們。他在上海知道我卻未能見到，我又認識他經常提起的王一飛校長，所以一說話就十分投合。

曼蘇爾醫生非常熱愛自己的國家和民族。有一句話他給我講了很多遍，每次講的時候雙眼都流露出很大的委屈。他說，在中國，很多朋友總把伊朗看成是阿拉伯世界的，開口閉口都是「你們阿拉伯人……」，實在是很大的錯誤。我說：「我知道，你們是堂堂居魯士、大流士的後代，至少也要追溯到輝煌的安息王朝、薩珊王朝……」他笑了，然後靦腆地說：「我弟弟的名字就叫大流士·伊扎迪，在北京工作。」

曼蘇爾醫生告訴我，阿拉伯人入侵時，把希臘亞歷山大都沒有破壞的文化遺跡都破壞了，情景十分悲慘。但波斯文化人厲害，沒有像埃及一樣廢棄古埃及文字一律改用阿拉伯文，而是陽奉陰違，只用阿拉伯的字母，拼寫的句子仍然是波斯語。阿拉伯統治者猛一看全用了阿拉伯文，其實，只把它們當拼寫方式而已，波斯語因此而保存了下來。經他這麼一說，我心中就出現了三個語言承傳圖譜，第一是中國，可稱「一貫型」；第二是埃及，可稱「中斷型」；第三是波斯，可稱「化裝型」。相比之下，中國很神奇，埃及很不幸，而波斯，則存活於行藏用舍之間，最不容易。

但曼蘇爾醫生又是一個虔誠的穆斯林，信奉伊斯蘭教。他說，人類其實是很難控制自己的，必然導致自相殘殺、災難重重，因此應該共同接受一種至高無上的、公平而又善良的意志，使大家都服從，我們把它稱爲眞主，但眞主不是偶像。其他許多宗教也很好，都是這種至高無上的意志派向人間的使者傳揚的，

而伊斯蘭教處於這一過程的完成狀態……

他見我在這方面好像不大開竅，又語氣委婉地說：「我知道，在你們看來，我們這個宗教在禮拜和生活上規矩太多太嚴，不方便。但人類不能光靠方便活著，你們中國歷史上很多偉大人物爲了追求理想也故意尋找不方便……」

說到中國，他如數家珍，而且每次都很激動。他是八十年代初期就到中國留學的，先在北京學語言，再到上海學醫，目睹了中國改革開放的巨大變化，覺得伊朗也開始在走這條路。他一再祈禱，希望伊朗政壇中主張與外部世界對話的溫和派能逐漸壯大，縮小保守派的影響。

今天我們一大清早就要出發去邊境，曼蘇爾醫生也起了個大早，親自到旅館廚房給我們端出一盤盤煎雞蛋。他一再叮囑，進巴基斯坦之後路途更艱險，千萬留神。到了邊界，我們看到了時時準備發射的大炮。

曼蘇爾醫生說，炮口對著阿富汗方向，是針對販毒集團的，你們千萬不要以爲販毒集團只是躲在土丘背後的黑影子，他們擁有坦克，包括一切先進武器。他們曾輾轉向伊朗政府帶話，若眼開眼閉讓他們的毒品過境，每年可奉送十億至二十億美元，但伊朗政府堅決拒絕了。當然，不是一切國家的各級政府官員都會拒絕，一旦拒絕，販毒集團也會用種種方式要挾，譬如扣押外國人質，結果有些國家的很多政府官員就與他們串通一氣了，形勢變得極爲複雜。

等我們走過鐵絲網回頭，看到曼蘇爾醫生還在不放心地目送我們。我們向他揮手，又想快速地躲避他

的目光，因爲我們的幾個女士對於即將解除頭巾太歡悅了，而這種歡悅可能會刺痛他太敏感的心。

巴基斯坦。

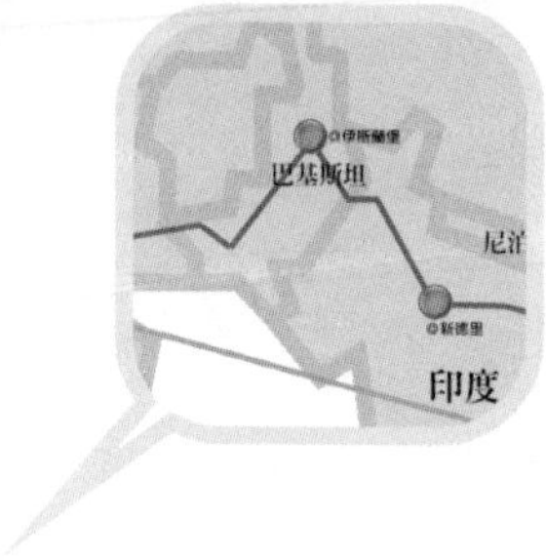

七二　黑影幢幢

一九九九年十二月二日，巴基斯坦奎達，夜宿Serna旅館

從伊朗出關，剛剛走進巴基斯坦的鐵欄門，所有的女士都歡叫一聲，把頭巾摘下了。

迎面是一間骯髒破舊的小屋，居然是移民局所在，裡面坐著一個棕皮膚、白鬍子的胖老頭，有點像幾十年前中國大陸農村的村長，給我們辦過關手續。破舊的桌子上壓著一塊裂了縫的玻璃，玻璃下很多照片，像是通緝犯，一問，果然是；在通緝犯照片上面又蓋著一張中年婦女的照片，因泛黃而不像通緝犯，一問，是他太太。

兩次一問，關係融洽了，而我們的女士們還處於解除束縛的興奮中，不管老頭問什麼問題，都滿口「吔、吔」地答應著，男士們開起了玩笑：「見到白鬍子就亂叫爺爺，怎麼對得起……」

我知道他們想說怎麼對得起家裡的祖母，但他們似乎覺得不雅，沒說下去。女士們一點不生氣，還在享受一個自由婦女的幸福，但我看到她們擺動的肩膀背後，滿牆都是通緝犯的照片。

老人在我們的護照上簽一個字，寫明日期，然後蓋一個三角章。其實三角章正在我們手裡玩著，他要過去蓋完一個，又放回原處讓我們繼續玩。不到幾分鐘，一切手續都已結束，這與我們以前過關相比簡直是天壤之別。走出小屋，我們見到了前幾天先從德黑蘭飛到巴基斯坦去「打前站」的吳建國先生，他到邊境接我們來了。

但我們正想打招呼又愣住了，因爲他背後貼身站著兩名帶槍的士兵。巴基斯坦士兵的制服是一襲裙袍，顏色比泥土稍黑，又比較破舊，很像剛從戰場上爬回來的，沒有任何花架子。吳建國一轉身他們也轉身，吳建國上前一步他們也上前一步，可謂寸步不離。我們沒想到吳建國幾天不見就成了這個樣子，而他老兄則摘下太陽眼鏡向我們解釋，說路上實在不安全，是巴基斯坦新聞局向部隊要求派出的，「連我上廁所也跟著」，他得意地說。

聽他這麼一說我們都忍不住撲嗤一聲笑了，說「那你也該挑一挑啊」。原來兩名士兵中有一個是嚴重的「鬥雞眼」，不知他端槍瞄準會不會打到自己想保護的人。吳建國連忙說：「別光看這一個，人家國家局勢緊張，軍力不足，總得搭配，你看這另一個，樣子雖然也差一點，卻消滅過十二個敵人。」旁邊那個軍人知道他的「首長」在說他，立即挺胸作威武狀。

此後我們努力把吳建國支來支去，好看看兩名士兵跟著東奔西跑的有趣情景。相比之下，那位「鬥雞眼」更慇勤，可能是由於他還沒有立功。突然我們害怕了，心想如果誰狠狠地在吳建國肩上擂一拳，「鬥雞眼」多半會開槍。他現在已經很警惕，覺得我們這批可疑人員有什麼資格在他的「首長」面前沒大沒小地瞎起鬨。

進入巴基斯坦後我們向一個叫奎達（Quetta）的小城市趕去，距離爲七百多公里，至少也得在淩晨一時左右趕到。而這條路，據曼蘇爾醫生說，因爲緊貼阿富汗，比札黑丹一帶還要危險，至少已經險過緬甸的「金三角」，是目前世界上最不能夜間行走的路，但我們沒有辦法，只能夜間行走。理由是，從邊境到奎

達，根本沒有一處可安全歇腳的地方。

危險的感覺確實比前兩天夜間趕路更強烈了。這種感覺不是來自荒無人煙，恰恰相反，倒是來自人的蹤跡。路邊時時有斷牆、破屋出現，破屋中偶爾還有火光一閃。過一陣，這個路口又突然站起來兩個背槍的人，他們是誰？是警察嗎？正這麼緊張地東張西望，我們一號車的技師馬大立先生通過對講機在呼叫：「右邊山谷轉彎處有人用手電在照我們，請注意！請注意！」我們朝右一看，果然有手電，但又突然熄滅。對講機又傳來五號車的攝影袁白先生的呼叫：「有一輛車緊跟著我們的車隊，讓它走又不走，怎麼辦？」

前面路邊有兩個黑色物體，車燈一照，是燒焦的兩個車殼；再走一段，一道石坎下蹲著三個人，這兒前不著村，後不著店，他們蹲在這裡做什麼？正奇怪，前面出現了一輛嶄新地橫在路邊的小轎車，車上還亮著燈，有幾個人影。我們的心一緊，想這必定會遇到麻煩了，只能橫下一條心衝過去，但還沒來得及衝，五號車的車輪爆了，其他四輛車立即停了下來，這架勢讓那輛小轎車緊張了，立即發動離去。我想不管這輛車是善是惡，我們這種突然停住似乎要把它包圍的狀態，實在太像一隊匪徒了。

在我們換輪胎的時候，走來兩個背槍的人，伸出手來與我們握。我抬頭一看，是兩個老人，軍裝已經很舊，而腰上纏著的子彈帶更是破損不堪。竟然是這樣的老人警衛著這個世界上最危險的地段？我忍不住輕輕搖頭，默默地看著這兩個從臉色到服裝都很像沙堆的老人向沙漠走去。他們沒有崗亭，更沒有手機，眞的出了事管什麼用呢？

我相信今天夜裡我們的車隊一定遇到了好幾批不良之徒，因爲我想不出這麼多可疑人跡在這千里荒漠

間晃動的理由。但我們竄過去了，唯一的原因是他們無法快速判斷這樣一個吉普車隊的職能、來源和實力，而車身上那個巨大的鳳凰旋轉標誌，又是那麼怪異。

半夜一時到達奎達時，整個小城滿街軍崗，找不到一個普通人。但不管怎麼我們已經到了，除了早晨在曼蘇爾醫生手裡拿到過一個煎蛋外，中餐和晚餐都沒有吃過，可是餓過了勁，誰也不想動了。

七三　赤腳密如森林

一九九九年十二月三日，巴基斯坦木爾坦，夜宿假日酒店

今天驚心動魄。

昨天半夜到奎達才知道，這裡去伊斯蘭堡還非常遙遠，又沒有直路，只得到南方去繞，今夜最快也得在木爾坦（Multan）宿夜。這已沒有選擇餘地，只能一早出車，但不管從地圖看還是向當地人打聽，繞道到木爾坦有九百多公里！我們駕駛員已經有好幾天半夜抵達、清早出發，沒有睡足，而今天將要花多少時間開完這九百多公里？

開出去不久就明白糟了，這是什麼路呀，九百多公里開十六個小時都是快的。

高低不平的泥路使我們擔憂，但最驚人的還是路邊的景象。

到處都是灰土，連每棵樹乍一看都像是用泥土雕出。樹下是堆積如山的垃圾，垃圾上沾著無數雙赤腳。這兒的人似乎都不大喜歡洗臉理髮，更遑論洗衣，因此也像是用泥土雕出。今天不是星期天，但孩子們都站在這裡。有幾個在賣一塊塊的麵食，麵食上有綠點，那是豆角，有紅點，那是顏色，但更多的是黑點，那是蒼蠅。房子全是泥磚，用石灰刷一下便是奢侈，而這些奢侈現在也均已脫落。

有人說這裡的老百姓極端貧困，卻有少數權勢者因受賄而暴富。但是這些富人在哪裡造了房？我們一小時一小時地走了那麼遠，怎麼沒有見到稍稍像點樣的一間房子？

我知道，我們已經行進在歷史悠久並以富庶著稱的印度河流域。印度河流域怎麼可能這樣？我不斷在心裡警告自己：千萬不要以偏概全，更不要以別處景象作不公平的比較。於是暫不作爲結論，只是讓車不斷往前開，以便讓景觀盡可能豐富、充分地展開。有時不相信自己的眼睛，便把車停下來細細看，再與各位同伴交換意見。

最後，當我發現已經在這個地區整整行駛了一千五百多公里，就不能不做出判斷：不管我們尚未抵達的這個國家的首都如何漂亮，遼闊的印度河平原的極大部分，無可掩飾地呈現出一種最驚人的整體性貧困。

對於貧困我並不孤陋寡聞，中國西北和西南最貧困的地區我也曾一再深入。但那種貧困，至少有辛勤的身影、奮鬥的意圖、管理的痕跡、救助的信號，但這一切在這裡很難發現。因此，驚人的不是貧困本身。

我們從伊拉克和伊朗過來，對比之下這兒非常自由，自由得沒有基本的交通規則和衛生規範，自由得可以在大路邊作任何搭建，自由得有那麼多人在無事閒逛。我們已經在這「國道」邊看到五六十個小鎮了吧，所有鎮子的道路旁永遠站滿了大量蓬頭垢臉的人互相看來看去，從小孩、青年、壯年到老年都有，好像互相要看一輩子，眞不知靠什麼獲得食品。

我們這次跨國文化考察，見到的最慘痛景象，不是石柱的斷殘、城堡的倒塌、古都的湮滅，而是在文明古國的千里沃野上，那些不上學的孩子們的赤腳密如森林。

滋養人類早期文明的母親河，我們已從尼羅河走到底格里斯河和幼發拉底河，現在是印度河。在尼羅河邊我曾深深嘆息，在目睹大量政治災難後突然聽到底格里斯河的名字我曾熱淚盈眶，而當我在這樣的景觀中看到印度河，連嘆息和眼淚都沒有了。

已有充分的考古材料證明，印度河文明在公元前三千年，即距今五千年前已經高度發達，發達到什麼程度？光從摩罕喬達羅（Mohenjo Daro）出土的建築遺跡看，不僅宏偉而且堅固，設計精緻而科學，很多私人住宅已有優良的浴室，而城市裡的排水系統讓今天的專家也由衷稱讚。這種文明還傳播到兩河流域，在兩河流域挖掘到的四千三百多年前的遺址裡，有印度河文明的不少器物。我們知道早在三千五百年前印度河文明已經退出歷史舞台，把地位讓給了人類的其他幾個古文明，但這個地方會衰敗到這個樣子，卻是以前怎麼也沒有想到的。我們這一行的所有伙伴今天都不平靜，每次下車站立在那些很難持續站立五分鐘的地方，問我：這眞是印度河文明的發祥地？爲什麼上天把興衰的遊戲做得這般殘酷？

我想，以前我們完全不知道實際情況，卻習慣於用公式化的理論作出統一的解釋，譬如說是受到了外族的侵略和掠奪。如果這種解釋成立，那也已經過去了很久很久。這個國家自治已有五十三年，完全獨立也已有四十四年，作爲一個農業國，土地沒有被奪走，河流沒有被奪走，氣候沒有被奪走，西方文明還爲它留下了世界矚目的自流灌溉系統，振興和自強的機會，可以說年年月月都很充分，但都失去了。

就近期原因而言，可能是由於迫不得已地與鄰國一起陷入了貧困中的軍備競賽，可能是由於走馬燈般的政局更迭，可能是由於舉世聞名的官場腐敗……不管是什麼，都需要有一次文明意義上的反省。文明的

淪落，原因之一是失去了反省功能。

回過來說說我們行車的道路，那眞可以稱之爲步履維艱。如果發現有一小段遠年的瀝青路，各車的司機就在對講機裡歡呼起來，但歡呼聲立即噎住在狂烈的顚簸中，按照新來的節目主持人孟廣美小姐的說法，五臟六腑全顚在一起了。轉眼瀝青路結束，車窗前立即蒙上一片黃塵，像是突然下墜於黃海深處，怎麼也泅不出來了。路上的車很多，都強光照射，開得野蠻，橫衝直撞，不顧一切地搶占著極狹的路面。我們的對講機裡不斷傳來第一、第二輛車發出的一個個警報：「三輛嚴重超載的手扶拖拉機從右邊衝過來了！」「一頭駱駝！三輛驢車！」「兩條牛橫在路口！」……

一算，已經開了整整十六個小時，木爾坦還不知道在哪裡，司機們開始想罵人了，但剛剛罵出半句又拿起了對講機，說：「此時此刻，大家千萬不要浮躁，不要浮躁！」

沿途又沒有任何地方可以購買食品，大家都已十幾個小時沒有任何東西下肚了。

七四　美的無奈

一九九九年十二月四日，由木爾坦至秋卡扎姆（ChowKazam）鎮，夜宿中國水電公司宿舍

實在忍不住，要專門寫一寫此地二千多公里的長途上見到的車。

開始一進國境線見到這兒的車被嚇了一大跳。不管是貨車還是客車，投入使用前都進行了大規模的改裝。先讓駕駛室的三面外沿往上延伸，延伸到一定高度便向前方傾出，這就形成了一個圓扁形昂然凸現的高頂，大約高度爲六米；車身也整個兒升高，大約六米，與高頂連接。大家閉起眼睛就能想像，這太像一具碩大無朋的棺材了。幾乎所有初來乍到的外國人都會不約而同地脫口而出：「啊，棺材！」

六米多高的車身，在集體高度上肯定是世界之首，但這首先不是出於運載量上的考慮，事實上這片土地的發展狀態還不存在這麼大的運載量；這樣做的目的，是追求好看和氣派。因此所有的車，渾身用艷俗的色彩畫滿了多種圖形，沒有一寸空閒。畫的圖形中有花，有鳥，有人眼，有獅子，全都翠綠、深紅、焦黃，又描了金線和銀線。駕駛室的玻璃窗上畫的是兩隻大鴨子，鴨子身邊還有紅花綠草，駕駛員就從鴨腳下面的空檔裡尋找前面的路，像在門縫裡偷看。駕駛室的玻璃也有自己的顏色，一半是紅玻璃，一半是綠玻璃。反光鏡上飄垂著幾條掛滿毛團的不知什麼東西，車開時可一直飄至車身的中段。車頭四周插著幾十根鍍了黃色的金屬細棒，細棒約二米長，棒頭都扎著一團黑紗，車一開猛烈顫動，很像棺材前供著的香。

很多車門改裝成雕花木門，像中國舊家俱中那種低劣的窗架。整個車身下部聯結車輪的地方，都垂滿

了叮叮噹噹的金屬片，金屬片上也畫上多種色彩，有的三角，有的橢圓，直拖地面，花裡胡梢得目不忍睹。這些汽車因成天櫛風沐雨，全部艷麗都已骯髒，活像剛剛從一個垃圾場裡掙扎出來，渾身掛滿的東西還來不及摔落。

更恐怖的事情還在夜間。這裡貧困，車主們捨不得用霓虹燈管，或螢光粉，但一切色彩的邊框、線條全貼了各種顏色的反光紙，對面來車時車燈一亮，它就渾身反光。這種事情往往發生在荒山野嶺，漆黑的山道上剛一轉彎，猛然見到兩三具妖光熠熠的棺材飛奔而來，實在會讓天下最大膽的司機心驚肉跳。我們的車隊初遇這種情況時大家驚慌得瞠目結舌，不知來了什麼，不像是匪徒，不像是強盜，但比匪徒和強盜更讓人發呆。妖光熠熠的棺材越來越多，我們的車隊被擠在中間，就像置身於陰曹地府。由此我猛然憬悟：美與醜的極端對比，便是人間與地獄的差別。

眼花繚亂的裝潢只有高大肥碩才會把人鎮住，因此誰也不願意矮下來。幸好這裡不存在高架天橋和橫向電線，哪怕壘到半天之上也沒人來管，但物理學上的力學重心終於來搗亂了，一路上只見一具具龐大的花棺材翻臥在地，貨散人亡，起火燃燒，十分淒慘。我說一天之中至少見到了十幾起，孟廣美說余先生一定睡著了，翻的車遠遠超過這個數字。

我們開始在路上尋找有沒有不做改裝的特殊例外，很難，找了幾天只找到一種，那就是警車，即那種架著機槍的小貨車，長長的路上只有它們還比較本色，沒有把機槍塗抹成花狐狸。除了警車之外的一切車輛都被改裝了，這裡包含著多大產業啊。在這樣的產業中，必然又有數以萬計的美術工匠在忙碌，因為車

身上的一切艷彩都必須一一手繪。被這樣改裝的汽車中有的還是世界名牌，日本的「日野」和「尼桑」很多，買來後全部拆卸，然後胡亂折騰，眞不知這些名牌的設計師看到他們的產品在這裡全然變成了這個樣子奪路飛奔，作何感想。

我花這麼多篇幅來談這件事，是因爲這個例證既極端又普及，很有學術解剖價値。什麼學術呢？大致是審美社會學。例如我們大多主張審美上的多元化，尤其尊重某個地區的集體審美選擇，肯定它的天然合理性，但眼前的景象對此提出了疑問。

這種汽車其醜無比，這個結論在高層文化界大概不會有什麼異議，但社會上的大美大醜到底根據什麼來劃分？這個劃分又會起什麼實際作用？違背了這個劃分又該如何處置？

你看這裡就有一些明顯的麻煩：

一，這種醜的普及不是由於某個行政的命令（如我們曾在巴比倫和巴格達見到的），而是一種民衆趨附；

二，除了某些技術指標今後可能會有交通法規來限制外，這種醜基本上不犯法，因此也無法用乾脆的手段來阻止；

三，如果對這問題進行美醜討論，那麼，由於事情早已社會化，討論也必然社會化，而在社會化討論中勝利者一定是行時者；

四，只能寄希望於某個權勢者個人的審美水平了，但不管是油滑的權勢者，還是明智的權勢者都不會

在複雜的政治角逐中對這樣的事過於認眞；

五，似乎應該等待全民文化教育水平的提高，但這要等到何年何月？而且這樣的審美現實本身就是無數所學校，正在構建著後代對它的審美適應……

由此我想到，平時在日常生活中見到稍稍舒心一點的物象，實在是縫隙中的光亮，太應該珍惜。醜像傳染病一樣極易傳播，而美要保持潔淨於瘟疫之中，殊非易事。從一般狀態而言，醜吞食美的機率，大大超過美戰勝醜。

由此又想到，天下文明的淪落，不一定是由於地震或戰爭。

在我看來，不必再有其他例證，光是這些奪路飛奔的花棺材，就已構成對印度河文明最殘酷的否定。這些汽車，也會大大咧咧地飛奔到不遠處的犍陀羅遺跡所在地吧？它們一定會鄙視犍陀羅，而犍陀羅早已口舌訥訥，不會與它們辯論。

我相信街頭站立的無數閒人中一定也會有個別小學師教或流浪醫生在搖頭嘆息，但這太脆弱，哪裡敵得過惡濁的審美浪潮翻滾不息。你聽滿街花棺材正在驕傲地齊聲轟鳴，據說鄰近一些國家也都有了它們的身影。

美，竟然是這般寂寞和無奈。

七五　面對犍陀羅

一九九九年十二月五日，巴基斯坦首都伊斯蘭堡，夜宿Marriott旅館

伊斯蘭堡（Islamabad）是我們這一路遇到的最年輕的城市，只有幾十年歷史。巴基斯坦在本世紀中後期決定爲自己營造一個新首都，以便擺脫舊都城的各種負累，用嶄新和便捷方式發揮行政管理功能，這便是伊斯蘭堡的出現。

這樣一座首都當然可以按照現代規劃裝扮得乾淨俐落。我因爲剛剛在這個國家的腹地走完二千多公里，見到這樣一座首都總覺得有點抽象。它與自己管轄的國土差別實在太大了，連一點泥土星子、根根攀攀都沒有帶上來。它是在哪些關口、用什麼方法，完成這種最徹底的清洗和阻攔的呢？突然產生一個想法，那些聯合國官員和外國領導人如果到了幾次伊斯蘭堡就覺得已經大致了解了巴基斯坦，那實在是太幽默的誤會。

伊斯蘭堡周圍倒有一些很值得尋訪的地名，如從小就耳熟能詳的白沙瓦（Peshawar）、拉瓦爾品第（Rawalpindi），以及小時候並不知道的塔克西勒（Taxila）。這幾個地方離得很近，在古代區劃中常常連在一起，我首選塔克西勒，主要是因爲它是犍陀羅藝術的中心。

從伊斯蘭堡向西北驅車半小時就到了塔克西勒。路牌上標有很多遺址的名稱，我們先去了比較重要的塞卡普（SirKap）遺址。這是二千多年前希臘人造的一個城市，現在連一堵牆也沒有了，只有一方一方的牆

基，頹然而又齊整地分割著茂樹綠草。在離希臘本土那麼遙遠的地方出現希臘城堡，我們立即就會想到公元前四世紀東征此地的亞歷山大。果然是他。他帶來八萬多部隊，分兩個地方駐紮，這兒便是其中之一。他離開時並沒有把士兵都帶走，而是留下很大一部分，隨同希臘文化在這裡繁衍生息。這個地方由一個老兵營而正式建設成一個像模像樣的都城，已經是公元前二世紀的事情了。大概熱鬧了三、四百年光景，在公元二世紀淪落。作爲一個遺跡挖掘出來是在本世紀中葉，挖掘的指揮者是英國考古學家馬歇爾。

塞卡普遺址中有一個講台，底座浮雕圖案中刻了三種門，一種是希臘式的，一種是本地式的，一種是印度式的，門上棲息著雙頭鷹，據說象徵著東、西方交匯於一體。

就在這個底座前，我和孟廣美坐在亂石中聊天。她說，亞歷山大明明是千里侵略，爲什麼這裡的人總是用崇敬的口氣談起他呢？

我說，亞歷山大是一個氣吞萬里的年輕君主，作爲亞理斯多德的學生，他以軍事方式把希臘文明向東方注射，同時又把東方文明帶回到西方，與那些只想掠奪財寶的侵略者有很大區別；何況那麼多年過去，歷史已經蒸發掉了戰爭的血腥，只把文化融合的成果留下了。

我又說，這裡更值得注意的是，亞歷山大以人種留駐作爲文明留駐的前提，確實要比那種只是廢止別人的文字、廟宇的文明替代方式高明許多。他攻佔波斯後曾親自帶頭與大流士三世的女兒結婚，與他同日結婚的馬其頓軍官和波斯女子多達一萬對。只可惜他在三十三歲就去世了。他的部隊留下的後代在這裡經歷過大量文明衝撞的悲喜劇，可惜沒有詳細記載，但就憑這個佛教講台上的雕刻，也足以證明他們由衷地

歌頌著文化融合。

犍陀羅藝術，就是在這種融合中產生的。犍陀羅（Gandhara）原是以塔克西勒一帶為中心的地名，公元一世紀曾為大月氏人建立的貴霜王國首都，以前也曾稱為犍陀羅國。但在世界藝術史上所說的犍陀羅藝術範圍略大，是指這一帶連同阿富汗南部共方圓幾百公里間發現的公元一世紀後的佛像藝術，是東方藝術研究中一個少不了的概念。我本人在研究東方藝術時也曾一再地搜集過與它有關的資料。

犍陀羅是劃時代的，在它之前，佛教藝術中被崇拜的圖象一直是象徵性的動植物和紀念物，由犍陀羅開始，直接雕刻佛陀和菩薩像。這種直呼人像的飛躍，是受了希臘藝術的啓發。犍陀羅的佛像從鼻樑、眼窩、嘴唇到下巴都帶有歐洲人的某些特徵，連衣紋都近似希臘雕塑，但在精神內質上又不是歐洲，面顏慈潤，雙目微閉，寬容祥和，是一種東方靈魂的高尚夢幻。因此犍陀羅藝術已超越宗教範圍，成了東西方文化交融的傑出成果。如果細細分析，犍陀羅綜合的文化方位很多，充分呈現了交通要衝的渦漩力和凝鑄力。據中國駐巴基斯坦大使陸樹林先生告訴我，當地有學者認為，犍陀羅中所融合的蒙古成分，不比希臘成分少。我還沒有看到這位學者的具體論據，因此暫時還難以苟同，等讀了他的論文再說吧。

犍陀羅藝術的很多眞品收藏在歐洲一些著名博物館裡，我遊歷歐洲時曾一一參觀。在這裡，離塞卡普遺址不遠的塔克西勒考古博物館裡也有不少收藏。這個博物館很小，其實只是分成三個區的一大間房，但收藏的內容不錯，當然最精彩的還是犍陀羅藝術。我在一尊尊佛像前徘徊，心想，佛像已不完整，但完整的佛經卻藏在它們的眉眼之間。

佛教與其他宗教不同，廣大信徒未必讀得懂佛經，因此宗教儀式便成爲一種群體讀解的方式，儀式的主體不是方丈，而是佛像。信徒只須抬頭瞻仰，就能在直觀中悟得某種奧義，而且可以讓這種直觀無限次重複。我曾把這種精神感受效果挪移到藝術理論上，在《藝術創造工程》一書中提出過負載哲理於直觀中的審美效應——佛像效應。今天，我腳下的土地正是最初雕塑佛像的地方，而且雕塑得那麼出色，一旦出世再也沒有人能超越。

犍陀羅，我終於到了你的跟前，向你深深禮拜。

七六　玄奘和法顯

一九九九年十二月六日，伊斯蘭堡，夜宿Marriott旅館

塔克西勒有一處古蹟的名稱很怪，叫國際佛學院，很像現代的宗教教育機構，其實是指喬里央（Jaulian）的講經堂遺址。由於歷史上這個講經堂等級很高，又有各國僧人薈萃，說國際佛學院倒是並不過分的。它在山上，須爬坡才能抵達。

一開始我並不太在意，覺得在這佛教文化的早期重心，自然會有很多講經堂的遺址。但講經堂的工作人員對我們一行似乎另眼相看，一個上了年紀的棕臉白褂男子，用他那種不甚清楚的大舌頭英語反覆地給我們說著一句話，最後終於明白，這是我們唐代的玄奘停駐過的地方！

他見我們的表情將信將疑，就引著我們走過密密層層的僧人打坐台，來到一個較大的打坐台前，蹲下，指給我們看底座上一尊完整的雕像，說這是佛教界後人爲了紀念玄奘的停駐所修，這尊雕像就是玄奘，是整個講經堂裡最完美的兩尊雕像之一。

他不說這個打坐台是玄奘坐過的，只說是後人的紀念性修築，這種說法有一種令人信賴的誠實。他還說，玄奘不僅在這裡停駐過，還講過經。這我是相信的，一切佛教旅行家跋涉千萬里，名爲「取經」，實則是沿途尋訪和探討，一路上少不了講經活動。

這一來我就長時間地賴在這個講經堂裡不願離開了。講經堂分兩層，與中國式的廟宇有很大差別，全

是泥磚建造，極其古樸。爬上山坡後首先進入一個擁擠的底層，四周密密地排著一個個狹小的打坐間，中間廳堂裡則分布著很多打坐台，我們只能在打坐台之間的彎曲夾道中小心穿行。看得出來，坐在中間打坐台上的僧人，在級別上應該高一點，他們已經可以把個人小間裡的打坐，挪移到大庭廣衆中來了。中間打坐台也有大小，玄奘的紀念座屬於最大的一種。這一層的壁上還有很多破殘的佛像，全都屬於犍陀羅系列，破殘的原因可能很多，不排斥後來其他宗教興盛時的破壞，但主要是年代久遠，自然風化。這些佛像有些是泥塑，有些由本地並不堅實的石料雕成，這與希臘、埃及看到的「大石文化」相比，有一種材質上的遺憾。這是沒有辦法的，一種從兩河流域就開始的遺憾。

第二層才是眞正講經的地方。四周依然是一間間打坐聽經的小間，中間有一個寬大平整的天井，便是一般聽講者席地而坐的所在。由此可知，擁有四周小間的，都應該是高僧大德，這與底層正好相反。天井的一角有一間露頂房舍，現在標寫著「浴室」，當然誰也不會在莊嚴的講堂中央洗澡，那應該是講經者和聽講者用清水滌手的地方。與講經堂一牆之隔，是飯廳和廚房，僧人們席地而坐，就著一個個方石墩用餐，石墩還留下四個。飯廳緊靠山崖，山崖下是一道現在已經乾涸的河流，隔河是幾座坡勢平緩的山，據說當時來聽講的各地普通僧人，就在對面山坡上搭起一個個僧寮休息。我們的玄奘，則不必到山坡上去，一直安坐在底樓的打坐台上，待到有講經活動，也能擁有樓上的一小間，偶爾則在衆人崇敬而好奇的目光中，以講經者身分走到台前。

玄奘抵達犍陀羅大約是公元六三〇年或稍遲，他是穿越什麼樣的艱難才到達這裡的，我們在《大唐西

域記》裡已經讀到過。他在大戈壁沙漠上九死一生的經歷且不必說，從大戈壁到達犍陀羅，至少還要徒步翻越天山山脈的騰格里山，再翻越帕米爾高原，以及目前在阿富汗境內興都庫什山，這些山脈即便在今天裝備精良的登山運動員看來也是難於問津的世界級天險，居然都讓這位佛教旅行家全部踩到了腳下。當他看到這麼多犍陀羅佛像的時候立即明白，已經到了「北天竺」，愉悅的心情可想而知。他把一路上辛苦帶來的禮物如金銀、綾絹分贈給這兒的寺廟，住了一陣，然後開始向印度的中部、東部、南部和西部進發。這裡是他長長喘了一口氣的休整處，這裡是他進入佛國聖地的第一站。因此，我在講經堂的上上下下反覆行走的時候，滿腦滿眼都是他的形象。我猜度著他當年的腳步和目光，很快就斷定，他一定首先想到了法顯。法顯比玄奘早二百多年已經到達過這裡，這位前代僧人的壯舉，一直是玄奘萬里西行的動力。

法顯抵達犍陀羅國是公元四〇二年，這從他的《佛國記》中可推算出來。法顯先是穿越了塔克拉瑪干大沙漠，然後也是翻過帕米爾高原到達這裡的。他比玄奘更讓人驚訝的地方是，玄奘翻越帕米爾高原時是三十歲，而法顯已經六十七歲！法顯出現在犍陀羅國時是六十八歲，而這裡僅僅是考察印度河、恆河流域佛教文化的起點。考察完後，這位古稀老人還要到達今天的斯里蘭卡，再走海路到印度尼西亞北上回國，那時已經七十九歲。從八十歲開始，他開始翻譯帶回來的經典，並寫作旅行記《佛國記》，直至八十六歲去世。這位把彪炳史冊的壯舉放在六十五歲之後的老人，實在是對人類的年齡障礙作了一次最徹底的挑戰，也說明一種信仰會產生多大的生命能量。

站在塔克西勒的犍陀羅遺址中，我真爲中國古代的佛教旅行家驕傲。更讓我敬佩的是，他們雖然是佛

教徒，但他們也是中國人，中國文化的史記傳統使他們養成了文字記述的優良習慣，爲歷史留下了《佛國記》和《大唐西域記》。結果，連外國歷史學家也承認，沒有中國人的這些著作，一部佛教史簡直難於梳理。甚至連印度的普通歷史，也要借助這些旅行記來塡補和修訂。

記得我和孟廣美坐在塞卡普遺址的講台前聊天時，她曾奇怪，爲什麼這些融匯多種文明的浮雕中沒有中華文明的信息？我說，喜馬拉雅山和帕米爾高原太高，海路又太遠，中華文明在公元前與這一帶的關係確實還沒有認眞建立，但你可知道這些遺址是靠什麼發現的？靠玄奘的《大唐西域記》和法顯的《佛國記》。中國人的來到雖然晚了一點，但用準確的文字記載塡補了這裡的歷史、指點了這裡的蘊藏、復活了這裡的遺跡，這說明，中國人終究沒有缺席。

七七　遠行的人們

一九九九年十二月七日，伊斯蘭堡，夜宿Marriott旅館

在塔克西勒（Taxila）犍陀羅的故地尋找到法顯和玄奘的足跡，我之所以如此激動，還有一個更具體的原因：這是我們的考察旅行第一次在文化意義上的逆向幸遇。

我以前曾經說過，古代中國走得比較遠的有四種人，一是商人，二是軍人，三是僧人，四是詩人。商人謀利，軍人從命，他們的遠行雖然也會帶來文化成果，但嚴格意義上的文化企圖卻屬於遠行的僧人和詩人。

這四種人走路的遠近也不一樣。絲綢之路上的商人走得遠一點，而軍人卻走得不太遠，因爲中國歷代皇帝雖然也自命不凡，卻很少像希臘、埃及、巴比倫、波斯的君主那樣長距離地去侵略別人。成吉思汗西進的路線很長，但他的王朝那時還沒有統治中國。與一些文明古國相比，中國確實是最「安分守己」的國度，我認爲這也是中華文明能夠碩果僅存、長久延續的原因之一，以後有機會再慢慢細說。

那麼僧人與詩人呢？詩人，首先是那些邊塞詩人，也包括像李白這樣腳頭特別散的大詩人，一生走的路倒確實不少，但要他們當眞翻越塔克拉瑪干沙漠和帕米爾高原就不太可能了，即便有這種願望，也沒有足夠的意志、毅力和體能。好詩人都多愁善感，遇到生命絕境，在精神上很可能崩潰。至於其他貌似狂放的文人，不管平日嘴上多麼萬水千山，一遇到眞正的艱辛和危難大多逃之夭夭，然後又轉過身來在行路者

背後指指點點。文人通病，古今皆然。

僧人就不一樣，宗教理念給他們帶來了巨大的能量，他們的使命就是穿越生命絕境，去獲取精神上的經典，因此就有可能出現驚天地、泣鬼神的腳步。

於是，能走遠路的其實只剩下了商人和僧人，而具有明確文化意圖的只有僧人。

我們這一路走來，曾在埃及的紅海邊想像古代中國商人有可能抵達的極限，而在巴比倫和波斯古道，則已經可以判斷他們明確無誤的腳印，哪怕是千年之前的舊旅程。

近代會有一些，但我們這次以千年爲度，關注的重點是遙遠的古代。古代，尤其是千年之前，當其他古文明都此起彼伏地在用馬蹄刀劍作先導向外揮灑千里萬里的時候，中華文化還十分內向。終於有兩個僧人走出，確確實實抱著文化交流的目的，要用中國文字來吸納域外的智慧。我們在犍陀羅故地發現了他們的行踪，怎能不激動？

我們與他們逆向遭遇，但接下來，卻不再逆向，而是要追隨他們去考察印度，即他們所說的佛教聖地天竺了。

在塔克西勒的山坡上我一直在掐指估算，法顯和玄奘經歷千辛萬苦來到這裡，實際上是踏入了異國他鄉的歷史，那麼，踏入了人家的哪一段歷史呢？

法顯是五世紀初年到達的，離釋迦牟尼創立佛教已有九百年，離阿育王護法也有六百多年，已經進入

大乘佛教時期的中期。大乘佛教經三百多年前的馬鳴和一百多年前的龍樹的整理闡揚，在理論上已蔚爲大觀，在社會上則盛極一時。法顯在我現在站立的地方向西不遠處，當時叫弗樓沙的所在（今天的白沙瓦）曾見到過壯麗的「迦膩色迦大塔」，嘆爲觀止，而當時這樣的大塔比比皆是。這也就是說，他來對了時候。

玄奘比法顯晚到了二百多年，已是大乘佛教時期的後期。但他比法顯幸運的是遇到了古代印度史上最後一位偉大的君主戒日王。戒日王正在以極高的政治威望和文化才能重振已處衰勢的大乘佛教，對玄奘也優禮有加。那麼，玄奘來的也正是時候。在戒日王之後，佛教衰微，以後就進入了密教時代。

這也就是說，他們進入的是印度河——恆河流域宗教文化史的一些重要片斷，但一旦進入，他們的目光就不會僅僅停留在這些片斷中了。他們取回了最主要的一些經典，但他們的腳步所至，帶來大量經文之外的感悟。他們在歷史的輝煌期到達，敏捷的求索目光不能不關注輝煌的來源和去處。因此他們實際取到的東西，要比帶回來的典籍多得多。

他們在研究佛教的時候不能不追溯佛教產生前的背景文化，例如吠陀文獻，以及其中的《奧義書》，還有史詩《羅摩衍那》和《摩訶婆羅多》等等。這一來，就由宗教碰撞到了一種古文明源頭，既獨立又深厚，品嚐不盡。我本人曾鑽研過一陣徐梵澄先生譯的《五十奧義書》，又爲了探索古代東方藝術史而苦讀過婆羅多牟尼的《舞論》，已經深感這種文明的宏大和艱澀。因此，面對一個古老文明，就像面對一個深不可測的大海；光從書本裡讀讀對大海的描繪是遠遠不夠的，至少也應站到岸邊聞一聞海腥味。法顯、玄奘明白這一點，所以甘於歷盡艱苦而來，成了東亞文明與中亞文明之間深層溝通的首批使者。一切深層溝通都

不能僅靠文字資料，而必須以腳步、目光、乃至整個血肉之軀作爲船筏。

人生太短促，要充分理解一種文明已經時間不夠，更何況是兩種甚至多種文明。於是大家都變得匆忙，而匆忙中又最容易受欺，信了一些幾經誤傳的信息作爲判斷的基點，既傷害了自己又傷害了文明。因此，應該抓緊時間多走一些路，用步履的辛勞走出受欺的陷阱。法顯、玄奘在前，是一種永遠的燭照。

我們，別看車輪滾滾，其實也就是在追摹他們罷了。

七八 閱讀大地

一九九九年十二月八日，伊斯蘭堡，夜宿Marriott旅館

本來今天就要向印度出發，先在拉合爾（Lahore）停留一天，然後入境。但巴基斯坦總統明天要見我們，行期只得延後。我是早就說好不見各國領導人的，那次約旦國王接見我們一行，我也只是躲在接見處外面的大街上欣賞禁衛部隊的車輛和槍枝。以色列和伊拉克領導人的接見我也沒有參加。我們這一行程能採訪到各國領導人是好事，但大家也不太當一回事，至於我，由於觀察重點不在這兒，又厭煩那些禮儀，大家也就照顧了我。

那好，今天終於有了半天餘暇，可以坐在旅館裡想點事了。旅館對窗是棕黃色的山脈，當年美國國務卿基辛格博士到伊斯蘭堡後就是僞裝得病，到這山上去休息，其實是悄悄去了中國，開始打開中美建交之門的。據說爲了迷惑記者，他的車隊當眞向山上開去，他卻坐了一輛別的車去了機場。我現在看這條山路，還十分清晰。有一段時間，偌大一個中國向外部世界的唯一通道竟然就在這兒，現在想來恍如隔世。

眞正隔世的大事件就太多了。這兒一直是印度河流域連接中亞和東亞的北方通道，當然也是恆河流域乃至整個印度半島的陸上門戶。這也難怪，尖角形的印度半島在陸地上整個兒都被高山封住了，北邊是喜馬拉雅山脈，西邊是蘇來曼山脈，東邊是若開山脈，南邊是大海，那麼，這個通道，這個門戶，雖然門檻高了一點，終究十分重要。犍陀羅藝術在這裡交匯，法顯、玄奘從這裡進入，不管怎麼選道，繞來繞去、

繞進繞出總很難繞開這兒，因此這兒也便成了歷史的關節點。

就整個印度史而言，那種高度早熟卻又在三千五百多年前神秘消失了的印度河文明實在說不清什麼，我們從伊朗邊境進來的時候曾經繞到這種文明的遺址摩罕喬達羅（Mohenjo Daro）不遠處，看了看地理風貌卻沒有停下來觀看遺址現場，理由是這種文明與後來的印度史似乎關係不大；眞正輻射到後代的歷史卻與我目前所在的北方通道密切相關，因爲從這裡進入了一批半遊牧的雅利安部落，在北印度落腳、融合，又漸漸向南擴展，開始了吠陀時代和史詩時代。正是這個時代的文明和智慧，孕育了早期的印度教。儘管後來遇到過佛教的興盛和伊斯蘭教的進入，印度教至今還占據著無可爭議的統治地位。印度教在這兒最初凝結，而佛教也在這兒擺開過大排場。

以後，亞歷山大又從這裡侵入印度，而不管是孔雀王朝還是笈多王朝時代，這裡一直是文化教育重地。不遠處我剛剛去過的塔克西勒曾經擁有印度最重要的一些高等學府，無論是社會科學、自然科學還是醫學，都很發達。一位西方歷史學家甚至說，這地方的學術地位，相當於中世紀的巴黎。我想，這裡既然匯集過這麼多智慧的頭腦，那麼，他們面對著我窗前的這幾座山，幾世紀之間在想些什麼呢？

估計，最重要的思考還是屬於宗教。

通過雨果等人的作品，我們對中世紀時期巴黎的宗教狀態倒有點印象，但對這個相當於中世紀巴黎的東方學術重地，反而非常隔膜，更不知道這裡產生過什麼樣的宗教思考。

可以猜想的是，最深刻的思考出現在印度教和佛教的關係上。

印度教和佛教都是在印度土生土長的宗教，與伊斯蘭教和基督教很不一樣。

我認爲，佛教是印度文明的最高成果，其立論之明麗、境界之深邃、邏輯之嚴密、氣韻之高華，在世界宗教領域也獨領風采。而且，由於阿育王、迦膩色迦王和戒日王等君主的提倡弘揚，佛教曾在印度發展到極大的規模，即便僅僅讀法顯和玄奘的描述，也已可悄悄領略那種花團錦簇、百鳳來儀般的繁榮，但它爲什麼最終反被印度教所壓倒呢？

這兩種宗教很長時間內有一種互補關係，有些概念如「因果報應」、「生死輪迴」等等曾共同運用，又都主張慈善、寬容、不殺生，對別的宗教也不排斥。佛教學者對於印度教經典吠陀也認眞研究，而印度教在自我更新時也吸取過佛教的不少內容。但是，佛教從一開始就反對印度教有關梵天造物的說法和偶像祭祀活動，也不贊成等級森嚴、割裂人性的種姓制度，而是集中智慧思考人們如何通過熄滅欲望、無我無執、博愛衆生而進入寧靜解脫的「涅槃」境界，成爲徹底擺脫人生苦厄的覺悟者。這顯然要比多神崇拜的印度教成熟得多也明徹得多，不過人類文明的悲劇就在這裡，你想說服大衆，而大衆卻更願意崇拜那些無法說明的原始神幻；你想洗滌精神皈依上的不潔無明，人們卻特別敬畏破壞之神濕婆；你想建立一種姓氏種族上的平等，人們卻早已習慣了種姓制度的千年遺傳和既得利益……佛教面臨的這些對立面，恰恰是這片土地的自然文化生態，明知其陋劣也無法遏制。就佛教本身而言，由於一度名聲太響、人才太多、待遇太高，嚴重陷於蹈空玄談、概念玩弄之中，失去了剛健的生命力，最後，不僅比不過印度教，連外來的伊斯蘭教也無法面對，到十三世紀，在印度基本消亡。換言之，是印度這塊土地，埋葬了最優秀的印度文

明。好像說不通，卻不幸是事實。

說到這裡我想概括一個圖譜。佛教是一種智者文明，印度教是一種土著文明，伊斯蘭教是一種外來文明，三者的最終順序是：土著文明第一，外來文明第二，智者文明第三。這個順序令人深思。

寫到這裡，已是傍晚，霞光下的山嶺變成了一道高高的剪影。當年附近那些高等學府裡，也會有不少學人凝視這個剪影吧，他們有幾個預見到了這樣一個文明順序？

大地所負載的精神流向，比它所負載的其他一切都更難判斷和預見。但我們已經看到，大地本身就是一種重要的決定力量，那麼，就讓我們先來閱讀大地。

七九　難解的南亞

一九九九年十二月九日，拉合爾，夜宿Avari Lahore旅館

我們今天離開伊斯蘭堡，一部分人去卡拉其，一部分人去拉合爾。這兩個城市我都興趣不大，想到明天都要在拉合爾會合進印度，便決定先到那兒等著。

伊斯蘭堡今天情況有異，憲法大道等主要路段被封鎖，剛剛他們幾位去見總統也要繞道，原因是，二個月前被推翻的前總理謝里夫（Sharif）今天要押到高級法院，作正式審判前的訊問。

南亞的政治，更迭頻繁、手段殘酷，實在也讓人看疲沓了。例如當年聖雄甘地被刺，曾經舉世震驚，但後來任總理的英迪拉·甘地夫人和拉吉夫·甘地都一一被刺，大家也就只會搖頭、不會說話了。巴基斯坦的政局這些年來也像走馬燈，轉得叫人暈眩。最近這一次是我們已經開始旅行後發生的，原來還以爲進不來了呢，誰想居然舉國太平、全民漠然，像沒有發生過任何事一樣，眞有點奇怪。我想，這大概已經成爲一種地域性的政治文化，是其他文化圈的人不容易理解的。例如這次事件發生後美國在短短的時間內幾次不同的表達，足以說明他們對這種地域性政治文化還存在著解讀的困難。

文化的外部表現是行爲方式。你看這次，一個已經成爲世界焦點的國家要進行一次政府人員的根本變動，換了其他地方不知要花費多少兵戎、口舌和計謀，而在南亞，卻變成了一齣短促而輕鬆的過場戲。那天（十月十二日）傍晚，剛被謝里夫總理任命一年的陸軍參謀長穆沙拉夫（Musharraf）乘坐一架客機從國

外回卡拉其，謝里夫總理命令飛機不准降落，因爲他剛剛解除了這位參謀長的職務。參謀長便到飛機駕駛艙內打電話給地面部隊要他們占領機場，待降落後換乘軍用飛機到首都伊斯蘭堡，更換了總理府的禁衛部隊，晚十時在電視裡宣布謝里夫政府被推翻。一切就這麼簡單，連同機的參謀長夫人和其他乘客都不知道發生了事情。

謝里夫即將受審的罪由，主要是那天「不准降落」的命令，因爲飛機上有大量旅客，而汽油只夠降落。一是劫機罪，二是企圖謀殺罪，任何一項成立至少終身監禁。正式審判他的法庭，將是「第一反恐怖法庭」，是他上任後一手建立的。他居然以一個「恐怖分子」的身分出現在被告席上，想起來眞有點好笑。不管算不算恐怖分子，他那天「不准降落」的命令也實在是太愚蠢了，可以判一個「愚不可及」罪。

我感興趣的不是這些情節，而是南亞政治文化與西方政治文明的差異。事件發生後美國態度很強硬，認爲這是不合法的軍事政變，要求快速進行大選。但是，我問了好多巴基斯坦朋友和在巴基斯坦工作的外國人，他們與美國的想法很不一樣。

有的說：「選了多少次了，還不是那兩個盤根錯節的家族集團輪番上？一個比一個更腐敗。大選時，老百姓聽他們互相攻擊，選了一個攻擊猛烈的人上去，上去一看比原先更糟糕。多年來一直是這樣，毫無希望，來一個軍人阻斷一下，有什麼不好？」

有的說：「巴基斯坦你們也看到了，不存在什麼中產層次。多數老百姓十分貧困，衣食不周，沒有文化，連國內外最大的新聞也不會關心，選舉時怎麼擺脫得了一、二個權勢集團的控制？不選他們還能選

誰？你們也許會說一切可以慢慢培養，但這兒培養多少年了？」

這觸發了我這些天來一直在心裡盤旋的一個大問題，便問：「我們從巴基斯坦的後門進入，又行駛了二千多公里，確實看到了一種最遼闊、最驚人的貧困，請你告訴我，怎麼會貧困到這個地步？而且，沒有太多企圖改變的跡象？」

回答是：「這幾年可能與戰備有關，但主要原因不在這裡。每屆政府都短命，因此不可能提出任何一個像樣的整治方案，只想在短時間內積聚私人財富、擴大集團勢力，哪裡還管得了老百姓？下面的官員也知道上面短命，不可能作任何有連續性的建設，結果，多少年下來，一事無成，每況愈下。」

好多人說：「我們這裡的腐敗全世界第一。」對此我不能輕信，因爲這一路過來，很多國家的人都這麼說。而且，我確實看到過一個國家，全國人口只相當於中國的一、二個城市，滿街的孩子都在乞討，而他們元首的個人財富在全世界富豪排行榜上名列第十幾位。在巴基斯坦，至少乞討者不太多。公開索賄倒眞是嚴重，我聽不少在這裡工作的外國公司包括我們中國公司的負責人說，幾年來從未遇見過一個不索賄的官員，大官在家裡等賄，中官在辦公室索賄，小官在大門口討賄。而這所有的人加在一起，在全國的赤貧人口面前也只是一個極小的特權階層。文化權利、智能權利和政治權利，全都集中在這一個小圈子中，其他選民的數字只是一個擺設。

正因爲多種政治勢力背後都沒有一種理性的機制作保證，都沒有一片遼闊的土壤作支撐，因此總是採取急躁的極端手段。因無序而無恥，因虛弱而暴戾，因需要蠱惑無知無識的選民而嘩衆取寵、危言聳聽，

因無法設計正常程序而孤注一擲、鋌而走險，這便是南亞政治文化的一個重要特色，當然不是它的全部。

產生這種結果的遠期文化原因是什麼？我覺得第一是公元十世紀之後外族入侵時駭人聽聞的延續性殘暴造成了群體性的人格扭曲；二是廣大民衆在苦難中，投入了宗教偏執和迷誤，不了解文明秩序和社會責任，更難點燃社會改革的熱情，凡此種種，並不是宗教本義，卻是實際後果，不能不引起文化學者和宗教改革家的深思。

過去出於對國際地緣政治的考慮，中國人對這些鄰居總是友好爲上、美言爲主，這並不錯。但文化立場不能全然等同於外交立場，中國學人在世紀之交不能不保持全方位的審視目光，何況我們已經來到，耳有所聞、目有所睹，躲避不了。

八〇 國門奇觀

一九九九年十二月十日，拉合爾，夜宿Avari Lahore旅館

拉合爾向東不遠就是印度。現在巴基斯坦和印度正在進行著最嚴重的軍事對峙，兩國一次次進行著針對對方的核試驗，讓全世界都捏一把汗，那麼，它們的邊界會是什麼樣的呢？

本來只是一個小小的好奇，誰料面對的是眞正的天下奇觀。

我們在靠近邊界的時候就漸漸覺得有點不對，剛剛還是塵土飛揚、攤販凌亂，怎麼突然整潔到這個程度？完全像進入了一個講究的國家公園，繁花佳樹、噴泉草坪，而通向邊境的那條路也越來越平整光鮮。終於到了邊境，崗哨林立，大門重重，我們被阻攔，只能站在草坪上看。看什麼呢？說過一個小時，有一個降旗儀式。我們一看時間是下午三時一刻，那就等吧，拍攝一點邊境線上降旗的鏡頭，可能稍稍有點意思。

這時才發現，邊境有三道門。靠這邊一個紅門，屬於巴基斯坦；靠那邊一個白門，屬於印度；在紅門和白門中間有一個黃門，造得很講究，左右門柱上各插一面國旗，左邊是巴基斯坦國旗，右邊是印度國旗，一樣高低，一樣大小，是兩國共用之門。門是鏤空的，一眼看過去，印度一邊也是繁花佳樹、噴泉草坪，一樣漂亮。想來是由於國家形象所繫，只要對方做了什麼，另一方一定追趕，直到打個平手才安定。

兩方軍人，都是一米九以上的高個子年輕人。巴方黑袍黑褲，上身套一件羊毛黑套衫，繫一幅紅腰

帶，一條紅頭巾，紅黑相間，甚是醒目；印方黃軍裝、白長襪，頭頂有高聳的雞冠帽，比巴方更鮮亮一點。正當我們打量兩方軍人的時候，發現身邊已經聚集了一批批學生和市民，他們好像也是來觀看降旗儀式的。令人驚訝的是，印方那邊也聚集了，人數與構成也基本相同。

四時一刻，一聲響亮而悠長的口令聲響起，似有回聲，仔細一聽，原來是印方也在喊口令，一樣的響亮，一樣的調門。他們是敵國，當然不會商量過這些細節，只是每天比來比去，誰也不想輸於誰，結果比出來一個分毫不差。

口令聲響起的地方離這裡還有一點距離，那裡降旗的禮儀部隊在集合，集合完之後便正步向這裡走來。由於印巴雙方要同時走到那個共用之門，因此正步走的距離也必須一樣。更重要的是姿勢，步步都關及國威，不能有絲毫馬虎，兩邊士兵都走得一樣誇張，一樣有力，一樣虎虎有生氣。

每一步都傳來歡呼，到這時才知道，那些學生和市民不是自己來參觀，而是組織來歡呼的。印度那邊也是一樣，軍人比賽帶出了民衆比賽。我們站得比較前面，身邊全是擁擠的市民。

儀仗隊已經正步走到我們跟前，突然停下，爲首的那個士兵用大幅度的動作向一個中年軍官敬禮，我估計是表明準備已經就緒，等待指示；中年軍官表情矜持，猛然轉身，跑幾步，到一個年輕的娃娃臉軍官面前，向他敬禮、請示，原來這個娃娃臉軍官級別更高。突然想起，這個娃娃臉軍官在儀式開始前就有過暗示自己身分的表現，他來到後，走到我們一排人中站得最外面的高個兒駕駛員李兆波前，伸手緊握，並且講了長長一篇話，他以爲李兆波站在頭上一定是我們一行的首領。

兆波也滿臉笑容，與他長時間地握手、寒暄，遠遠一看真是相見恨晚、敘談甚歡。但我已經聽見，娃娃臉軍官說的是我們誰也聽不懂的本地烏都語，而兆波則用外交家的風度在說山東話：「俺不明白，俺哪裡知道你在嘀咕些什麼。」

他走後兆波還問我：「他在說什麼？」我立即翻譯：「他說，不知道您老人家光臨敝國，有空到寒舍坐坐，禮物不必帶得太多。」郭滢補充：「他還問你，午飯吃過沒有？」當時大家都笑了一通，哪知他年紀輕輕官職不小，統領著國門警衛。

我們正對他另眼相看，沒想到怪事衝我來了。娃娃臉軍官接受中年軍官的敬禮和請示後，轉來轉去玩了一些複雜動作，然後向我邁進幾步，居然畢恭畢敬地向我敬禮、請示了！我一陣慌張，不知怎麼辦，左右扭頭，才發現在我身後，有一個穿藍色舊西裝的矮個子年輕人，擠在衆人中間，向娃娃臉軍官點了點頭，唉，這才是這兒眞正的首腦。他發現我們都在注意他，靦腆地一笑，又埋沒在人群中了。

娃娃臉軍官獲得批准降旗的指令後，儀式進入高潮。抬頭看去，印度方面也同樣上勁了。

這邊儀仗隊中走出一個士兵，用中國戲曲走圓場的方式在這國境大道上轉圈，速度之快可以用「草上飛」三字來形容，轉完，回隊，就有一個士兵用極其誇張的腳步向邊境大門走去。誇張到什麼程度？他曲腿邁步時膝蓋抵達胸口，邁幾步又甩腿，一甩把腳踢過了頭頂。更驚人的是每步落地時的重量，簡直是咬牙切齒地要把皮鞋當場踩碎，把自己的關節當場踩斷。用這樣的步伐向印度走去，像是非把印度踏平了不可；對方也出一個士兵，腳步之重也像要把巴基斯坦踏平踩扁。

兩人終於越走越近，目光中怒火萬丈，各不相讓，這倒讓我們緊張了一會兒，因爲從架勢看兩人都要把對方囫圇吃了。但是，就在他們肢體相接的一刹那，兩人手腳的間距不到半寸，突然轉向，各自朝自己的國旗走去，讓我們鬆了一口氣。

一個在國旗下剛站定，儀仗隊中走出第二個士兵，完全重複第一個的動作，要把皮鞋踩碎，要把關節跺斷，要把敵國踏平，要把對方吃了，然後又在半寸之地突然轉身……這時我們就不緊張了，攝影師袁白扛著攝影機忍俊不禁，而我則改不了看舊戲的習慣，每當他們憋一次勁就脫口叫一聲好。兩邊的氣氛是那麼莊嚴，只有我們這批中國人一直強掩著嘴，怕笑出聲來。

好，現在一邊五個站滿了，彼此又挺胸收腹地狠狠跺了一陣腳，然後各有一名士兵拿出一支小號吹了起來。令人費解的是居然是同一個曲子，連忙拉人來問，說是降旗曲。兩面國旗跟著曲子順斜線下降，斜線的底部交匯在一起。兩邊的儀仗隊取回自己的國旗，捧持著正步走回營房。

哐啷一聲，國門關了。

看完這個儀式回旅館，路上有朋友問我有何感想，我說：對抗之中完全趨同，就像親密之中暗暗敵對，很值得玩味。

八一 「佛祖笑了」

一九九九年十二月十一日，拉合爾，夜宿Avari Lahore旅館

本來今天肯定要過關進印度，驅車五百公里到新德里，沒想到臨時傳來消息，印度當局只許我們進人，不許進車。那就只好繼續與他們交涉了，我們在拉合爾等著。

在拉合爾這樣的邊境城市，最容易觸發對兩國關係的思考。昨天下午的降旗儀式，一直在腦海裡揮之不去。如果說，那是一齣小小的滑稽劇，那麼，背後連帶的卻是一場氣氛峻厲的大悲劇。

巴基斯坦與印度，圍繞著克什米爾的歸宿，吵吵打打很多年了，當時在外人看來是分家的兩兄弟打架，背後又有超級大國的戰略遊戲，沒太當一回事，我們中國只是因爲離得太近，才稍稍關注。但誰能料到，去年五月，先是印度，後是巴基斯坦，兩國分別進行了五次和六次核試驗，亦即在短短十幾天內共進行了十一次！這不能不把世界震驚了，成了二十世紀末爲數不多的頭等人類危機。

印度核爆炸的地方，離印巴邊境不遠，在我們現在落腳的拉合爾南方一個叫博克蘭的地方；巴基斯坦核爆炸的地方，離我們那天從伊朗札黑丹到奎達的那條路不遠，一個叫查蓋的地方。印、巴都不是《不擴散核武器條約》規定的合法有核國家，但從連續試驗的次數看來，實在都有點瘋了。尤其是印度，不僅是始作俑者，而且公開宣布在必要時將「毫不猶豫地動用核武器」，這無疑是人類聽到過的最恐怖的聲音。動用核武器居然可以「毫不猶豫」，這對下世紀將意味著什麼？

這麼一想，我們還眞不該嘲笑昨天降旗儀式上兩國士兵的誇張動作，他們的怒目頓足背後，隱藏著讓全世界擔憂的毀滅性危機。

最讓我難過的是，發出最恐怖聲音的這個人種，這種嗓門，曾經誦唱過天下最慈悲、最悅耳的經文。

寫到這裡，窗外傳來鋪天蓋地的晚禱聲，這是從不遠處的巴德夏希（Badshahi）清眞寺傳來的。這個清眞寺據說是世界最大，不知是否確實。在邊境線上有最大的一座清眞寺，象徵性地表明兩國的衝突有宗教淵源。一九四七年印、巴分治，就是在英國殖民者的設計下，由「宗教特點」來劃分的。這一劃，六百多萬穆斯林從印度遷入巴基斯坦，二百多萬印度教徒從巴基斯坦遷入印度，又把一個克什米爾懸置在那裡，終於使遙遠的宗教分歧變成了現實的政治衝突。

說起來兩個宗教都有一本長長的辛酸帳。我想，最能說明兩方辛酸的莫過於印度北方邦的那座城市阿約迪亞了。印度教的辛酸是，他們很早就有了一個主神叫羅摩，連聖雄甘地遇刺身亡前最後的遺言也是「嗨，羅摩！」相當於別國人說「哦，天哪！」羅摩就是印度教徒心目中的天，他誕生在阿約迪亞，那裡一直有一座羅摩神廟，誰料十六世紀伊斯蘭統治者拆毀了這座神廟，在原址建了一座巴布里清眞寺。其實當時印度教的悲慘遭遇是說不盡、道不完的，豈止僅僅一座神廟被拆毀。就我本人閱讀範圍所及，印度在十世紀之後蒙受的血腥，只有古代巴比倫歷史上亞述王朝的殘忍可以相比。但是平心而論，這與後代伊斯蘭信徒已經沒有什麼關係了，他們只是虔誠地一代代到巴布里清眞寺做禮拜，哪裡知道這裡曾經是印度教的

聖地所在。但印度教徒沒有忘記，多次在那裡與穆斯林發生暴力衝突，直到一九九二年十二月六日，把有四百多年歷史的巴布里清眞寺搗毀成一片瓦礫，然後立即建起了一個臨時的羅摩廟。似乎是還了一筆歷史舊帳，但在此後幾個月內，兩方衝突白熱化，死亡近五千人，歷史舊帳變成了舉世注目的現實血淚。

這是一種讓人傷心的宗教對峙，歷史上與別的宗教也發生過，但一旦與現實的政治企圖連在一起，例如與印度由來已久的大國夢連在一起，居然逐步升級到核對峙。宗教與核，就這麼奇異地扭在一起了。

讓人哭笑不得的是，二十幾年前印度首次核試驗成功的暗語，居然是「佛祖笑了！」這與佛祖有什麼關係呢，把他拉扯進去了。佛教是各個宗教間最和平的一種，從不炫武征戰，正因爲如此，已在印度失去了地位，怎麼到了核冒險的時刻，反要僞造佛祖的許可和微笑？

佛祖如果要笑，那也只能是苦笑。他沒有料到自己講法的土地，多年後竟然佛法低迷、惡念叢集。我想即便是聖雄甘地最後呼喚的印度教主神羅摩也會難過，因爲他也主張不殺生。

這又觸及到了文明的一個要害部位。宗教，既可能是文明的起始狀態，又可能是文明的歸結狀態。一種文明離開了宗教是不完整的，同樣，一種宗教脫離了文明的走向也是要不得的。我看到此間有一種宗教在一次次發表聲明，說下一代有受教育的自由，也有不受教育的自由，它們現在要捍衛不受教育的自由，這在我看來無異是在與文明訣別。當然，最與文明作對的事情，就是發動戰爭，不管藉多大的宗教理由。在聯合國批准《不擴散核武器條約》三十年後印度河——恆河文明的發祥地連續進行十餘次核試驗比賽，更是對文明最徹底的嘲諷。

回想一下，我們這次對世界文明故地的尋訪，一路上也眞有不少國家在核武器問題上躍躍欲試。《不擴散核武器條約》批准至今，在「核門檻」上徘徊的國家，沿途經過的就有以色列、伊拉克、伊朗、巴基斯坦、印度。我不知道今後的人類究竟對自身有多少約束力，如果沒有，那麼，對文明的毀滅性引爆，將發生在旦夕之間。人類幾千年來辛苦積聚的智能貯備，轉眼變成了自我殞滅的因由，這眞不知道會在太空間留下一聲什麼樣的浩嘆。

現在，我們從去年剛剛把世界震驚了的兩個核試驗場旁邊穿過，從兩國士兵拳腳揮舞、怒目相對的國門穿過，去朝拜千年前的文明，就像用手撥開一把把橫架著的寒光閃閃的刀劍，去尋找他們家蒙塵的家譜。這份家譜能使刀劍略有收斂，還是更加凶猛？那只有天知道了。

八二　恃弱和逞強

一九九九年十二月十二日，拉合爾，夜宿Avari Lahore旅館

這兩天在旅館裡很忙，經常有侍者來問，大堂有人想見我，見不見？在印巴邊境居然有人想見我，當然得見，但他們怎麼知道我在這裡呢？

下樓一看，都是中國人，一批又一批，有住在這裡的華僑，還有中國駐外公司的職員，他們都是鳳凰衛視的觀衆，從電視中得知印度還沒有准許我們的車輛進關，全隊在拉合爾滯留，就一家家旅館找過來了。連吃飯時，座位邊上也坐著幾個中國人，與我聊天。他們都很久沒有回中國了，所有聊的問題都比較大。

有一個華僑家庭，從八十多歲的老太太到十歲的小妹妹全家都來了，捧著花。老太太已故的丈夫原來是抗日戰爭時美軍顧問團中的中國人，留駐印度加爾各答沒有走，一家子也就在那兒了。但相比之下，印度對中國人沒有巴基斯坦友好，他們就遷到了這個邊境城市。老太太幾乎背得出我每天爲鳳凰衛視寫的一段話，而小妹妹則執意要見孟廣美。這很容易，一招手，廣美樂呵呵地過來了。

話題終於集中到一點：印度爲什麼一直在宣傳「中國威脅論」？這關係到華僑的生活。

一個小伙子說，眞奇怪，他們的國防部長在公開的講話中不僅說中國威脅他們，而且是頭號威脅，但一點證據也不提供。不知這種宣傳出於何種心理？

我說，對此我有點研究。天底下有兩種人，一種恃弱，一種逞強。恃弱者成天扮作可憐相，只想博取別人的同情，他們有時也會誇張敵情，卻又不敢說誰威脅了他們，因爲這樣反而會增加他們的危機感；逞強者恰恰相反，絕不會說自己受到了什麼威脅，只把自己打扮成無敵英豪，一次次向著更強大的對手叫陣，恨不得立即就決一雌雄。

但是也有一種人，既要恃弱，又想逞強。一方面他們極言別人多麼霸道，多麼惹不起，另一方面又指名道姓地衝著別人亂嚷嚷；一方面胡編別人的種種劣跡，另一方面又裝腔作勢地透露自己也擁有非凡的功力。這種手法，叫僞造強敵，可以兼收恃弱和逞強的雙重功效，是一種古已有之的老花招，沒想到在國際政治中也有這種情況。

恃弱心理很可理解。這是多年被奴役的心理折射，要擺脫很困難。以印度爲例，十三世紀一位穆斯林君主曾對他的部下說：「你一定要切記，如果不使印度人極端貧困，他們就不會馴服。夠他們吃就可以了，絕不容許剩餘，更不能讓他們擁有財產」。這樣的統治延續了好幾百年，便形成了一種頑固的草民心理、乞告心理、覬覦心理，即便地位改變了也覺得自己矮人一等，時時受到威脅，時時需要乞告。

逞強心理也很可理解。外族統治消融了，殖民統治結束了，人口世界第二，經濟發展不慢，在好幾個方面只是僅次於中國，但要躍過這個序列又千難萬難。更惱火的是，這二十年來，在一般的國際視野中，中國的地位提高不少，而他們則總被看成是麻煩多多的南亞一員。因此，與巴基斯坦對峙對他們來說不算大事，眞正的大事是能否在今後幾十年內趕超中國，使自己從南亞大國而升格爲世界大國。結果一來二

去，把自己的趕超對象當作了敵人，把人家的成績當作了威脅。

兩者都可理解，但把恃弱和逞強合於一體，必然會產生扭曲。扭曲又會導致情緒激烈、行爲極端，眞不知會產生什麼後果。說到底，這個產生過不少宗教的國家，還缺少明徹而寧靜的精神安頓。

一種文明，能安頓個體精神已經不錯，而如果能安頓群體性的政治智慧和社會理性，則就更好了。在這方面，西方文明中那些啓蒙大師的論述不可小看，而中國先秦時代的哲人也値得重視。他們勝於有些宗教的地方，就是把個人的修養和救贖，與群體理性和社會秩序連在了一起，避免了陷於一隅，走火入魔，也避免了不同宗教主張的互煎互熬，衝撞消耗。

公開以入世的方式討論問題，比較透明，比較容易驗證，也比較能夠避免極端。君不見，現在世界上最容易走極端的地方，往往與某種玄虛的離世信仰有關？那種信仰不在乎世界秩序，又要參與世界秩序，最容易走上一條怪異的窄路。幸好我看到，有些宗教改革家已把宗教與人間努力相連，一下子把原先陰暗的格局改變了。

其實這正是文化的要求。文化要求公開，文化要求透明，文化要求傳播，文化要求共享，文化要求化解，文化要求溝通，文化只要眞正發揮自己的健康效能，那就會克服恃弱、逞強這樣的偏執心理。

八三　四輪驅動

一九九九年十二月十三日，拉合爾，夜宿Avari Lahore旅館

滯留拉合爾，我們一行中最心焦的是馬大立先生。汽車輪子不轉起來，他寢食不安，不爲時間，只爲輪子。他的正式身分，是香港四輪驅動車協會主席、四輪驅動車專門店董事長。製造我們這批車的日本五十鈴集團說，如果這次考察行動有馬大立先生參加，他們在價格上可以優惠。他一聽很高興，就放棄自己在香港的業務，一起來了。

我問，爲什麼只要你參加，汽車商就高興？馬大立說，我參加就意味著最艱險，有廣告效果。一般的汽車都是兩輪驅動，帶動另外兩輪，品級再高，功能有限。但現代世界，有很多車要馳騁高山沙漠、橫跨極冷極熱，特警部隊和特殊工程又需要汽車猛烈衝撞、飛速穿行、狂顛劇簸，因此需要改裝。馬大立就是做這件事的，十幾年了。他開始做的時候亞洲只有日本人在做，他是第二家，現在他比日本人做得更加全方位。我們這一溜車，就是由他改裝的。他把它們當作自己手工雕琢的藝術品，甚至當作自己的孩子，悉心呵護著。

見了他，才知道一個人迷車可以到什麼地步。每天清晨，不管昨天多麼勞累，多晚才睡，他總是帶著助手歐陽少輝最早起床，去打理那些車輛，等我呵欠連連地去吃早飯時，他們已經幹完活了。在行車途中，馬大立常常坐在頭車用對講機指揮車隊，由於在講車，聲調都是溫柔的：「注意，這輛日本六十年代

造的小貨車可以超越，但前面四公里處來了一輛美國七十年代的大卡車，只可超三輛……山路險峻，前面的彎口一百二十五度，當心……啊，又來了一個大彎口，一百七十五度！」

我們喜歡考他，見到遠處駛來一輛沒見過的車，問他什麼牌號，他不細看，只把眼睛一撩，就脫口而出，待那車駛近一看，果然不錯，從未發生誤差。他笑著說：「我的業餘愛好只有兩項，一是一有假期就到世界各地的馬路上去看車，只看車，不看別的；二是星期天開著吉普上山開路，在原先任何車輛上不去的荒山上留下一條條可通行的車路。」

他現在的助手歐陽少輝，就是在電視上看到他的開路行動，買了一輛吉普投奔而來的，這次也一起來了，我們管他叫「阿輝」。阿輝成天沉默寡言、勤懇踏實，按照他的哲學，迷上了吉普就不能要妻子，有了妻子就不能再玩吉普，結果三十七歲了，還單身一人。車子有了毛病，他二話不說一頭鑽到車肚子底下去診察，不管地下多麼骯髒；自己生了毛病，則睜著大眼不言不笑，像孩子般茫然不知所措。陳吉勇覺得他還是需要一個妻子照顧，就開玩笑說：「阿輝，這次車開到北京，我們替你辦了！」意思是辦婚事，阿輝驚慌地推拒：「不，不，我自己……」沒說下去。

阿輝成天跟著馬大立忙來忙去，大家都覺得他比馬大立年輕，居然三十七歲了，那麼馬大立呢？一問簡直不相信，馬大立才三十歲。這麼年輕何以鬧出如此大的名堂？

原來，他外公林南琛是林則徐的後代，上海江南造船廠的工程師，今年一百零五歲，還健在；他父親馬騰圖則是江南造船廠的總工程師。馬大立出生在上海，受家庭薰陶，從小就對機械工藝產生極大的興

趣。有一年上海水災，一切運輸工具都沒用了，只見一輛美國老吉普把水濺到二樓上還在疾馳救人，使他迷上了吉普和駕駛。九歲去香港，當時香港學校歧視大陸移民，他雖然英語、數學都在全校領先，還不能獲公平待遇，一氣之下便把精力投注在課外興趣上，初中二年級十四歲時就以母親的名義去註冊創辦了一份《遙控模型月刊》，任主編，十七歲時把這個辦得很成功的刊物賣掉，用賣得的錢玩四輪驅動車。直到今天，他十四歲時創辦的那個《遙控模型月刊》還在按月出版。玩車玩到什麼程度？十八歲時已成爲本地著名的試車師，試車後的評分已具權威，有些汽車公司來暗暗打聽，獲得他的美言須付多少錢。正因爲如此，三十歲的他已經具有老練的專業資格，受到國內外同行的尊敬。

他的可愛不在於他的成功而在於他的痴迷。痴迷得不問年齡、不管學歷、不分寒暑、不計險夷，全身心投入。「眞正痴迷的東西肯定是自學的，只有自學來的才像自由戀愛，學校教的就像包辦婚姻」。他說，「我家裡已經搜集了二十幾輛最好的吉普車，哪怕是老朋友也不借，哪有把自己的愛人借出去的？」

他對參加這次「千禧之旅」非常滿意，一是覺得時間重要，千年之交疾馳數萬公里，永生值得驕傲；二是覺得路線重要，這條路，特別是從腹地穿越伊拉克、伊朗、巴基斯坦最貧困、最荒涼、也最危險的地區，全世界的接力賽車手和其他越野車手都沒有先例，他們過去只是從外部較好的國家和地段繞行，我們這次眞正走通了。

我知道，他使我們這支隊伍增加了另一個價值系統。電視台的萬里探訪、逐日追播是一個價值系統；我的一路問詢、每天寫作是一個價值系統；對於馬大立，這次旅行，可以在越野車的裝配技術上爲他贏得

第一份驕傲，在複雜地形的駕駛上爲他贏得第二份驕傲，而在空前的路線選擇上又爲他贏得第三份驕傲。這是天天與我們息息相關卻又彼此比較陌生的另外一個世界。一切像模像樣的現代文化行爲總不會僅僅是文化，必然會融合各種其他行爲系列。像這次，這麼一個氣派的車隊呈現的是一種綜合能力，也向沿路展示了當代中國人的多方面可能。只要一種能力不具備，就不會出現這樣一個車隊。因此，當路邊的各地民衆一次次對我們的車隊豎起大拇指的時候，我們說不明白他們是在稱讚什麼，卻又似乎有點明白。

突然傳來消息，印度當局已批准我們的車輛進入。我們明天必須清晨出發，耐心地在邊境等出關、進關，然後直奔新德里，估計要到半夜甚至凌晨才能到達。出發前吃一頓早餐，中餐、晚餐都別指望，在車上吃點乾糧。馬大立高興了，他只要一坐上車，什麼辛苦都拋到了九霄雲外。

印度。

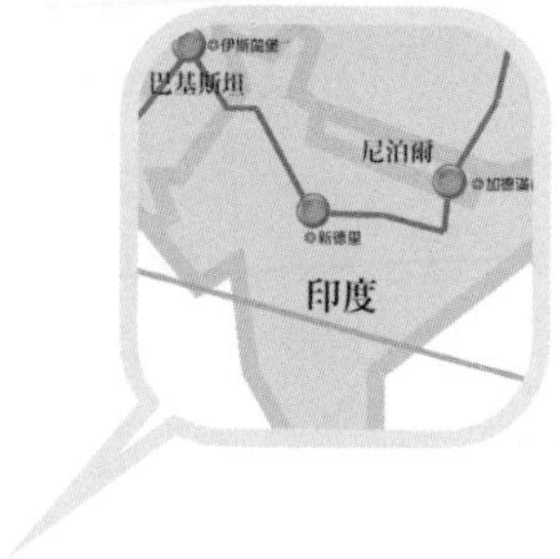

八四　人口爆炸

一九九九年十二月十四日，印度新德里，夜宿Surya旅館

從巴、印邊境到新德里，實際距離是五百公里。這個距離在中國駕車行駛大約爲四個半小時，在這裡花了九小時四十分，一倍多一點。

臨行前拉合爾的一位老華僑告訴我們，印度農村比巴基斯坦還窮。但我們這一路看來，並非如此，可能這五百公里在印度農村中算是比較富庶的，實在要比巴基斯坦好得多。如果拿中國來比，巴基斯坦整個南部即信德、俾路支地區那麼長達幾千公里讓人窒息的貧困，在全中國任何地方都很難找到了，至多在西北、西南有少數過於冷僻的村落略有相似；而印度的這些農村，則近似於中國冀北、贛南的部分地區，只是道路整治和衛生狀況差距較大，又必須除開人群。

在印度，不管你來到村莊還是小鎭，都會眞正感到人口爆炸的恐怖。我在幾個小鎭認眞觀察了一下，密密麻麻的人群的基本構成情況大概是：三成擺攤，一成乞討，六成閒站著。讓人感到擁擠的，首先是這六成閒站著的人，哪裡出了點小事就往哪裡湧，使人口的重量因運動而夯得更加密實；其次是擺攤的人，完全不講秩序，就像一個書架倒地，猛一看增加了十倍的書。

中國是世界上人口最多的國家，由中國人來說人家的人口爆炸，似乎缺少資格。但請想一想，印度的國土只有中國的三分之一，而人口已接近十億，這個密度就不是中國所能比的了。據聯合國有關部門的精

確推算，印度再過十八年，總人口一定會超過中國，那在平均空間的密度感受上差距就會更大。何況中國人戀家，退了休還在家裡忙這忙那，很少有人成天沒事站在街上等著看事情發生，因此見到印度人這麼一站，把我們這些來自北京、香港、上海、台北等等也算擁擠的城市的中國人壓得透不過氣來，真不知來自美洲、歐洲、澳洲的朋友們看了會有什麼感覺。

人口主要在窮人裡膨脹。窮人哪裡都有，但印度窮人之窮，已經成了世界各國旅行者都爲之驚心的一個景觀。就在我們經過的五百公里間，緊貼道路，就有一大片一大片的窩棚區，每個窩棚高半公尺至一公尺，人只能爬進爬出，黑乎乎的像是由垃圾搭建，這便是一個個家。一個中國學者說，過去中國人極言一個人窮，至多說是「家徒四壁」，但印度這些窮人，則連一「壁」都沒有。我曾伸頭到這些窩棚裡邊看了看，大多是地上鋪一塊破毯，角上有一小堆衣服，再加一個小鍋，其他什麼也沒有了。據統計，印度窮人占一半以上，即五、六億，但有些城市的貧困率達百分之八十。人口在這樣一個生活水平上高速增長，其惡果已經不是一個國家、一個民族所能承擔的了。

世紀巡禮逃不開人口問題。以我們中國爲例，公元之初約二千萬，上億是十七世紀，本世紀初爲三億，本世紀末爲十二億，幾何級數的增長速度委實驚人，幸好本世紀後期有了控制。但是就在中國開始控制人口的時候，印度人口突飛猛進，光八〇年代增加的人口相當於整個西歐人口總和，現在更是每年增加二千多萬。既然印度成爲世界第一人口大國的時間是十八年左右，那麼，我們站在世紀之交和千年之交就不能不深深地擔憂了：百年後呢？千年後呢？

答案很不樂觀。因爲事實證明，一切有良好經濟教育水平的群落，人口正在大幅度銳減，而那些人口爆炸的地方，所有的政治派別由於害怕失去選票都絕不涉及人口問題，當然也就談不上任何有效的控制措施。不管哪種文明，等到黑壓壓的人赤著腳、光著身子奔湧過來，什麼都不是了。最原始的物質要求對應著最原始的宗教崇拜，他們在人數不太多的時候已經淹沒了很多精緻的文明，當數量繼續無數倍的增長之後，什麼淹沒不了？

一路就這麼想著，心情黯然。扭頭看窗外，路上的車輛都開得蠻笨，只知硬堵，誰也不讓誰。很多汽車都不裝反光鏡，即便裝了也只是極小一塊，用來刮鬍子還差不多，根本無法反映後面的車況。每輛車後面都用很大的英文字寫著：「嗚喇叭！」也就是讓司機們用耳朵來代替眼睛，但大家都嗚喇叭就什麼也聽不明白了，而且一片喧囂中誰的心情也都變壞，紛紛橫衝直撞起來。一輛載有不少旅客的客車，老年司機不知怎麼心血來潮，想要用龐大的體積來逗弄一下我們，一次次故意把我們往路邊逼，最後把我坐的那輛吉普車的一面都狠狠地擦著了。我們趕快停車來看，只見他一臉漠然，好像如此衝衝撞撞是他老人家每天的正常消遣。正在這時，我們的五號車又被一輛急馳而來的小車追尾，小車車燈碎了，車頭陷了，我們的車絲毫無損，那車沒有任何怨言，悠然駛走，也像是正常消遣。

路太窄，路面狀況比巴基斯坦多數公路好，但也好不到哪裡去，因此整個兒是在跌跌撞撞地扭著走，永遠神經緊張著，怎麼也快不了，到新德里已是晚上十一時。

新德里很大，也有一點氣派，幾處立體交通結構設計聰明，略勝開羅和德黑蘭。它的最主要問題是空

氣污染，好像一直罩著鋪天的濃霧，月朦朧、鳥朦朧，但那是一種沒有詩意的「霧」。據說最嚴重的是水污染，排入恆河的工業廢水和城市廢水，每天就有九億升。河流是人類文明的動脈，這次我們的考察其實也是在巡拜一條條大河。從尼羅河、底格里斯河、幼發拉底河，一直到巴基斯坦的印度河，看到的都是貧困和戰亂，污染的問題還不算最嚴重，現在由恆河來創造最高紀錄了。如果說，以前那幾條河都目睹了兩岸文明的衰落，那麼，恆河則讓自身發生了質變。也許這是比較發達的結果，但這種結果比衰落更難於療救。

中國的一些大河大湖也有這種趨向，實在應該引起密切重視，因爲人類文明的圖譜總是以有限的幾脈藍色爲經絡的，如果這些藍色變成了黑色或乾涸了，不僅自己丟臉，也對不起全人類。

八五　傑出的建築狂

一九九九年十二月十五日，新德里，夜宿Surya旅館

這座城市叫新德里，因爲在它北邊還有一個老德里。新德里新得說不上歷史，老德里老得說不清歷史，現在它們已經連在一起了，新舊互相對峙著渦旋著穿插著使歲月顯得更加神秘和混沌。

爲了使腳步不在混沌中迷失，先去老德里。

在車上一位印度司機已經一再警告：「有很多很多扒手，一定要注意好口袋」。剛停車，還沒開車門，已經有兩雙小手在外面拍打玻璃，一看，六、七歲的兩個小孩，一個手上還抱著嬰兒，大概是他弟弟，另一個一腳殘廢。印度司機立即衝著我喊：「千萬別給錢，一給，馬上圍過來五十個！」

快速擠出去，終於到了一個稍稍空一點的街邊，有一隻墨黑的大手抓住了我的袖子。扭身一看，一個衣衫鮮艷而破舊的漢子，正把肩上的一個籮筐放下，從裡面取出一隻草籠，要揭開蓋子給我看，我見他另一隻手拿著一支笛子，立即判斷他要作眼鏡蛇的舞蹈表演了。早就聽說這種表演是萬萬看不得的，因爲不知道他會索取多少錢，而索錢時又會如何讓眼鏡蛇配合行動。我平生最怕蛇了，於是立即逃奔。逃奔很難，因爲要穿過密密層層的人力車和人群，而街道又很狹窄。

終於來到一個寬敞處，前面已是著名的紅堡。紅堡是一座用紅砂石砌成的皇宮，主人是十七世紀莫臥兒王朝的第五代帝王沙傑汗（Shah Jahan）。

這座皇宮很大，長度接近一公里，寬度超過半公里，城牆很高，外面還有一條護城河，非常氣派。從雄偉的拉合爾門進入，裡面也是一個街市，但氣氛與宮外完全不一樣了，相當整齊。我在街市的文物商店買了一尊印度教大神濕婆的黃銅雕像，沉沉地提在手上，又進了第二道門，那才是當年皇帝活動的地方。

大院子裡有很多宮殿，迎面的這一座也用紅砂石砌造，平台上一排排大柱面對著前面的廣場，大柱中央有一個白石皇座緊靠後牆，牆上有一個講究的門，皇帝從這個門裡出來坐在皇座上接見平台下的官員和民衆。因爲架勢都在，當年的氣氛很可想像。再往後走，便見到了一個更講究的宮殿，已經不用紅砂石了，一式的白色大理石，到處都是精細的雕刻，皇帝在這裡接見更重要的人物，例如大臣和外國使節。這個大理石宮殿北邊，有一座也是由白色大理石建造的清眞寺，叫珍珠清眞寺，通體潔白，毫無染色，在整個皇宮暗紅色的基調中，它的圓頂、杜塔顯得晶瑩而純淨。

面對著這些純紅、純白的伊斯蘭風格建築群，手裡提著沉沉的印度教大神雕像，我在心中捕捉著對印度史的一些粗糙感覺。

從自二十年前讀到大量有關十一世紀伊斯蘭勢力侵入印度時一系列行爲的描寫（多數描寫還出自公正的伊斯蘭歷史學家的手筆），我對十一世紀之後外族統治的印度史總也提不起興趣，只是對三百多年的莫臥兒王朝有點另眼相看，原因是它有幾個皇帝讓人難忘。

第一代皇帝巴布爾（Babur）是成吉思汗的後代，已經有點意思，勇敢而聰明，身處逆境時還想過躲到中國來當農民，卻終於創建了印度最重要的外族王朝，只是他死時才四十幾歲，太年輕了，給人留下的印

象不太完整。

更有意思的是第三代皇帝阿克拔（Akbar），他作爲一個外族統治者站在這塊土地上居然非常明智地想到了宗教平等的問題，甚至還分別娶了信奉印度教、伊斯蘭教和佛教的皇妃。最讓我注意的一件事情是，他召集了一次聯合宗教會議，說印度的麻煩就在於宗教對立，因此要創立一種吸收各種宗教優點的新宗教，並修建了「聯合宗教」的廟宇。印度人對這位皇帝產生了好感，但在信仰上又不想輕易改變，而原先占統治地位的伊斯蘭教則多數不同意。這種局面招致他在皇族中勢力減弱，又加上兒子謀權心切，一來二去，淒涼而死。他的兒子不怎麼樣，而孫子又有點意思。孫子不是別人，就是我現在腳踩的皇宮的建造者沙傑汗。

沙傑汗這個皇帝不管在政治上有多少功過，他留在印度歷史上最響亮的名位應該是「傑出的建築狂」。除了眼前這座皇宮，他主持的建築難以計數，最著名的要算他爲皇后泰姬瑪哈（Taj Mahal）修建的泰姬陵。泰姬陵已經進入任何一部哪怕是最簡略世界建築史，他也眞可以名垂千古了。

泰姬皇后在他爭得王位之前就嫁給了他，同甘共苦，爲他生了十四個孩子，最後死於難產，遺囑希望有一個美麗的陵墓，沙傑汗不僅做到了，而且遠遠超出亡妻的預想。這個陵墓，由二萬民工修建了整整二十二年，現在還完好地保存在阿格拉，如果時間允許，應該去看看。已經無數次地見過它的照片，極度豪華又極度單純，進入了詩和夢的境界。有人說，由於沙傑汗過於沉迷於包括泰姬陵在內的大量豪華建築，把從阿克拔開始積累的大量財富耗盡了，致使莫臥兒王朝盛極而衰，這也許是對的，但從歷史的遠處看過

去，有那麼美麗的建築留下來了，也值。有時，一座建築比一個王朝更重要。

泰姬陵的單純如同這座紅堡皇宮的單純，如同北邊那座清眞寺的單純，反映了這位沙傑汗皇帝有很高的鑑賞水平。他不是設計者，但永遠是選擇者和批准者，他的興趣決定了建築師的行爲走向。他保存了印度藝術雄渾大氣的一面，又汲取了伊斯蘭藝術的精細柔麗，主要方法是把精細柔麗統一在同一色調裡，達到一種渾然一體的整體氣韻。他的祖父沒有實現宗教統一的美夢，但他在建築藝術中做到了。

有兩個場面讓我感動。沙傑汗在妻子死亡以後，有兩年時間不斷與建築師們討論建陵方案，兩年後方案既定，他已鬚髮皆白；泰姬陵造好後，他定時穿上一身白衣去看望妻子的棺槨，每次都泣不成聲。

他與祖父遇到了同一個下場：兒子篡權。他的三兒子奧倫澤布（Aurangzeb）廢黜並囚禁了他，囚禁地是一座塔樓，隔一條河就是泰姬陵。他被囚禁了九年，每天會對妻子的亡靈說些什麼呢？我想，他心底反覆念叨的那句話用中國北方話來說最恰當：「老伴，咱們的老三沒良心！」

幸好，他死後，被允許合葬於泰姬陵。

奧倫澤布掌權後明確宣布廢除印度教和基督教。

相比之下，莫臥兒王朝値得紀念的還是阿克拔和沙傑汗兩位。爲此，離開紅堡後我還去了沙傑汗建造的賈瑪清眞寺（Jama Masjid），再一次領略紅砂石的單純豪華，以憑弔這位有情有義的建築狂。

八六　憂心忡忡

一九九九年十二月十六日，新德里，夜宿Surya旅館

在巴基斯坦時已經從香港方面傳來消息，日本的《朝日新聞》在找我。我想不管什麼事等我結束這次旅行後再說吧，沒太留心。誰知昨天接到電話，說《朝日新聞》的中國總局局長加藤千洋先生已經與翻譯楊晶女士一起趕到了新德里，而且已經找到這家旅館住下了。這使我頗爲吃驚，什麼事這麼緊急？

見面才知，《朝日新聞》在世界各國選了十個人，讓他們在二〇〇〇年開頭十天依次發表對新世紀的看法，不知怎麼竟選上了我。這就把身爲中國總局局長的加藤先生急壞了，先到上海找我，沒找到，後來終於在香港大體摸清了我們的旅行路線，準備到尼泊爾攔截，但算時間，到尼泊爾已經接近年尾，來來去去可能會趕不及發稿時間，就決定提前到印度守候採訪。

人家那麼誠心，我當然要認眞配合。於是閒話少說，立即進入正題。談話的地點和談話雙方的國籍，使話題沒法不大，又難免沉重。

加藤先生準備得很仔細。他採訪的問題大致是：二十世紀眼看就要結束，人類有哪些教訓要帶給新的世紀？兩次世界大戰的慘痛有沒有銘記？聯合國秘書長安南不久前說，最近十年死於戰亂的人數仍高達五十萬，可見自相殘殺並未停止，新世紀怎麼避免？除了戰爭，還有大量危機，例如地球資源已經非常匱乏，而近幾十年發展情況較好的國家卻以膨脹的物欲在大量浪費，資源耗盡了該怎麼辦？又如人口爆炸還

在繼續，但是文明程度高、教育狀況好的群落卻是人口劇減，爆炸的是貧困而又缺少教育的國家和地區，這又如何是好？至於在政治和宗教方面的衝突，雖然改變了方式，卻沒有大幅度緩和的跡象，如何減少差異、共生共存？什麼是理想的國家風範？什麼是全人類文明共享？……

當然更主要的問題是，作爲一個中國文人，你如何看待中國在世界的位置？中國目前的發展狀態和今後的發展前途怎樣？有哪一些難以逾越的麻煩問題？這次對世界文明故地作了一次系統考察，對世界文化和中國文化的看法有什麼變化？

這些問題都很大，沒有人能簡單回答，只能討論。錄音機亮著紅燈在桌子上無聲地轉動，我和加藤先生、楊晶女士三人越談越憂心忡忡，不時地搖頭、嘆氣。確實很難輕鬆起來，只是我對中國的情況還比較樂觀。感謝《朝日新聞》帶來的刺激，使我可以在今後把這些問題思考得更深入一些，而我的這份日記，也應該在結束前稍稍整理一下這方面的大思路。

一切問題都迫在眉睫。文化本來應該是一種提醒和思索的力量，卻又常常適得其反，變成了顛倒輕重緩急的迷魂陣。這次在路上凡是遇到特別怵目驚心的廢墟我總是想，毀滅之前這裡是否出現過思考的面影、呼喚的聲音？但是大量的歷史資料告訴我，沒有，總是沒有。在一代雄主、百年偉業的庇蔭下，文化常常成了鋪張的點綴、無聊的品咂、尖酸的互窺，有時直到兵臨城下還在作精心的形象打扮。結果，總是野蠻的力量戰勝腐酸，文化也就冤枉地跟著凋零，而跟著文化一起凋零的，總是歷史上罕見的一段光明。

因此，文化最容易瑣碎又最不應該瑣碎，最習慣於講究又最應該警惕講究。文化道義和文化良知，永遠是

文化的靈魂所在，否則，營營嗡嗡的所謂文化，是自我埋葬的預兆。但是，道義和良知，又談何容易？

加藤先生想把談話的氣氛調節得輕鬆一點，說起昨天剛到印度時的一些趣事。他回憶了坐出租汽車時與司機討價還價的過程，又坦白，如何爲了防止被騙不說自己是日本人而冒充新加坡人，但有一件事讓他眞的生了氣。他在街上走，有一個人追著要爲他擦皮鞋，他覺得沒必要，拒絕了。誰知剛一拒絕，那人就取出一團牛糞往加藤先生皮鞋上甩，一下沾上了，只得讓他擦。擦完，竟然索價三百五十盧比，其實這裡擦鞋十個盧比已經足夠。旁邊突然走出兩個「托」，以調解的面孔勸加藤先生出二百盧比……

沒等加藤先生說完我就笑了，覺得人類之惡怎麼這樣相似。我說我有與你一樣的遭遇，有人向我潑污，又問我想不想讓他擦去，而擦去也是需要代價的。所不同的是，他們潑污的工具是文章、書籍，而代價是允許他們盜版。

加藤先生說：「你看，我對付不了那個擦鞋者，你對付不了那些盜版者，最簡單的是非曲直徹底顚倒，我們竟然毫無辦法，就從這樣的小事想開去，人類怎麼來有效地阻止邪惡？實在不能樂觀。」

我說：「請允許我繼續從小見大，借這些小事來看看世紀難題。我們以往的樂觀，是因爲相信法律和輿論能維持社會公理，但是就以你遇到的髒事爲例，如打官司，證據何在？至於輿論，你已看到，除了那兩個幫凶，別人根本不可能來關心。來關心就更麻煩，還會把各自的觀念全帶進來，例如在印度教徒看來，那頭拉糞的牛很可能是神牛，你還福分不淺呢。這也就是說，在社會生活的諸多領域，法律、輿論和宗教等等都不解決問題，那麼引伸到世紀難題，同樣遇到由誰來控制、由誰來裁判，控制和裁判是否公

正，不公正該怎麼辦等等比難題本身更難的課題。我的惆悵，即來自於此。」

但是我也有企盼。企盼二十一世紀有更多的國家把國民經濟和精神道德同時提高，成爲對全世界進行理性制衡的中堅力量，我相信我的祖國極有可能成爲其中一員。至於個人，在人類面對如此密集的難題時，我企盼有更多的智者承擔起真正的文化責任，不管有多少擲石唾罵，仍能保持一個堅貞不渝的群體。暴徒可以刺殺甘地和拉賓，但天地間畢竟留下了他們的聲音。

八七　鐵鑄的覺悟者

一九九九年十二月十七日，新德里，夜宿Surya旅館

我在新德里徘徊時間最長的地方不太有名，在城南十四公里，有一座以十三世紀的帝王庫都布的名字命名的高塔，可惜已經斷下兩層；塔旁有一座清眞寺，可惜已經坍弛。

爲什麼會在那裡長時間地徘徊？因爲我看到了在印度嚴峻對峙的三大宗教，在那裡有一種隱秘而有趣的互生關係。

先看塔。從建造的王朝看，當然是伊斯蘭建築，不會有疑問，而且基本風格確實是伊斯蘭。但是，第一層入口朝北，這是印度教的要求；如果從飛機上看下來，它的橫截面是葵花形，這更是印度教的標記。有兩種可能，一是當年的伊斯蘭統治者友善，特地在設計中融入了本土文化；二是本地的建造者利用統治者的不內行悄悄埋下了信號。但是，我沒有讀到當時統治者企圖實行宗教融合的資料，因此更希望是第二種情況。不管什麼原因，它留下來了，儘管塔下的宗教衝突長年不斷，高塔自身卻在申述著融合的可能。

再看清眞寺。這是印度最早的清眞寺，現已失去一個宗教場所的功能，只剩下幾座高高的石門和無數精美的石柱。一切塗飾已全部剝落，因此所謂精美也就是指留在原石上的層層浮雕。沒有塗飾的藝術構建一旦坍弛，必定會成爲介乎天然與人工之間的存在，具有一種特別的力度。據介紹，這座清眞寺是拆毀了很多印度教、佛教、耆那教的寺廟建造的，其中僅印度教的寺廟就有二十多座。這當然是一種蠻橫的宗教

侵凌，但時間一久，侵凌和被侵凌已渾然難分，誰的語言都消滅了，誰的密碼又都已貯存。

細看那些石門石柱，那些刻劃、紋理、凹凸，早已蒼老得不願嘮叨誰勝誰負，只是表明人力所及、文明所至罷了，都已被時間的巨手慰撫得毫無火氣。站在這裡我想，文明與文明之間的自相殘殺，如能預想到共同消竭的一天，也許能變得互相客氣一點？就像兩個爭鬥了一輩子的對手都已老邁，步履艱難地在斜陽草樹間邂逅，應該有一些後悔？如果讓他們從頭來過，再活一輩子，情景將會如何？世紀之交，就像讓各個文明重新轉世，理應都變得比前世更清醒一點。

在這個院子裡，人群聚集得最多的，既不是高塔，也不是清眞寺，而是插在它們近旁的一根鐵柱。六米多高，半米直徑，黑黑地不見太大氣勢，卻發出平靜而悠遠的金屬之光。它是伊斯蘭王朝定都德里時從印度東部搬移過來的，這裡的人都叫它阿育王柱。其實我在德里還見過另一個也被稱作阿育王柱的石柱，高高地矗立在一個古堡之上，從資料說明上看似乎比鐵柱更確切。當然阿育王熱心佛教，在位期間到處立柱建塔，多幾個阿育王柱是不奇怪的，但根據科學測定，鐵柱鑄造在一千六百年前，那就比阿育王晚了六百年，應該是笈多王朝時代。笈多王朝也弘佛，鑄一個鐵柱紀念阿育王是很有可能的。阿育王本是一個相當強蠻的君主，聽了佛理後幡然醒悟，眞可謂「立地成佛」，爲佛教在印度的發揚光大作出了劃時代的巨大貢獻，結果也成了佛門偉人，廣受崇拜。連我家鄉，離印度那麼遠，居然也有一座阿育王寺，崇塔深院，古木森森，我在文革後期爲躲避災禍曾在那裡停留過，感念殊深。不管是誰所立，爲誰而立，這個鐵柱屬於佛教，應該沒有疑問。

但仔細一想，它還是保留了太多的疑問。我圍著它轉了一圈又一圈，奇怪它一千多年裸露在日曬雨淋之下怎麼通體沒有一個鏽斑？也許印度古代已有發達的鑄鐵技術，但如果說當時的合金構造已達到千年不鏽的水平則難於想像。還有，它到底是被哪個王朝搬移到這裡來的？搬移的目的是什麼？它顯而易見地保留著自己的宗教信號，爲什麼會被另一個宗教的統治者供奉？……

拿著這些問題問印度朋友，他們大多哈哈一笑，不作回答。我遇到的印度朋友都對歷史抱有一種「傳說化」的態度，不願意作任何確證，這與我們習慣的歷史觀念有太大的差別。要他們解釋一種傳說的可信性，拿來解釋的材料仍然是傳說。因此在印度古蹟間旅行，常常有一種飄忽感，有時也享受到一種超逸瀟灑，覺得以前的事何必像我們中國人那樣較勁，但一下筆又覺得困難，只能處處存疑。

只有一件事可以不必存疑：在這個巨大的院子裡，可看的古蹟森羅萬象，高接雲天，它的形體最小、最瘦、最不起眼，但唯有它，毫無鏽斑地閃著亮光。沒有它，整個遺跡現場顯得太淒涼、太寥落了；而有了它，一切都被提挈起來，在千年金屬上牢牢地打了一個結，再也不會散落。因此，它成了印度宗教文化遺墟上的畫龍點睛之筆。

受委屈的是它，被搬來搬去的是它，被一時趾高氣揚的其他建築俯視的是它，當四周的巨樓高塔全都色彩繽紛時唯一毫無塗飾的也是它。誰料天地無常，一切都變了，只有它似乎早早地悟透了一切，不爭奪、不聲辯、不趨趕，卻也不自卑自賤，定定地站立著，不僅沒有頹敗之象，而且越來越光潔鑑人，毫無疑問它還會站下去，沒有年代。說到底，它是一個覺悟者。

八八 甘地遺言

一九九九年十二月十八日，新德里，夜宿Surya旅館

離開新德里前，我想了卻一樁多年的心願，去拜謁聖雄甘地的墓。

順道經過莊嚴的印度門，停下，抬頭仰望。因爲我知道，這個建築與甘地墓之間存在著一個重要的歷史邏輯。

印度門紀念第一次世界大戰期間爲英國參戰而犧牲的九萬印度士兵，僅僅這個說法還不足以引起我對印度門的長時間仰望，因爲在世界各地，這樣的戰死紀念碑太多了。牽動我感情的是這樣一個歷史記載：這九萬士兵犧牲前都以爲，這樣死命地爲英國打仗，戰爭結束後英國一定會讓我們印度獨立，而戰場上的英國軍官也信誓旦旦，但等到戰爭結束，根本沒那回事，全都白死了。這不能不深深刺痛了印度人民的心，其中一個就是甘地。在這麼一種心理背景下，這九萬印度士兵的亡靈就不再僅僅是在訴說某種勇敢精神，而是聚集了一種集體受騙後的憤怒呼喊，呼喊於天上地下，卻沒有聲音。

我細看了，印度門上刻著大量戰死者的名字，刻不下九萬名，只刻了一萬多，作爲代表。整個門很像巴黎的凱旋門，中間都點著長年不息的聖火，但凱旋門可以隨意進入，任何人都可以獻點花，印度門卻不可以，有圍欄和衛兵。印度門前是一條「國家大道」，直通遠處的總統府。

甘地就是在英國不講信義之後，領導民族獨立運動的。他把以前英國政府授予他的勛章交還給殖民政

府，發起了一場以和平方式進行的「不合作動作」來對抗英國。但是，人民喜歡暴力，甚至對不同意見、不同宗教的人也施行暴力，尤其是在印度教和伊斯蘭教之間，更是暴力不斷，甘地便以長時間的絕食來呼籲停止暴力、爭取和平。他的這種態度，勢必受到各方面的攻擊，有些極端分子幾次要殺害他，而政府也要判他的刑，他則絕不抵抗和報復。他說：「如果我們用殘暴來對付邪惡，那麼殘暴所帶來的也只能是邪惡。如果印度想通過殘暴取得自由，那麼我對印度的自由將不感興趣。」

終於，人民漸漸懂得了他，殖民者也被他這種柔弱中的不屈所震驚，他成功了，印度也取得了獨立。沒想到不久之後他還是被宗教極端分子所殺害。

甘地墓在德里東北部的朱木拿河畔，占地開闊，但眞正的墓園卻不大。門口有一位老媼在賣花，在一張樹葉上平放著五六種不同的小花，算一份，很好看。我買了四份，分給幾位同來的朋友，然後把鞋襪寄存在一個門衛那裡，按照印度人的習慣，赤腳進入，手上捧著花。

墓體爲黑色大理石，約十六平方米。四周有幾堵白色矮牆，空出了人們進出的口道。矮牆外面是草地，草地延伸到二十米遠的地方，有一圈黃石高台，把整個墓園圍住。

我們把花輕輕地放在墓體大理石上，然後繞墓一周。墓尾有一具玻璃罩的長明燈，墓首有幾個不鏽鋼雕刻的字，是印度文，我不認識，但我已猜出來，那不是甘地的名字，而是甘地遇刺後的最後遺言：「嗨，羅摩！」

一問，果然是。記得前些天我在介紹印度的宗教恩怨時曾經寫過，羅摩是印度教的大神，喊一聲

「嗨，羅摩」，相當於我們叫一聲「哦，天哪！」

那麼，這是我見過的最聰明的墓碑了。說是最後遺言，其實是最後的呼叫，生命最後發出的聲音最響亮又最含糊，可以無數遍地讀解又無數遍地否定，鐫刻在墓碑上讓後人再一遍遍地去重複，是巧思。

甘地思考過「不殺生、不報復」的宗教觀念與民族獨立鬥爭之間的關係，精彩的思考變成了勝利的行動；他也思考過現代工業文明與土俗古老文明之間的關係，憂鬱的思考變成了倒逆的行動。勝負成敗綜合在一起，勝利占了上風，但又立即爲勝利付出了生命的代價，他面對自己關愛過的暴徒只喊一聲：「哦，天哪！」

這樣一個墓碑在今天更加意味深長。

如果今天墓園裡的人頭濟濟、擁擠熱鬧，在無數赤腳的下方，甘地幽默地哼一聲：「哦，天哪！」

如果明天墓園裡人跡全無、葉落花謝，甘地又會寂寞地嘆一聲：「哦，天哪！」

印度發達了，車水馬龍、高樓林立、喇叭如潮，一向警惕現代文明的甘地一定會喊：「哦，天哪！」

印度邪門了，窮兵黷武、民不聊生、神人共憤，一向愛好和平、反對暴力的甘地更會絕望地呼叫：「哦，天哪！」

甘地一直認爲人口問題是印度的第一災難，說過「我們只是在生育奴隸和病夫」的至理名言，現在，他從墓園向外張望，只需看到一小角，就足以讓他驚叫一聲：「哦，天哪！」

離開甘地墓後，我心中一直迴盪著甘地的聲音，那麼，還是讓它用印地語發音吧——嗨，羅摩！

八九　東方專制的童話

一九九九年十二月十九日，印度阿格拉、齋浦爾，夜宿阿格拉Trident旅館

自新德里向東南方向行駛二百多公里，到阿格拉，去看泰姬陵。

泰姬陵比想像的更美，至少與反面鋪墊有點關係。

首先是阿格拉這座城市太雜亂擁擠，仍然是滿街小販和乞丐，滿地垃圾和塵土，鬧哄哄地攪得人心煩躁，只想把路走通，已經忘記自己是來幹什麼的了。終於在一座舊門前停下，買票進去一看，院子確實不錯，轉幾個彎見一座漂亮的古典建築，紅白相間，堪稱華麗，從地位布置上看也應該是大東西了，因此很多遊人一見它就打開鏡頭，擺弄姿勢，忙忙碌碌地拍攝起來。人在這方面最容易從眾，很快拍攝的人群已堵如重墻。

突然，有一個被拍攝的姑娘在步步後退中偶爾回首，看到這座古典建築的一道門縫，這一看不要緊，她完全傻住了，呆呆地出了一回神，然後轉身大叫：不，它在裡邊！

所有的攝影者立即停止工作，湧到門縫前，一看全都輕輕地「嘩」一聲，不再言動。

哪裡還有什麼紅白相間，哪裡還有什麼漂亮華麗，它只是它，世界第一流的建築，只以童話般的晶瑩單純完成全部征服。我從門縫裡見到它時只有一個想法，它太像人，世間最傑出的人是無法描述的，但一眼就能發現與眾不同。有點孤獨，有點不合群，自成一種氣氛，又掩不住外溢的光輝，任何人都無法摹

仿。這樣的作品在人類歷史上一共沒有幾件，見到它的人不分智愚長幼、國籍民族，都會立即叫起好來。現在，它就在眼前。

小心翼翼地往前走，走到了便小心翼翼地脫鞋，赤腳踩在涼涼的大理石台階上，一級一級往上爬。如鏡似砥的大平台，往門裡走，終於見到兩具大理石棺材，中間一具是泰姬，左邊一具是沙傑汗國王，國王委屈了。但這沒辦法，整個陵墓是你爲她造的，她的中心地位也是你設計定的，無可更改。你的最終進入，只是一種特殊開恩，可以滿足了。

從陵寢回到平台，環繞一圈，看到了背後的朱木拿河，這才發現，泰姬陵建造在河灘邊的峭壁上。按照沙傑汗的計劃，他自己的陵墓將建造在河對岸，用純黑大理石，與泰姬陵的純白相對應，中間再造一條半黑半白的橋相連。這個最終沒有實現的計劃更像是一個成人童話。從河岸的架勢看，泰姬陵確實在呼喚對岸。

一個非常現實又相當鐵腕的帝王，居然建造了一個世間童話，又埋藏了一個心中童話，這是怎麼回事？他怎麼會把童話情趣保存下來，付諸實踐？這個疑問，等我到了另一座奇怪的城市齋浦爾（Jaipur），更加重了。

齋浦爾與德里、阿格拉正好組成一個三角，各相距二百多公里。那兒長期以來由一個與莫臥兒王朝中央政府有姻親關係的土邦王朝統治，在十八世紀出過以齋辛（Jai Singh）爲代表的一些聰明君主，簡直把宮廷建築當作一種豪華的遊戲在玩，窮奢極侈又天眞爛漫。

進城就非同一般，城門外的山道口硬是布置出兩排二至三層的鏤空涼台長廊，即使有敵人來犯也要讓他們在攻城前先讚嘆一番。全城房子基本上都是粉紅色，這種指令實在有點匪夷所思，但居然實現了。粉紅色房子中最著名的一幢即所謂「鳳宮」（Hawa Mahal），每扇窗都以三面向外凸出，窗面精雕細刻，宮中女人可在裡邊看鬧市人群，而外面的人卻看不清她們，這種想法本身就十分俏皮。

更蔚爲大觀的當然是那個築在山上的阿姆拔城堡（Amber Fort），進去後怎麼也分不清它到底有幾個通道系統，更不知道每一個通道系統究竟連著多少曲院密室、華廳軒窗。那天我與從香港前來探望我們的鳳凰電視董事會主席劉長樂先生以及段敏、趙維、王崢幾位一起去參觀，正巧遇到管理人員罷工，不開門，我們幾個是趁亂溜進去的，沒想到一進去就掉到迷魂陣裡了，步步驚喜又步步緊張，生怕走不出來，無數次路斷墻阻，又無數次柳暗花明，令人難忘。

我在行路途中反覆思考，覺得在歐洲也見過很多私密的庭院，包括那些很有個性的帝王督造的行宮，但再私密也總能找出此時此地建築藝術的傳統和風尚，很少像這裡這樣完全是奇想異設，不與過去和周圍發生太大的聯繫。說這是東方專制主義的建築特徵吧，中國和日本的古典園林又提出了否定。中國古典園林即使深藏不露，仔細一看還是有非常清晰的美學流脈的，日本也是，與眼前的泰姬陵、齋浦爾城堡完全不同。我想，這主要是當時印度的統治結構造成的。

一個外來的王朝，雖然已經統治幾世，對印度本土藝術仍然排拒，對自己的民族和宗教所牽連的傳統

也因遷移日久而生疏隔膜，於是，統治者可以離開種種制約大膽遐想。他們的極端獨裁又使整個國庫成了實現這遐想的經濟保障，有時他們還會召集遠近各國的能工巧匠共同建造，各種建築俗套互相抵銷，只成爲帝王意志的恣肆體現。正巧某個帝王審美水平較高，便出現了近似童話的奇跡。

這便是印度的神秘性。只是由於專制總是不長，每個建築奇跡在今天都置身在貧窮、骯髒、擁擠的大環境中，神祕變成了怪異。

九〇　潔淨的起點

一九九九年十二月二十日，印度瓦拉納西，夜宿Taj Ganges旅館

終於置身於瓦拉納西（Varanasi）了。

這個城市現在又稱貝納瑞斯（Benares），無論在印度教徒還是在佛教徒心中都是一個神聖的地方。偉大的恆河就在近旁，印度人民不僅把它看成母親河，而且看成是一條通向天國的神聖水道。一生能來一次瓦拉納西，喝一口恆河水，在恆河裡洗個澡，是一件幸事，很多老人感到身體不好就慢慢向瓦拉納西走來，睡在恆河邊，只願在它的身軀邊結束自己的生命，然後把自己的骨灰撒入恆河。正由於這條河、這座城的神聖性，歷史上有不少學者和作家紛紛移居這裡，結果這裡也就變得更加神聖。我們車過恆河時已經深夜，它的奪人心魄的氣勢，它的浩浩蕩蕩的幽光，把這些天在現實世界感受的煩躁全洗滌了。

貼著恆河一夜酣睡，今早起來神清氣爽。去哪裡？這要聽我的了，向北驅馳十公里，去鹿野苑（Sarnath），佛祖釋迦牟尼初次講法的聖地。

很快就到，只見一片林木蔥籠，這使我想起鹿野苑這個雅緻地名的來歷。這裡原是原始森林，一位國王喜歡到這裡獵鹿，鹿群死傷無數。鹿有鹿王，爲保護自己的部屬，每天安排一頭鹿犧牲，其他鹿則躲藏起來。國王對每天只能獵到一頭鹿好生奇怪，但既然能獵到也就算了。有一天他見到一頭氣度不凡的鹿滿眼哀怨地朝自己走來，大吃一驚，多虧手下有位一直窺探著鹿群的獵人報告了眞相，這才知，每天一頭的

獵殺已使鹿群銳減，今天輪到一頭懷孕的母鹿犧牲，鹿王不忍，自己親身替代。國王聽了如五雷轟頂，覺得自己身爲國王還不及鹿王，立即下令不再獵鹿，不再殺生，還闢出一個鹿野苑，讓鹿王帶著鹿群自由生息。

就在這樣一個地方，大概是在公元前五三一年的某一天，來了一位清瘦的中年男子，來找尋他的五位伙伴。這位中年男子就是佛祖釋迦牟尼，前些年曾用苦行的方法在尼連禪河畔修練，五位伙伴跟隨著他。但後來他覺得苦行無助於精神解脫，決定重新思考，五位伙伴以爲他想後退，便與他分手到鹿野苑繼續苦修。釋迦牟尼後來在菩提迦耶的菩提樹下眞正悟道，便西行二百公里找伙伴們來了。

他在這裡與伙伴們講自己的參悟之道，五位伙伴聽了也立即開悟，成了第一批弟子。不久，鹿野苑附近的弟子擴大到五十多名，都聚集在這裡聽講，然後以出家人的身分四出佈道。因此這個地方非常關鍵，初次開講使一人之悟成了佛法，並形成第一批僧侶，佛、法、僧三者齊全，佛教也就正式形成。

佛祖釋迦牟尼初次開講的地方，有一個直徑約二十五米的圓形講壇，高約一米，以古老的紅砂石磚砌成。講壇邊沿是四道長長的坐墩，應該是五個首批僧侶聽講的地方；講壇中心現在沒有設置座位，卻有一個小小的石栓，可作固定座位之用，現在不知被何方信徒蓋上了金箔，周圍還灑了一些花瓣。

講壇下面是草地，草地上錯落有致地建造著一個個石磚座墩，顯然是僧侶隊伍擴大後聽講或靜修的地方。講壇北邊有一組建築遺跡，爲阿育王時代所建，還有一枚斷殘的阿育王柱，那是眞正阿育王立的了，立的時候應在公元前三世紀七十年代初，那時這裡已成爲聖地。這份榮譽帶來了熱鬧，差不多熱鬧了一千

年，直到公元七世紀玄奘來的時候還「層軒重閣，麗窮規矩，」《大唐西域記》中的描寫令人難忘。

佛教在印度早已衰落，這裡已顯得過於冷寂。對於這種冷寂，我在感嘆之餘也有點高興，因爲這倒眞實地傳達了佛教創建之初的素樸狀態。沒有香煙繚繞，沒有鐘磬交鳴，沒有佛像佛殿，沒有信衆如雲，只有最智慧的理性語言，在這裡淙淙流瀉。這裡應該安靜一點，簡陋一點，藉以表明，世界三大宗教之一的佛教，在本質上是一種智者文明。

先有幾個小孩在講壇、石墩間爬攀，後來又來了幾個翻越喜馬拉雅山過來的西藏佛教信徒，除此之外只有我們。樹叢遠遠地包圍著我們，樹叢後面已沒有鹿群。聽講石墩鋪得很遠，遠處已不可能聽見講壇上的聲音，坐在石墩上只爲修練。

我在講壇邊走了一圈又一圈，主持人李輝和編導張力、樊慶元過來問我在想什麼。我說：「我見過很多輝煌壯麗的佛教寺院，更見過祖母一代裹著小腳跋涉百十里前去參拜。中國歷史不管是興衰，民間社會的很大一部分就是靠佛教在調節著精神，普及著善良。這裡便是一切的起點。想到這麼一個講壇與遼闊的中華大地的關係，與我們祖祖輩輩精神寄託的關係，甚至與我這麼一個從小聽佛經誦念聲長大的關係，心裡有點激動。」

作爲一個影響廣遠的世界性宗教，此時此刻，佛教的信徒們不知在多少國家的寺廟裡隆重禮拜，而作爲創始地，這裡卻沒有一尊佛像、一座香爐、一個蒲團！這種潔淨使我感動，我便在草地上，向這些古老的講壇和石座深深作揖。

鹿野苑東側有一座圓錐形的古樸高塔，叫達麥克塔（Dhamekh Stupa），奇怪的是塔的上半部呈黑褐色，下半部呈灰白色。一問，原來在佛教衰微之後，鹿野苑與這座塔的下半部都湮滅了，只留下塔的上半截在地面上，年代一久蒙上了塵污。十八世紀有一位英國的佛教考古學家帶著猜測開挖，結果不僅挖出了塔，也挖出了鹿野苑。這個佛教聖地的重新面世還是在本世紀，爲時不久。

沉寂千年的講壇又開始領受日光雨露，佛祖在冥冥之中可能又有話說？

九一　我拒絕說它美麗

一九九九年十二月二十一日，瓦拉納西，夜宿Taj Ganges旅館

昨天的日記還興高采烈地寫到車過恆河時的壯美夜色，但現在提筆時眼前的圖象完全變了；昨天因參拜了鹿野苑滿心喜悅，現在卻怎麼也喜悅不起來。原因是，我們終於去了恆河岸邊，看到了舉世聞名的「恆河晨浴」。

早晨五時發車，到靠近河邊的路口停下，步行過去。河邊已經非常擁擠，一半是乞丐，而且大量是痲瘋病乞丐，不知怎麼任其流浪在外。趕快雇過一條船，一一跳上，立即撐開，算是浮在恆河之上了，但心緒還未舒展。好幾條小船已圍了上來，全是小販，趕也趕不開，那就只能讓它們寄生在我們船邊，不去理會。

從船上看河岸實在吃驚，一路是骯髒破舊的各式房屋，沒有一所老房子，也沒有一所新房子。全是那些潦潦草草建了四、五十年的劣質水泥房，各有大大小小的台階通向水面。房子多數是廉價小客店，房客中有爲來洗澡住一、二天的，也有爲來等死住得較長久的，等死的也要天天洗澡，因此房子和台階上進進出出、上上下下擠滿了各種人。

更多的人連小客店也住不起，特別是來等死的老人們，知道自己什麼時候死？哪有這麼多錢住店？那就只能橫七豎八棲宿在河岸上，身邊放著一堆堆破爛的行李。他們不會離開，因爲照這裡的習慣，死在恆

河岸邊就能免費火化，把骨灰傾入恆河，如果離開了死在半道上，就會與恆河無緣。大家可以想一想，這麼多螞蟻一般等死的人露宿河邊，每天有多少排泄物？因此整個河岸臭氣沖天。印度還有一些人認爲死了燒成骨灰排入恆河，一定會與別人的骨灰相混，到了天堂很難恢復原形，因此便把一具具全屍推入恆河，任其漂流。此地氣候炎熱，結果可想而知。

此刻，天未亮透，氣溫尚低，無數黑乎乎的人全都泡在河水裡了，看得出有的人因寒冷而在顫抖。男人赤膊，只穿一條短褲，什麼年齡都有，以老年爲主，極胖或極瘦，很少中間狀態。女人披紗，只有中老年，一頭鑽到水裡，花白的頭髮與紗衣紗巾糾纏在一起，喝下兩口又鑽出來。沒有一個人有笑容，也沒見到有人在交談，大家全都一聲不吭地浸水、喝水。

有少數中年男女蹲在台階上刷牙，沒有人用牙刷，一半用手指，一半用樹枝，刷完後把水咽下，再捧上幾捧喝下，與其他國家的人刷牙時吐水的方向正好相反。

突然來了一個警察，撥弄了一下河岸上躺著的一個老人，他顯然已經死了，昨夜或今晨死於恆河岸邊。沒有任何人注意這個場面，大家早已司空見慣。死者將拖到不遠處，由政府的火葬場焚化。但一般人絕不進那個火葬場，只要有點錢，一定去河邊的燒屍坑。這個燒屍坑緊貼著河面，已成爲河床的一部分，一船船木柴停泊在水邊，船側已排著一具具用彩色花布包裹的屍體。焚燒一直沒停，惡臭撲鼻，工人們澆上一勺勺加了香料的油脂，氣味更加讓人窒息。這一切不僅讓所有的人都能看到，而且居然成了恆河岸邊最重要的景觀！幾個燒屍坑周圍很大一片陋房，全被長年不斷的煙火薰得油黑。火光煙霧約十米處，浮著

半頭死牛，腔體在外，野狗正在啃噬。再過去幾步，一排男人正刷牙咽水，一口又一口。

我們太脆弱了，看到這裡，全都趴在船沿上站不住，要把胃裡的一切全都翻騰出來。連我們強壯的隊長郭瀅，也終於坐倒在船板上。

我請讀者原諒，不得不動用一些讓人很不舒服的描寫，這與我過去唯美主義的習慣完全不同。我不想藉此表現對另一個民族的鄙視，卻也不想掩飾我對眼前景觀的鮮明態度，因爲這裡的悲哀關及全人類。

人之爲人，應該知道一些最基本的該做和不該做。世間很難找到一頭死象，因爲連象群也知道掩蓋。再一次感謝我們的先秦諸子，早早地教會中國人懂得那麼多「勿」：非禮勿視、非禮勿聽、非禮勿動，己之不欲，勿施於人……有時好像管得嚴了一點，但沒有禁止，何以有文明？沒有圍欄，何以成社會？沒有遮蓋，何以有羞恥？沒有規矩，何以成方圓？在恆河邊，我看到的是，人的骯髒、人的醜陋、人的死亡，都可以誇張地裸露，都可以毫無節制地釋放給他人、釋放給自然。由於人口爆炸，這種行爲正在變成一個前所未有的聚集，龐大的人群正日以繼夜向河邊趕來。

說什麼要把自己的生命自始至終依傍著恆河，實際上是畢其一生不留任何餘地地糟踐恆河。我忿恨地想，早年恆河還清，尚能照見人臉的時候，人們至少還會懂得一點羞恥吧，現在在恆河眼中，這群每天早晨破衣爛衫地一個勁兒排污、長時間擁塞在河邊等死，死了後還要把生命的殘渣丟在河中飄蕩、炫耀的人，到底算是什麼？

我知道一定會有人向我解釋一個天天被河水洗滌的民族多麼乾淨，一個在晨霧中男女共浴的圖景多麼

具有詩意，而一種古老的文明習慣又多麼需要尊重。這正如一直有人勸我，寫得輕鬆愉快一點吧，別再那麼較勁、那麼沉重。對這一切解釋和勸說我全然拒絕。今後哪怕有千條理由讓我來說幾句「恆河晨浴」的美麗，我的回答是：眼睛不答應，良知不答應。我在那裡看到的不是一個落後的風俗，而是一場人類的悲劇，因此不能不較勁，不能不沉重。

惡濁的煙塵全都融入了晨霧，恆河彼岸上方，隱隱約約的紅光托出一輪旭日，沒有耀眼的光亮，只是安靜上升。我看著旭日暗想，對人類，它還有多少耐心？

陽光照到岸上，突然發現，河邊最靠近水面的水泥高台上，竟然坐著一個用白布緊包全身、只露臉面的女子，她毫無表情，連眼睛也不轉一轉，像泥塑木雕一般坐在冷峭的晨風中。更讓我們吃驚的是：她既不像日本女子，也不像韓國女子，而分明是一個中國女子！估計是一個華僑，不知來自何方。

一定是遇到什麼事情了吧，或作出了決絕的選擇？我們找不到任何理由呼喊她或靠近她，而只是齊齊地抬頭看著她，希望她能看見我們，讓我們幫她一點什麼。

我們心裡都在呼喊：回去吧，這哪裡是你來的地方！

九二　菩提樹和洞窟

一九九九年十二月二十二日，印度菩提迦耶，夜宿Asoka（阿育王）旅館

到了瓦拉納西，朝北拐向尼泊爾已經很方便，但在鹿野苑產生了一個願望，很想再東行二百多公里，去看看那棵菩提樹。菩提樹的所在叫菩提迦耶，理所當然也是一座聖城。

我當然知道現在能看到的菩提樹已不是二千五百多年前的那一棵，但地點應該不錯。更重要的是，我想走一走釋迦牟尼悟道後走向講壇的這條路二百多公里，他走了多久？草樹田禾早已改樣，但山丘巨石不會大變，估計會有一些特殊的感受。

從瓦拉納西到菩提迦耶，先走一條東南方向的路，臨近菩提迦耶時再往東轉。出發前問過當地司機，說開車需要十一個小時。二百多公里需要十一小時？這會是一條什麼路？

待到開出去才明白，那實在是一個極端艱難的行程。窄路，全是坑坑窪窪，車子一動就瘋狂顛簸，但獲得顛簸的機會很少，因爲前後左右全被各色嚴重超載的貨車堵住。好不容易爬到稍稍空疏的地方，立即冒出大批乞丐狠命地敲我們的車窗。荒村蕭疏、黃塵滿天，轉眼一看，幾個一絲不掛的男子臉無表情地在路邊疾行，這是當地另一種宗教的信徒，幾百年來一直如此，並不是時髦的遊戲。

幸好，向東一拐快到菩提迦耶的時候，由於脫離了交通幹道，一切好了起來，路像路，樹像樹，田像田，我們一陣輕鬆，直奔而去。

菩提迦耶很熱鬧，世界各地的朝聖者摩肩擦踵。滿街都是銷售佛教文物的小攤，其中比較有價值的大多來自西藏。很多歐美人士披著袈裟、光著頭、握著佛珠在街上晃悠，看起來非常有趣。

且慢東張西望，先去大菩提寺（Mahabodhi）。

脫鞋處離寺門還有一段距離，需要走過一段馬路，多數人脫鞋穿襪而行，少數人完全赤腳，我想在這裡還是赤腳爲好，便把鞋襪一起脫了，向寺門走去。進寺門有台階向上，迎面便是氣勢不凡的大菩提寺主體建築。這個建築現在一色淨灰，直線斜上，雕飾精雅，如一座穩健挺拔的柱形方台。門戶上方，一排古樸的佛像，進得內殿，則是一尊金佛。我在金佛前叩拜如儀，然後出門繞寺而行，在後面看到了那棵菩提樹。

菩提樹巨大茂盛，樹蓋直徑近二十米，樹幹上有金飾，樹下有兩層圍欄，裡裡外外席地坐滿了虔誠的人。內層有考究的石圍柱，裡邊只能坐二十來人，佛教本性安靜，這裡也不存任何爭擠，我與李輝在石圍欄門口一看，居然正好有兩個空位，便走進去坐了下來。我閉上眼，回想著佛祖在這裡參悟的幾項要諦，心頭立即變得清淨。

站起身出來，編導張力、樊慶元要我對著鏡頭說幾句話，我說：「天下大地，平而無偏，但在智能的發射上並不均勻。往往只有幾個塊面，甚至幾個小點，決定著世界上很多人的思維。這兒，我們腳下，就是這樣一個小點。」

據說現在這棵菩提樹雖然只有幾百年歷史，卻與釋迦牟尼悟道的那一棵有直接的親緣關係。當年已有

僧侶留下樹種，代代移植，也有譜系，這一棵的樹種來自斯里蘭卡。對此我沒有見到可靠資料，無法在筆下肯定。我想，只要是這個地方，這樣一棵菩提樹，已經足夠。

以上所說都是昨天的事。昨天晚上離開大菩提寺時還到寺院辦公室提出了一個申請，希望能拜見住持。寺院辦公室問清了我們一行的情況，立即答應，並排定了今天早晨，因此今天很早又趕到大菩提寺來了。

住持還年輕，叫帕拉亞先爾（Prajna Sheel），是個大喇嘛，受過高等教育。問他當初爲何皈依佛教，他說一讀佛經覺得每一句都能裝到心裡，不像以前接觸過的另一個宗教，文化水平高一點的人怎麼也讀不進它的經典。他說這些年佛教的重新興盛是必然的，因爲佛教本身沒有犯什麼錯，它的衰落是別人的原因。

說到他爲什麼如此快速地接見我們，他說當然是因爲法顯和玄奘，他們一千多年前長途跋涉來到這裡，對這裡的描述句句如實，也成了我們重溫菩提迦耶當年盛況的根據，總之，中國對佛教太重要。

告別住持後，我們繼續回溯釋迦牟尼的精神歷程，去尋找他悟道之前苦修多年的那個地方。據佛教史料記載，那兒似乎有一個樹林，又說是一個山坡。幸好有當地人帶路，我們的車隊歪歪扭扭地駛進了一個由密密層層的葦草和喬木組成的樹林。這種葦草很像台灣陽明山公路邊的那一種，但這裡沒有公路，只有人們從葦草中踩出來的一條依稀通道。開了很久，我們都有點害怕，終於開到了一個開闊地，眼前一堵峭壁，有山道可上。

我領頭攀登，卻發現山道邊黑乎乎地匍匐著一些軀體，仔細一看竟是大量傷殘的乞丐，只有骨碌碌的

雙眼表明他們還保存著生命。當淒慘組成一條道路，也就變成恐怖，只得閉目塞聽，快步向前，在無路可走處，見到了一個小小的岩洞，彎腰進入，只見四尊佛像，其中一尊在別處見過，是骨瘦如柴的釋迦牟尼在這裡苦修時的造像，佛前燃燈，由四位喇嘛守護著。

鑽出山洞，眼前是茫茫大地。我想，當年釋迦牟尼一定是天天逼視著這片大地，然後再扶著這些岩石下山的，山下，菩提樹下，一種即將成熟的精神果實正等著他。

我轉身招呼李輝一起下山，守護洞窟的一位喇嘛追出來對李輝說：「下山後趕快離開這裡，附近有很多持槍的土匪！」

我聽了心裡一驚，倒也不是害怕，只是想：宗教的起因，可能是對身邊苦難的直接反應，但一旦產生便天高地闊，不再受一時一地的限制，因此也無法具體地整治一時一地。你看悠悠兩千五百多年，佛祖思慮重重的這條道路，究竟有多少進步？

九三　告別阿育王

一九九九年十二月二十三日，印度巴特那，夜宿Chanakya旅館

守護釋迦牟尼苦修洞窟的喇嘛一再叮囑我們趕快離開，我們一看地圖，乾脆再去一個佛教重地，現在叫巴特那，佛教典籍中一再提及的華氏城。釋迦牟尼時代已經是一個小王國，叫波吒厘子，阿育王更把它定爲首都，很長時期內一系列影響深遠的弘佛決定都在這裡作出，爲此，法顯和玄奘也都來拜訪過。從巴特那北行，可以進入尼泊爾。好，那我們就選定這一條路。

這些天來，自從我們由新德里出發，又進入了一個行路特別艱難的考驗期。開頭還好一點，但從齋浦爾到阿格拉就不行了，再到坎普爾、瓦拉納西越來越糟糕，瓦拉納西往東簡直不能走了，巴特那達到頂峰。

這次不再是提防伊朗、阿富汗、巴基斯坦邊境那條目前全世界最危險的道路上國際恐怖集團的出沒，也不是耽心巴基斯坦南方省分土匪的攔劫，而是徹底領受了一種未被有效管理的貧困社會必然噴湧出來的巨大混亂和恐怖。一天二十四小時，路上始終擁塞著逃難般的狂流。嚴重超載的卡車和客車，車頂上站滿了人，車窗外面還攀著人，尖聲嗚著喇叭力圖通過，但早已塞得裡外三層，怎麼也挪動不得。夾在這些車輛中間的，是驢車、自行車、牛群、蹦蹦車、閒漢、小販、乞丐和一絲不掛的裸行者，全都灰污滿身。窄窄一條路，不知什麼年代修的，好像剛剛經歷地殼變動，永遠是大坑接小坑，沒走幾步就見到一輛四輪朝

天的翻車，一路翻過去，像是在開翻車博覽會，但沒有圍觀者，大家早就看膩了。

在這樣一條路上行車，必須作好充分的思想準備：一開出去就是十幾個小時，半路上沒有任何地方可以吃飯。大家全都餓得頭昏腦脹，但最麻煩的還是上廁所。沿途哪裡有廁所啊，在沙漠、田野還能勉強隨地解決，而這裡永遠是人潮洶湧。只能滴水不進，偶爾見到遠處一片玉米地，幾位小姐、女士便瘋了般地飛奔而去。

不僅沿途不能吃飯，旅館裡的飲食也完全不能相信。李輝去參觀了一家據說是最大的乳品廠回來之後發誓不再喝一口這裡的牛奶，而平日只在旅館吃飯的隊員們絕大多數肚子都出了問題，有的還高燒不退。隊長郭瀅嚴格規定，只准吃幾樣東西，連在旅館刷牙時，也不准用這裡的自來水漱口，一人一小杯純淨水。但這裡買的純淨水，細細一看有不少浮游物，於是只得到處尋找「依雲」之類國際品牌。到後來，隊員們唯一能放心吃的只有兩樣東西：帶殼的煮雞蛋和帶殼花生。

我知道國內一定會有批評家對我們憤怒：「人家這麼多人口怎麼活下來的？何必如此嬌氣？」我們不好意思叫批評家們自己來試試，只能說，要讓我們的身體熬煉過來至少一年半載吧，工作在身，實在等不及。而且，我們也沒有接受這種熬煉的雅興。

行車十幾小時，須讓開白天的訪問時間，那麼大半時間只能是夜間行駛。夜間，閒漢和自行車少了，超載的卡車卻比白天更多，它們大多沒有尾燈，迎頭開來時必以強光燈照得你睜不開眼，而且往往只開一盞，完全無法判斷這是它的左燈還是右燈，冷不防，橫裡還會竄出幾輛驢車。因此，其間的險情密如牛

毛，幾位司機熬過了荒漠、衝過了沙暴、闖過了險區，現在卻比以往任何時候都緊張，對講機聲聲急呼，所有的人都憋住了氣，睜大了眼，浸透了汗，看這幾位勇士如何步步爲營地穿越新的難關。

我覺得沒有他們，就不可能有電視拍攝，也不可能有我的文化考察，因此必須寫下他們的名字了。第一位當數隊長郭瀅，他如此繁忙還堅持開車，有時還開頭車探路，十幾小時在對講機裡指揮，把嗓子也喊啞了；另一位出色的指揮者是馬大立先生，我們此行數萬里的路面大多數由他一公里一公里地開闢著，他的助手歐陽少輝也功不可沒；陳吉勇押尾車，不僅需要察看車隊後方的情況，還要統觀車隊整體狀態，由他在後面大家都覺得安心。我坐的四號車由李兆波駕駛，一個威風凜凜的男子漢，日日夜夜的生死與共和我結下了深厚的友誼。我們前面的三號車的駕駛員是王崢，一個能說一口地道北京話的香港人，以熟練的技術和快樂的性情讓大家高興。除他們之外，崖國賢和謝迎也駕了很長時間的車。

我們一行中好幾位小姐都是駕車好手，但早就規定，絕不讓她們碰駕駛盤，她們百般無奈就當起了「副駕駛」，坐在駕駛員旁邊的前座上，手持對講機指揮後面的車輛。節目主持人李輝一來就在三號車上指揮四號、五號車，用語的果斷、準確立即能讓人判斷她本人的駕駛水平。編導劉星光小姐在車隊越過危險區的那晚沒放下過對講機，前面路上的一切險情都是靠她一點點發現、一句句描述的。趙維小姐雖然發號施令不多，卻也總是平穩而及時地告訴尾車該怎麼行駛。結果，半夜到達住地，往往是所有的人都累得上氣不接下氣，步履蹣跚地搬運行李。

今晚到巴特那，進城後更開不動車，好不容易寸寸尺尺地挪到了一家這裡比較好的旅館，胡亂吃了一

點什麼便倒在床上，但蚊子成陣，順手就拍死二十幾隻，滿牆血跡，聽見隔壁也在拍。忽然一條狗叫了，一條條全叫起來，到最後我相信全城的狗都叫了，一片淒烈，撕肝裂膽。

完全沒法睡了，便起身坐在黑暗中想，這些天的經歷實在終生難忘。在埃及的尼羅河邊已經覺得不行了，沒想到後來還看到了伊拉克和伊朗。但與這兒一比，伊朗簡直是天堂。伊拉克再糟糕，至少還有寬闊平整的道路可走，乾淨火燙的大餅可吃，但在這裡看見的，只是三個極端：極端的貧困、極端的混亂、極端的骯髒。很難相信這是一個有人管理的社會，那些熱熱鬧鬧地選出來的官員們不知在忙什麼。

我真誠地希望，眼中所見只是一些外層，只是一些片面，我們確實也沒有時間作更深入的調查，但自身的經歷卻又告訴我們，街邊路頭的景象、普通人群的神貌，比很多文章和調查報告更能反映一個社會的本相。何況，我們這次並沒有故意地深入他們的僻遠地區，而是橫穿了號稱富饒文明的整個北印度，面對的是聲名顯赫的恆河平原！

這個阿育王的首府一定有很多文化遺跡，但一看行路情況已提不起任何尋訪的興趣，那就對不起了，偉大的阿育王，我們明天只好別你而去，去尼泊爾。

尼泊爾。

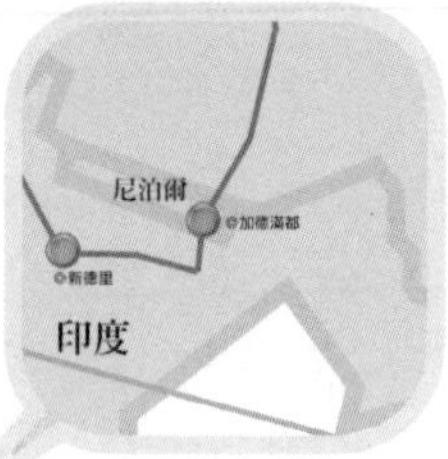

九四　車輪前的泥人

一九九九年十二月二十四日，由印度至尼泊爾比爾根傑，夜宿Makalu旅館

從印度到尼泊爾的出入關口，辦手續的時間花費了整整七個半小時。

每個邊關都有不同的景象。同樣是印度，與巴基斯坦接壤處擺盡了國威，但與尼泊爾就不同了，來來往往挺隨便，只是苦了我們第三國的人。

這兒是一條攤販密集的擁擠街道，路西跨過污水塘和垃圾堆，有一溜雜貨鋪和油餅攤，其中一家雜貨鋪隔壁是一間破舊的水泥搭建，近似二十幾年前中國一些城市工人住宅區的公用電話棚，上面用彩色的英文字寫著：印度移民局。再過去幾步又有一棚，更小一點，上寫：印度海關。進去有點困難，因爲有兩個成年男人在海關牆頭小便，又有一家人坐在移民局門口的地上吃飯。剛撿來的破報紙上放著幾片買來的油餅，大人小孩用手撕下一角，沾著一撮咖哩往嘴裡塞。進移民局要跨過他們的肩膀，而且一腳下去黃塵二尺，但他們倒不在乎。

不知道這樣的小棚裡爲什麼會耗費那麼長的時間。印度辦完了，過幾步辦尼泊爾入關手續，時間更長。我們的車沒地方停，就停在對面路邊的攤販堆裡，把幾個攤販擠走了。路上灰塵之大，你站幾分鐘就能抖出一身煙霧。很多行人戴著藍色的口罩，可見他們也不願吸食灰塵，但所有的口罩都已變成藍黑色，還泛著油亮。大家都無法下車，但在這麼小的車上乾坐七個多小時也是夠受的。我乾脆就站在黃塵中不動

了，定定地看著四周，似想非想。袁白、陳吉勇搖下車窗問：「教授，這麼大的灰塵你一直站著，想什麼了？」我回頭一笑，搖搖頭，繼續站著。

李輝善良，老是給我講一些她小時候的故事，這些故事都還有貧困的背景，希望把這些天我們滿眼的憂鬱沖淡一點。但她哪裡知道，她太年輕，我們經受的一切比她講的嚴重得多，然而即使是我們的那一些，也沖淡不了這些天的所見所聞。由李輝，我想起了前幾任輪流參與過這次旅行的主持人。戈輝面對埃及和巴基斯坦的一些社會景象已經圓睜起她驚愕萬分的雙眼，魯豫在伊拉克和伊朗已經一次次地義憤塡膺，廣美在巴基斯坦的險途上已經顛得脖子不是脖子腰不是腰，嘿，都還沒有嘗過恆河流域的味道。

這幾位小姐都有常人難以想像的吃苦能力和冒險精神，我相信她們的身體能夠承受這裡的艱辛，承受不了的，是眼睛和心靈。

我轉身，退到車隊邊，用腳叩了叩我們的車輪。這原是一個百無聊賴的動作，但一叩卻叩出了一番感嘆。我坐在它上面好幾個月了，它一直在滾動。滾過歷史課本上的土地，由它先去熨貼，再由我們感受。埃及文明、希伯來文明、兩河文明、波斯文明、印度河——恆河文明……眼前已是尼泊爾，尼泊爾並不是一個獨立文明的所在，它對我們來說只是通向喜馬拉雅山的過渡。那麼，這個灰塵滿天的嘈雜地，這個大家都不願落腳下地的處所，正是我們國外考察的實際終點。終結在這樣一個地方，我不能不長時間站立，哪怕黃塵把我灑成一個泥人。

這個緊貼車輛站著的泥人此刻口中囁嚅，又不知要說一些什麼。

文化與文明在我心中範疇很大，最終歸結於一時一地群體性的生態方式和精神方式。我早就知道即使再淵博、再精細的書本也有一種整體上的不可靠，因此長年著意於實地尋訪。我的實地尋訪雖然扯痛了一些文化慣性而引起某些反彈，但仍然只是同一種文明圈域之內的事，對尋訪範圍的擴大正是我多年來的企望。但是，我確實沒有預料到這樣一個結果。

包圍你的確實是群體性的生態方式和精神方式，而且不僅僅是一種文明。一種種輪著看過來，最後讓尋訪者成了一個站立街頭不知說什麼才好的泥人。

我以往在談論文明的時候雖然也有一些嘆息和感慨，更多的卻是樂觀和信心，如果不是，就沒有理由發出那麼多聲音。但今後呢？我還要不要繼續那種談論？

身邊過來幾個人，中國人，而且都是江浙口音，是中國水電公司的，在尼泊爾建造一個旱碼頭，從他們巴基斯坦同事那裡得知我們的行程，趕過來迎接，誰知陪著我們等了七個多小時。他們對我說，光看電視不知道，這麼陪一次，才知道你們一路是多麼辛苦。我說，最苦的不是這個，而是所見所聞。

辦完尼泊爾入關手續後早已是黑夜，走不遠就到了邊境小城比爾根傑（Birganj），投店宿夜，打聽明白城裡最好的旅館就是這家麥卡露，便風塵僕僕住進去。我的房間在二樓，對街，一進去就覺得有點不對，原來少了三塊窗玻璃，街上的所有聲音，包括濃烈的油咖哩氣味直衝而入。我要寫作，這樣肯定不行，正

待去問有沒有可能換一間，突然傳來震耳的鐘聲。鐘聲一直不停，不知發生了什麼緊急事件，好不容易找到一個侍者，他說這是對面印度廟的晚鐘，要敲整整一個小時，明天清晨五時一刻，還要敲一個小時。

這鐘聲如此響亮，旅館裡哪間房都逃不了。大家都從房裡走出，不知該怎麼辦。有人說，派人去廟裡交涉一下，給點錢，請他們少敲一次。但誰都知道這是不可能的。宗教儀式已經成爲生活習慣，這個城市哪天少一次鐘聲，反而一切會亂，比月蝕、日蝕都要嚴重。

在嗡嗡隍隍中過一小時實在不容易，我很想去看看那個敲鐘的人，他該多累。突然，時間到了，鐘聲嘎然而止，天地間寧靜得如在太古，連剛才還煩惱過的街市囂喧也都變得無比輕柔。那就早點睡吧，明晨去加德滿都，搶在五點鐘之前出發，逃過那鐘聲。

九五　本來就是一伙

一九九九年十二月二十五日，尼泊爾加德滿都，夜宿Everest旅館

從比爾根傑到加德滿都，相距二百九十公里。車開出去不久大家就不再作聲，很快明白，昨天在比爾根傑遇到的困境基本上屬於邊境性的遺留，眞正的尼泊爾不是這樣。

首先是色彩，滿窗滿眼地覆蓋進來，用最毋庸置疑的方式了斷昨天。我們的色彩記憶也剎時喚醒：希臘是藍色，埃及是黃色，以色列是象牙色，伊拉克是灰色，伊朗是黑色，巴基斯坦說不清是什麼顏色，印度是油膩的棕黑色，而尼泊爾，居然是綠色！

我們已經貼近喜馬拉雅山南麓，現正穿行在原始森林，這兒的地勢高低起伏，層次奇麗，山谷裡有從雪山流下來的河道，現在水流不大，河床上不著水的部分一片白沙，中間則寬寬窄窄地一脈晶亮。天空立即透明，像是揭去了一塊陳年的灰布，只聽對講機裡傳來李輝的聲音：「秋雨老師，快，搖下車窗，好好吸幾口新鮮空氣！」其實早就搖下了，正貪著呢。

路也好了，不再擁擠，所有的司機見到我們的車隊都減速禮讓，友好地點頭，這是我們從未有過的待遇，於是每輛車都伸出手來向那些司機表示感謝。路過一個小鎮，我們不問緣由地停車了，只想看看。

尼泊爾還是貧困，但很乾淨。有人掃街，有人洗衣，沒有見到一個逢人就伸手的乞丐，也沒有見到一個無事傻站著的閒漢。每個人都有自己的事情在忙，小孩背著書包，老人衣著整齊，一派像過日子的樣

子。我們從兩河流域開始，很久沒有看見正常生活的模樣，猛然一見，痴痴地逼視半天，感動得想哭。

幾位小姐手舞足蹈地過來，像是遇到了什麼喜事，只聽她們在說：路邊竟然有一個小廁所，地上濕漉漉的像是今天剛沖洗過，廁所門口有一個井台，用力一按就能洗手！

很快就到加德滿都。其實費時不少，但一路享受，只覺其快。加德滿都是端端正正的一座城市，多數街道近似中國內地的省城，但幾條主要購物街的溫馨氣氛，則連中國著名的旅遊城市也很難比得上。我們結伴去了著名的泰米爾街（Thamel），以賣本地工藝品、茶葉、皮衣爲主，又有不少書店，熱鬧而不哄鬧，走起來十分舒心。回憶我們這一路過來，只有雅典的幾條小街能與它相比。

泰米爾街深處有一個叫Rum Doodle的酒吧，全世界的登山運動員都知道它。進門轉幾個彎，到一大廳，燃著一個大火塘，桌椅圍列，火光照亮牆上貼滿的腳印字牌，哪個登山運動隊凱旋了，在這裡留下一個，寫明攀登了哪個高峰，海拔多少，參與者是誰。現在正是冬季登山的好時光，今夜，這個熊熊的大火塘，還會燃起在雪山絕峰棲宿的勇士們夢中，過幾天，這兒又會響起他們的笑聲。

推門進去時，酒吧已經很熱鬧，我們坐下後覺得一切稱心，便決定在這裡好好把很多日子來的煩悶掃拂一下，於是呼酒喊菜、歡聲笑語，立即變成了酒吧的主角。我們的長桌邊上有一個小桌，坐著幾個英國人，背靠我坐的是一位中年女士，她看著我們已經樂了一陣，終於輕聲問我：「能問你們來自哪個國家嗎？」

「中國。」我回答。

「中國？哪個部分的中國？」她又問。

我知道她的意思，便說：「每個部分。你看，大陸，香港，還有……台灣！」

我稍有停頓，因爲想到孟廣美剛走，但我又大聲地說出台灣，因爲曾靜漪已在喜馬拉雅山腳下等候，在她之後，吳小莉將接過去直達長城。她們都來自台灣。

「你們……怎麼會在一起？」英國女士大爲驚訝。

「我們一直在一起啊。」我對她的驚訝表示驚訝。

英國女士立即與同桌交頭接耳一陣，於是全桌都轉過臉來看著我們。我們今夜不開車，大家都喝了一點酒，情緒更高了。

這幾個英國人的眼神使我聯想到那次在巴基斯坦邊境，移民局的一位老人拿著我們的一疊護照，先把大陸護照和香港特區護照反複比較，然後抽出了孟廣美的台灣護照。他把廣美拉過一邊，問：「你怎麼與他們一起走？」

「我們本來就是一伙嘛！」廣美回答。

這件事一定超出了老人十分有限的中國知識，他看廣美如此坦然，怕再問下去反而自己露怯，只得聳聳肩，很有禮貌地把辦完手續的護照推到廣美眼前。

接到香港來的長途電話，鳳凰衛視董事長給大家送來了聖誕禮物，小姐每人一條克什米爾羊毛圍巾，男士每人一把尼泊爾武士彎刀。那種彎刀我見過，很過癮。

九六　萬仞銀亮

一九九九年十二月二十六日，尼泊爾加德滿都，夜宿Everest旅館

晚上入住旅館，不以爲意，到後半夜有點涼，起床加了一條毯子。早晨發現，涼意晨光都從頭頂進入，這才看見，我這間房兩面是窗，床頭的窗戶最大。從窗簾縫中看見一絲異相，心中怦然，也許是它？伸手嘩啦一下拉開窗簾，還有什麼懷疑，果然是它：喜馬拉雅！

還是趿著拖鞋找侍者，以求證實。侍者笑道：「當然是它，但今天多雲，看不太清。」

喜馬拉雅，我眞的來到了你的腳下？

從小就盼過多次，一直想像著從西藏過去，從未想過把它當圍牆、國門，我從外邊來叩門！按說我們出國並不太久，但這次叩門爲什麼在心中覺得無比隆重？

這次我們眞正走了遠路，心理距離比實際距離更遠，因爲加添了歷史，加添了陌生，加添了驚訝，加添了沉思。

說不清哪兒是眞正的國門，但是門由路定。這次我們走的這條路，是人類文明的路基所在，因此即使再冷再險，也算大門一座。以世界屋脊作門檻，以千年冰雪作門楣，這座國門的高度和氣派，當然是世界之最。

我不知出國多少次了，但中國，你第一次以如此偉大的氣勢矗立在我眼前。應該是銀白色的群峰，但

我現在看去，是雲蒸霞蔚下藍褐色的剪影。回想幾個月來，爲了尋找希臘文明的源頭，我們來到埃及，爲了尋找埃及文明的源頭，我們又來到兩河流域；在兩河流域發現了波斯文明的蹤影，隨即追尋而去；然後，又跟著波斯文明的張力所及，我們追尋到了印度河、恆河文明——這一切，鐵血恩怨、興亡舊帳，與中華文明都關係不大，或者說都發生和了結在中國版圖之外。因此，我在那片遼闊無垠的土地上千里遊蕩，儘管也熟悉不少歷史典故，卻總是感到一種難言的陌生。這下終於明白，不是距離的遙遠，也不是時間的漫長，才會產生痛切的思念，眞正的痛切是文明意義上的陌生，眞正的思念是陌生中的趨近。過去我在國外一年半載習以爲常，而這次投入整體性考察就體驗到一種根本性的差異。由此愈加想念起中華文明來，即使發現時差少一小時也興奮莫名。

記得法顯大師去國多年後在錫蘭發現一片白絹，一眼判定是中國織造，便泣不成聲。喜馬拉雅，今天你在我眼前展現的，不是一片白絹，而是萬仞銀亮。

我們還會在尼泊爾尋訪一些古蹟，但我心意已定：一切尋訪都圍著喜馬拉雅山轉，只是以不同的角度仰望它。在仰望的時候還要細想，它擺開這麼雄偉的架勢，究竟阻隔了什麼？衛護著什麼？

然後，我們一起走近它，找到中國的國界，一步跨進去，時間該是新的世紀、新的千年剛剛來到的那一刻。我現在還無法想像到時候的情景，唯一可以肯定的是，我們千禧之旅的國外部分，就此結束。

我爲自己參與了這個飽含重量的旅程感到驕傲。旅程中的所見所聞，一輩子都會享用不盡。我的人生

行爲方式找到了一個轉折點。

一路上幾乎所有的人都擔心我的身體。其實我素來身心健康，只是因爲內行一聽便知我們這次旅行比汽車接力賽還要勞累，而我的習慣形象是一個文弱書生。鳳凰衛視董事長劉長樂先生和台長王紀言先生每次給車隊來電話第一句總是問候我，而海內外我的讀者只要有機會打電話給鳳凰衛視的，也總是同一個話題。昨天，隊長郭瀅對我說：「你這次算是經受了一次最徹底的健康檢查。」我笑了：「檢查健康何須這樣麻煩？」

聯想到一個笑話，一個青年做婚前健康檢查走錯了房間，接受了招收飛行員的健康檢查，整整一星期，連半空轉圈都做了，他最後的嘟囔和我一樣：「檢查健康何須這樣麻煩？」

不管怎麼說，我終於一步不落地走完了國外的全部路程，而且自從在埃及坐上吉普車後沒有動用過別的交通工具。我們雖然不是步行，卻是緊貼著地面一步步顛回來的，一步也沒有取巧省略。按照鳳凰衛視原先的計劃，只須我蜻蜓點水或局部跟隨，但我就賴著不走了。

然而，到了國內就遇到新的問題。那條路線我早就熟悉，多次去過，還寫過文章，這次再走一遍能有新意嗎？而且一路少不了應酬，麻煩甚多。正好劉長樂、王紀言兩位先生來印度，告訴我根據觀衆要求，希望著手做一個出自千禧之旅的歸納性專題。這就需要我擴大考察研究範圍，只能與車隊分分合合了。專題思考的筆記，不再逐日寫作、逐日發表，已發表的日記，最好在車隊抵達北京的當天就交付出版。

那麼，我的這次連載，也將在寫完新世紀第一天的日記後截止，正好一百篇，十個國家。今天到截止

還有好幾天，我將在最後幾篇日記中把這次考察的感受梳理一下。手邊仍然沒有任何書籍和資料，很難梳理得清。好在窗口有喜馬拉雅山，可以天天對著它出神。

九七　沒有例外的衰落

一九九九年十二月二十七日，加德滿都，夜宿Everest旅館

開始梳理一路感受。

歷史感受和現實感受很難分開，因爲文明本身就有上下的粘連性。

有一個事實似乎不必違避：我們這次見到的人類幾大文明發祥地，都已衰落，無一例外。

相比之下，希臘的情況較好。雖然它的國力目前在西方世界處於衰勢，也不再是國際文化中心，但希臘文明並沒有衰亡，不僅仍然在世界範圍內傳播和闡揚，而且作爲這種文明的直接後代也能理解和繼承。它的衰落只表現爲沒有能夠保持當初的繁榮勢頭，但又有哪種文明能一直保持繁榮幾千年呢？希臘的悲劇在於，別人可以藉著它遠年的輝煌而復興，而它自己卻一直沒有復興起來。至於希臘當初衰落的直接原因我看是兩個，一是雅典人與斯巴達人曠日持久的政治內耗，二是既要迎戰外敵，又要不斷遠征，造成致命勞損，但這與希臘文明的內在品性關係不大。這樣的背景使今天的希臘人在冷落中閒散自如、與世無爭，要爭也只是爭一點歷史榮譽和遺物歸屬而已，如奧林匹克和巴特農，卻又適可而止，顯現出一種年邁的健康。

埃及文明就不一樣了。一開始就缺少明徹的理性，沉醉於自負的神秘。當它以龐大的雄姿切斷了被外部世界充分理解的可能，其實也就切斷了自己的延續使命。底比斯（今盧克索）奇蹟的締造者們只希望自

己以木乃伊的方式長存於世或再度復活，沒有對後嗣的延續作切實的安排。這些霸占了文明主宰權的法老又喜歡征戰，早在公元前十五世紀就已稱霸西亞，這對自己神秘的文明結構有損無益。待到地中海貿易重心由南移北，它就風光不再；但不遠不近的地理位置又使它成爲波斯人、希臘人、羅馬人、直至阿拉伯人輪番討伐的對象。昔日的輝煌使每一個占領者都力圖割斷它的歷史，結果幾度下來，古文字無人能識，古文獻無人能懂，本體文明幾近湮滅，只剩下盧克索的尼羅河西岸一些據稱純種的「法老人」後代在不斷叮叮鐺鐺地修復著祖先陵墓，供外人參觀。

在四千多年前就已充分成熟的兩河文明以商業爲主幹，並從商業文明伸發出了以《漢摩拉比法典》爲標誌的法律文明。但這種文明整體傾向實用，缺少深厚的人文基座，精神單薄、道德失控、享樂至上，文明更多地表現爲財產的分配和爭奪，因此直接誘發大量戰爭。農業文明、遊牧文明對商業文明的毀滅是不留餘地的，彼此的報復更是比賽殘酷。在很長時間內，巴比倫、亞述等地已無所謂文化良知，觸目皆是非人性的行徑，這眞是對漢摩拉比的莫大嘲諷。兩河文明也把由商業推動的數學、天文學成果曲曲折折地留給了世界，但在本地，正如不少歷史學家評價亞述的窮兵黷武時指出的，戰爭首先摧毀一切高層文化，然後又剝奪一個民族中最勇敢、健康的生命，結果總是留下一大堆失去文化的萎弱軀體，去承受種種荒唐。爲此，我們站在修復得嶄新的巴比倫遺址前，感到一種難言的荒涼。

希伯來文明崇高而充滿憂傷、堅韌而缺少空間，從一開始就處於動盪不安的流浪之中，因此把宗教當作了自己的疆土。但是這種缺少實際疆土的文明終究難於建立起眞正屬於自己的大格局，可以滲透廣遠卻

又處處受制，永遠處於自衛圖存的緊張之中。然而也正因爲缺少實際疆土，它也不容易像其他文明一樣土崩瓦解，而總是進退盈縮、悠悠不絕、前景難測。這也就是爲什麼，耶路撒冷總讓人一言難盡，簡直成了我們這次旅程中一個小小的思維陷阱。

波斯文明是另一種類型，幾乎是依靠著兩個偉大君主的個人魅力才巍然立世的，如果沒有居魯士和大流士，它可能很難躋身幾大古文明之中。我在波塞波里斯的廢墟中停留最久，遙想著這兩位古代亞洲巨人是如何把他們知道的世界逐一納入朝貢者名單的，但也不能不在夕陽殘柱間感慨：這畢竟只是天才們的私人霸業，很難繼承和延續。他們身後，已是一派充滿脂粉氣的無能，更不待說今天那裡早已是外來文明的天下，很少有人記得古代波斯的赫赫雄風。

至於印度河——恆河文明的衰落，我看在內部的原因上，至少有一半與宗教迷誤有關。輕視生命、厭棄人世、不負責任，最後甚至連腐朽、惡濁和奴役都能容忍，這就大大降低了文明自身的力度，以至良莠不分，當智慧程度最高的佛教也終於被剝蝕之後，它就自然地淪爲被奴役者。外來勢力的殘暴使低層貧困的苟且生態愈加蔓延，即使時時爆發民族自尊，卻也已喪失文明的尊嚴。

兩千年前的幾大文明，各家都有一本難念的經，衰落得合乎邏輯，卻畢竟讓人驚心。我在喜馬拉雅山的南麓梳理這些感受，很想說得婉轉一點，卻終於未能如願。

九八　遠征和失序

一九九九年十二月二十八日，尼泊爾博克拉，夜宿Fish Tail Lodge旅館

從加德滿都向西北方向走二百公里山路，便到了美不勝收的博克拉（Pokhara）。據說很多西方老者願意在這個山高路險的小地方了此殘生，韓素音女士寫過的那座還年輕的山，也在這裡。

喜馬拉雅山爲它擋住了北方的寒流，讓天下的花樹盡在南坡的陽光下燦爛。但依傍著雪山它又不可能炎熱，剛剛溶化的雪水使這裡的水道成爲南方一切大河的上游。

我們乘坐一種拉纜浮筏渡過了清徹寬闊的雪水河，住進了山腳下的一家叫做魚尾山屋（Fish tail lodge）的旅館。伙伴們被這兒的美景所吸引，各自走散了，我則在山屋附近漫步，繼續梳理我一路的感受。

此處已經有點冷，現在我在火爐邊拿起了筆。

昨天勾劃了幾大文明衰落的各自原因，但是，總應該還有一些共同規律吧？找出了這些共同規律，實際上也就找到了中華文明長期延續的原因，只不過兩者正好相反罷了。

我們看到的每一個文明發祥地，在地理位置上幾乎都被荒昧之地覬覦和包圍。文明的重大發端都是奇蹟，而奇蹟總是孤獨。它突然地高於周邊生態，這是它的強大，也是它的脆弱。文明以自己的繁榮使野蠻勢力眼紅，又以自己的高雅使野蠻勢力自卑，因此野蠻遲早會向文明動手，而一旦動手，文明很容易破

碎。因此我們看到了，任何文明都要爲自己築造那麼多城堡。

當文明的力量汲取了太多的血淚教訓，也會主動出擊，開始是想以野蠻的手段阻擋野蠻，久而久之，遠距離征戰漸漸成了某些文明的癖好。它們一時變得強健而雄壯，但歷史最終記下了一個結論：任何軍事遠征，都是一種文化自殺。因爲各個文化都有自己的體量定位，沒有邊界的文化就像沒有皮膚的肌體，豈能生存？這一點，不僅埃及、波斯有過教訓，連「泛希臘化」的遠征也沒有對希臘文化帶來好處。

征戰一旦勝利一定伴隨著文化奴役，這對被奴役的文化是一種毀滅性的摧殘，這我們在埃及、耶路撒冷、巴比倫、伊朗、印度都看到了。但是另一方面，勝利者的文化也未必勝利，因爲它突然成了奴役別人的武器和工具，必須加注大量非文明的內容，到頭來只能是兩敗俱傷。

得出這個結論後我再一次感到欣喜，因爲我們中國古代的君王都不喜歡遠征別國。當然這與他們自以爲天下中心的觀念有關，但這種觀念本來也有可能成爲進攻別人的理由的。中華文明從根上主張和平自守，我們從小就會背誦的杜甫的那幾句詩很能概括這種代代相傳的觀念：「殺人亦有限，列國自有疆，苟能制侵陵，豈在多殺傷。」由此，我也找到了中華文明歷幾千年沒有敗亡的重要原因。

我曾在幾萬里奔馳間反覆思忖：你看在中國商代，埃及已經遠征了西亞；在孔子時代，波斯遠征了巴比倫，又遠征了埃及；即使到了屈原的時代，希臘的亞歷山大還在遠征埃及和巴比倫；而且無論是波斯還是希臘，都已抵達印度……。

總之，在我們這次尋訪的非洲、歐洲、亞洲之間的遼闊土地上，幾大文明古國早已打得昏天黑地，來

回穿梭，沒有遺落。說有遺落，只有我們中國。中國也打，大多只是內部爭權，或掃掃周邊的匈奴之類，與人家一比簡直是徹底的本分。我們民族的第一圖像是長城，那也只是自己的護牆而已。這次我坐的吉普車上有一盤錄音帶，反覆放了三個月，總是奇奇怪怪的那一句，不知是誰在唱：「孟姜女，哭長城，千古絕唱誰忍聽？」

我每次看了那些遠征軍的城堡、戰壕後回到車上聽到這一句就笑，心想，等這次旅行到達終點，我要向長城敬個禮，因爲我終於明白它的基本含義是安分守己的和平。如此龐大的文明一直採取這個態勢，實在是人類文明的一大幸事。

除戰爭之外，衰落的第二個原因是社會失序。

戰爭對文明的破壞，首先從破壞秩序開始。這種破壞也包括侵略者在動員和組織戰爭時對本國文明進行軍事化的搓捏。即使沒有戰爭，文明自身也無法抵拒失序趨向。多數文化行爲在自我伸發時無法協調自己與別種文化行爲的關係，結果造成大量高智能的紛爭，有時還需要低智能的勢力來進行粗魯調解，這種現象在世界歷史上可以說是比比皆是；更普遍的問題是文明與權力的分離，使兩方面都建立不起自身的秩序系統，遲早在抵牾中失序。文明越高抵牾越強，失序的後果也越是嚴重。這就是爲什麼，現在世界上多數古文明的發祥地在社會秩序上反而遠遠比不上其他地區。

平心而論，對這一點我過去感受不深，只覺得秩序是一種天然存在，差別在於要老秩序還是新秩序。

我們這一代一直在與形形色色的老秩序奮戰，積累了大量這方面的話語。這個體制長、那個體制短的討論其實始終停留在相近的語法系統裡，否則何以討論得起來？但這次考察對我們這批人印象最深的，是比較徹底的社會無序現象。

一千公里、一千公里地看過去，總是有那麼多無所事事的窮人站在堆積如山的垃圾上。讓這些窮人彎下腰來把垃圾清除掉，然後給一點酬勞，酬勞來自合理的稅收，這就是社會管理，說起來容易，但能夠做到的地方卻很少。既不是在貧民窟，也不是在難民營，更不是地震之後，或洪水剛過，而是好些國家的基本民生狀態歷來如此，這就不能不讓人震驚了。

一代代下來，很多窮人已失去勞動習慣，肥沃的田野沒什麼人在耕作。極少數人暴富，住在城裡，其中幾個在玩政治。以前在電視裡見過的一些風度翩翩的政治人物，都被對手指控爲大貪污犯，但對手也相差無幾。更可怖的是，怎麼選舉、怎麼投票，總也逃不出這幾個圈子，這幾個家族。赤地千里，餓漢遍野，與他們無關。於是，不僅道路破敗、衛生惡劣、人口爆炸完全沒有人管，而且還有那麼大的區域不在政府軍警控制之內，有些地段政府只能控制一些主要公路，路邊的廣闊土地完全是不知所云的世界。

我一再站在這樣的土地上傻想，究竟是什麼樣的社會改革，才能解決問題呢？面對眼前的一切，我甚至對以前覺得不應該採取的強烈手段，也可以理解了。想一想，怎麼才能使這密密層層蓬頭垢臉、目光呆滯的人群成爲社會進步的正面力量，然後讓他們送自己的孩子去接受教育呢？這是文明的起點，居然直至二十世紀末世界上還有那麼多地方沒有進入，很多地方還是古代文明的發祥地。

無序對文明的葬送，比其他任何力量都嚴重，甚至超過戰爭。這裡邊有一些令人傷心的邏輯，即有些無序是文明本身帶來的。例如文明會吸引野蠻，文明會助長霸業，文明會滋生無聊，文明會提供紛爭的藉口、衝突的依據、攻陷的邏輯，文明會養育敏銳的刀筆、陰鬱的計謀、激憤的口舌等等，但到頭來損害最大的還是文明。因此，對一種悠久漫長的文明來說，爲了避免無序的損害，唯一的辦法是組建一個既有文明職能、又有管理權力的體制。中國古代通過科舉取仕而組建文官體制的辦法實行一千三百餘年，有效地維持了中華文明的秩序。這種秩序既有積極方面也有消極方面，我在〈十萬進士〉一文中曾作過系統分析，而這次到其他幾個文明發祥地一看，更明白那實在是我們祖先的一個天才創舉。那些文官，很少接到上級政府部門的有效管理指令，卻熟悉儒家文化的道德規範和政治理想，主動自覺地行施權力，而這種權力又有明確的文化指向。正是這樣一個嚴密的網絡，保證了中華文明的延續。雖也曾病衰，卻未曾崩潰。

九九　迷昧與保守

一九九九年十二月二十九日，尼泊爾博克拉，夜宿Fish Tail Lodge旅館

博克拉的風景之美使我很難靜心寫作，老是東看西看，直到夜間才安定。昨夜我乾脆滅了燈，點燃桌上的蠟燭寫作，想到這是在雪山下的一間山屋裡，覺得眞是奢侈。

今天清晨，我又獨自早起，過河去看被旭日染紅的雪山頂端。拉筏工人雙手拉起在河水裡浸了一夜的冰冷繩索，對我說：「你眞幸運，雪山被雲罩了五天，今天才露臉。」

雪峰下萬籟俱絕，我還在延續昨天的思考，尋找著幾大古代文明衰落的原因。

我想，人類的古文明除了被遠征的馬隊拖垮、被野蠻的戰火焚毀、被無序的亂腳踩踏、被紛爭的怒氣掩埋外，還有不少導致衰落的自身原因，例如迷昧和保守。

文明需要鑽研，因此又極容易鑽牛角尖；文明需要自重，因此又極容易排他；文明需要傳播，因此又極容易誇張——這一切都會導致迷昧，而種種小迷昧如果膨脹成大迷昧，則又成了自我毀損的災難。這種情況最集中地體現在某些宗教狂熱上，我們這次在一路上感受極深。

大凡高層文明總以理性爲基石，包括宗教在內。例如我們最近逐一拜訪的釋迦牟尼山洞苦修、樹下悟道、開壇講學的一系列遺跡中，就看不到迷信和偏激的痕跡。其他宗教在創始期大多也清朗可鑑，但時間

一長，信徒一多，就會在內外爭逐中發生蛻變，尤其在編製神話、排斥異端、約束行爲、解釋教義等方面很可能走向極端，甚至會發動宗教戰爭、釀成人間慘劇，有時在同一個宗教內部也血流成河。回想人類歷史上有多少屍橫遍野的場面與宗教戰爭和宗教征服有關？這實在是與宗教創立者的慈善原則完全背道而馳了。

在這次考察中我一再看到，使古代文明遭受最大損害的，莫過於宗教戰爭，這是因爲，宗教戰爭是一種精神掃蕩，專選別人的文明動刀。爲此，連印度靠宗教征服而掌權的莫臥兒王朝統治者阿克拔大帝都天眞地企望各派宗教聯合互溶成一個新的宗教。他當然沒有做到，但遺憾的是，我們走了這一路，目睹宗教紛爭仍是當今世界的一大麻煩，而到下個世紀也很難樂觀。我們走的是古代文明發祥之路，但活生生的宗教紛爭也超過世界上任何其他地方，實在令人長嘆。

有些宗教還滋生出另一種惡果，那就是無視正常的生命價值、生活質量和社會進步，使大量的人群只考慮生前和死後的事，把現實人生過得一塌糊塗，不忍卒睹。在北非和西亞的一些地區，尤其是在南亞，那些龐大的極度貧困群體的生活方式，完全不像我們曾經見過的貧困，而是表現出一種漠然於教化和勸諭的故意，這顯然已經不全是經濟、政治原因，而與長期的宗教誤導有關了。作爲一種巨大的滯後力量，這已經一再地造成自己民族的文明衰弱，而且會繼續抑制和毀損其他文明。我這麼說，一點也不影響自己對人類歷史上那些崇高的宗教精神的尊敬。這些宗教精神曾開掘和維持了人類的高貴內質，協調了人與宇宙的和諧關係，並創造了燦爛的藝術天地，永遠是人類文明的瑰寶。

中華文明缺少崇高的宗教精神，這是事實，卻也因此避免了宗教迷昧的全方位侵害。中國文化自古至今都「重實際而黜玄想」，從內容到形態都誠實入世、經世致用，不怎麼追求彼岸世界的縹緲圖象，因而也擺脫了離開此岸世界後淹沒在水中的危險。中國以虛懷若谷的態度接受了佛教，但在古代一般仕人中，往往是立足儒學、兼信佛道，而且對佛教也作了靠近親情倫理的改造，那也就緊貼著現實生活又時時受到現實生活的檢驗了，不大可能再陷入整體性迷昧。

文明衰落的另一個自身原因，是保守。

文明越偉大，就越有理由保守，但保守是違背文明本性的。文明的本性是什麼？在我看來是建立一種維護創造的秩序。保守留下了秩序，丟掉了創造。這種情況往往無可避免，因爲多數古代文明的發達都與專制君主的支持有關，不管是對內的政治需要還是對外的征戰需要和自衛需要，都會導致文化的保守形態。兩河的巴比倫文明和埃及的法老文明延續很長時間卻不大有變化，便是例證。

一種在輝煌時期都缺少變化的文明，怎麼能在以後正常發展呢？當主體文明不再具有創造力，那麼，只要特殊的保護因素一旦失去，就必然會讓位於低層文明、原始文明，就像印度在戒日王之後便出現了佛教漸漸讓位於印度教的勢頭。相反的例子是，歐洲文藝復興運動雖然不以希臘爲中心，卻雄辯證明了希臘文明這樣的古代文明一旦賦予新的創造活力將會產生何等壯美的結果，可惜這樣的復興沒有在其他幾個文明中出現。

這中間，許多文明的捍衛者往往成爲這種文明的葬送者。埃及的那些祭司，印度的那些僧侶，甚至包括現代的一些原教旨主義者，都是這樣的角色。一種既往文明不管曾經多偉大，進入不同的時間過程和接受群體之後必須尋找自己新的生命支點。在這一點上，幾大文明似乎都缺少彈性。兩河文明只針對當時實用，彈性很小自可想像；埃及文明如果不說淪喪也只能說是處於一種封存狀態，印度文明則在早已失去創造力的情況下被隔代耗用，連封存原樣的可能也沒有了。

中華文明的基本面也是相當保守的，這使它一再地產生危機，但是，它又隱藏著一種內在彈性，使保守不至於抵達脆折的程度。這種內在彈性就是「和而不同」的包容精神和「中庸之道」的平衡原則。這種精神和原則，既避免了排他又避免了極端，使中華文明一再從危機中脫身而出。在中國文化領域，從古到今都產生了大量態度極端的保守主義者，但事實證明，這些人總是遲早因極端態度而被人們遺棄，結果連同他們的保守主義也很難長久成氣候，更不待說由他們整個兒來埋葬中華文明了。中華文明常常既使創新者頭疼，也使保守者頭疼，這種有趣狀態中也埋藏著它歷久不衰的另一個原因。

據我觀察，此間還有一個有趣的邏輯。保守者總是指責創新者破壞秩序，但慢慢大家看到，在社會轉型期，眞正擾亂秩序的反而是保守者；無論是中國社會和中華文明都有趨向秩序的本性，因此僅僅爲了秩序，保守者在社會轉型期也難以得勢。

一〇〇 中國牛的眼神

一九九九年十二月三十日，從博克拉返回加德滿都，夜宿Everest旅館

今天早晨又痴痴地看了很久喜馬拉雅山脈一座座被旭日映紅的雪峰，然後出去藍毗尼（Lumbini），釋迦牟尼的誕生地。

這條路漫長而又艱險，但幾步一景，美不可言。一邊是碧綠的峭壁，一邊是浩蕩的急流，層巒疊嶂全是世界屋脊的餘筆，一撇一捺都氣勢奪人。可惜藍毗尼太靠近印度，大家都不喜歡的景象又出現了。要進入佛祖誕生的那個園地非常困難，眞該好好整治一下。好在我們已經看了尼泊爾很多地方，對這個國家有信心，相信過幾年就會改變。

一百多年前英國考古學家在這裡挖掘出一個阿育王柱，上面刻有「釋迦牟尼佛誕生於此」的字樣。阿育王離釋迦牟尼的時代不遠，應該可信。現在園地水池邊立有一塊牌子，上面用尼泊爾文和英文寫著：著名的中國旅行家玄奘到這裡後，曾經記述藍毗尼所處的位置，以及見到的阿育王柱和一些禮拜台、佛塔。

可見玄奘又一次成了聖地的證明人。

我在相傳佛母沐浴過的水池裡洗了手，逐一觀看了一個個年代古老的石磚禮拜台，又攀上一個高坡朝拜了紅磚佛柱，然後離開這個園子，到不遠處新落成的中華寺參觀。中華寺還在施工，我們浙江人造的，趙樸初先生題字，很有氣派。邊上，日本人、越南人都在建造寺院。

至此，我們對佛教聖地的追溯也就比較系統了。記得這次旅行之初，曾緊追不放地尋溯過希臘文明的源頭，到了不少地方；作爲這次旅行國外部分的終點，完整地尋訪了佛教起源史，一頭一尾，堪稱圓滿。

爲了拜訪藍毗尼，我們來回行車六百公里。因此在一路勝景之間，思考的時間很充裕。我還在繼續想著幾大文明衰落的問題，而前幾天的事實證明，越想越避不開這個問題的另一面，即中華文明何以碩果僅存、延綿未衰的原因。

在國內時對這個問題並不敏感，因習以爲常而變得熟視無睹。在歐美旅行時更多地看到中華文明的弊病，由此聯想到我們的前輩學人因感受中華文明在與西方文明交戰中的一再敗落而考察西方強盛的原因，很自然地對中華文明採取了痛心疾首的批判態度。現在看來，我們沒有理由因歷史悠久而自我原諒或自我誇耀，但與另一些古老文明比比不同的發展道路，總還是自我認識的重要方法。只可惜由於種種原因，我們的前輩學人到這一帶來得太少了。

這一路，我已對同伴們多次說過，越走越理解中華文明。甚至可以說，這是在異國他鄉的土地上，補了一門中華文化的百日課程，課程的有些內容，還很觸動感情。

這種情景可以借著一個圖象來說明。在印度很多城市的街頭，晃蕩著一些「神牛」，這些牛不幹任何事情，卻可以隨意去吃一切它們想吃的東西，不管這些東西在店鋪，在攤上，還是在路人的籃子裡。它們走在馬路中心，阻塞了大量車輛，誰也不能驅趕，只能跟在它們後面。極度的特權造成它們極度的隨意，一

派神定氣閒，完全不理會這個世界，連眼神也是絕對的不負責任。對我來說，只有看多了這樣的牛，才反過來眞正認識了從小就看慣的中國牛，才知道中國牛的眼神裡飽含著多少辛勞、服從和溫馴。這也就是說，我在印度的大街上，補上了從小誤讀的那一課。

同樣的道理，我比過去更深刻地理解了祖先們的文化選擇。

從我們這次考察到的這些文明古國來看，它們之間的早期交流都比較密切，甚至還能依稀找出文明往來的線索，而中華文明則由於東亞地理的半封閉結構，基本上獨立發生、獨自完成。發生和完成的依據，不是別種文明的影響，而是自己立足的大地所提供的經濟生活形態。這種經濟生活形態，按照歷史學家許倬雲先生的說法，就是「精耕細作」型。

只有精耕細作，才會在可耕地面積不太大的土地上養活衆多的人口；但正因爲精耕細作，必然強化家族、親緣的聚集，重視安定和延續，厭惡動盪和遷徙。

這一點在沿途仍然可以看出來。我們從西亞、中亞、南亞一路過來，除了像以色列這樣的少數例外，絕大多數農田的耕作情況無法與中國農村相比，要麼大片拋荒，要麼粗收粗種，也很少見到有人在勞動。

中國的難能可貴，在於從勤勞耕作出發建立了一整套精神原則；先秦諸子的偉大貢獻，在於從不同的角度合力完成了一系列與此有關的文化選擇。例如，務實精神、循環模式、自然節律、中庸之道、寬容胸懷、集權思維、民本意識、樂天情趣、安土傾向等等，幾乎都來自農耕文明，又都伸發出了恆久的普遍意義，成爲保證中華文明生生不息的基本規則和約定俗成。這一切是農耕文明的必然產物嗎？未必，我們一

路看到，很多也是農耕文明的國度並沒有這些精神成果。因此還是要深深佩服我們祖先的高明。

這中間，作爲核心形態的儒家文化更值得研究。不謀求玄深體系，不標榜清高出世，不排斥別種文化，只以一種自然的教化方式普及實實在在的良好秩序和理性精神，既包含著社會政治原則，又滲透著倫理道德規範，平靜而有力地起到了安撫人心、穩定社會、維護文明的作用。這是一種似淺實深、似散實精的文化遺產，難怪在希臘時那位學者對我說，研究西方哲學到一定高度總會轉向東方，而研究東方，又總是先被印度哲學吸引，最後在中國哲學中歸結。藉此我也應告訴兩位朋友，更理解他們的文化行爲了。以前雖然也佩服杜維明先生和李澤厚先生的儒學研究，又覺得他們是否過於沉迷古典，其實他們在人文取向上是對的。前年與杜維明先生等在新加坡進行中華文化跨世紀的公開對話，我當時還缺少其他幾個文明古國的參照座標；這次出行前在香港與李澤厚先生長談，也還沒有形成現在的感受。

中華文明的弱點和弊病當然還應該繼續研究、批判和揭示，但此時此刻正是千年之交，千年文明只有它還在延續，說幾句好話還不應該嗎？我的這個反問實有所指，我們學生輩的一些年輕人，不好好讀書，只以否定和嘲笑爲職業，一提祖先就憤恨，眞該勸他們好好開開眼界，知道中國人並不是一個劣等民族，知道自己作爲一個中華文明的受惠者並不容易，切莫狂妄驕慢了。

一〇一 面向自然

一九九九年十二月三十一日，從尼泊爾向中國邊境進發

今天是二十世紀最後一天，也是我們在國外的最後一天。

車隊從加德滿都向邊境小鎮樟木進發。

在車上我想，尼泊爾作爲我們國外行程的終點，留給我一個重要話題，一定要在結束前說一說。那就是：沒有多少文化積累的尼泊爾，沒有自己獨立文明的尼泊爾，爲什麼能夠帶給我們這麼多的愉快？我們不是在進行文化考察嗎，爲什麼偏偏鍾愛這個文化濃度不高的地方？設想一下，如果我們的國外行程結束在巴基斯坦的摩罕喬達羅，或印度的恆河岸邊，將會何等沮喪！

這個問題，實際是對人類文明的整體責問。而且，也可以說是世紀的責問。

世界各國的文明人都喜歡來尼泊爾，不是來尋訪古蹟，而是來沉浸自然。這裡的自然，無論是喜馬拉雅山還是原始森林，都比任何一種人類文明都早得多，沒想到人類苦苦折騰了幾千年，最喜歡的並不是自己的創造物。

外來旅行者也喜歡這裡的生活氣氛，淳眞、忠厚、慢節奏，村落稀疏、房舍土樸、環境潔淨，更不待說空氣新鮮、飲水清徹了。其實說來說去，這一切也就是更貼近自然，一種未被太多污染的自然。

相比之下，一切古代文明或現代文明的重鎮，人們倒反而不願去了，大多因爲工作需要，才留在那

裡。那裡人潮洶湧、文化密集、生活方便，但是，能逃離就逃離，逃離到尼泊爾或類似的地方。

這裡就出現了一個深刻的悖論。本來，人類是爲了擺脫粗礪的自然而走向文明的，文明的對立面是荒昧和野蠻，那時的自然似乎與荒昧和野蠻緊緊相連。但是漸漸發現，事情發生了倒轉，擁擠的鬧市可能更加荒昧，密集的人群可能更加野蠻。現代派藝術寫盡了這種倒轉，人們終於承認，寧肯接受荒昧和野蠻的自然，也要逃避荒昧化、野蠻化的所謂文明世界。如果願意給文明以新的定位，那麼它已經靠向自然一邊。

現在我們已經不可能抹去或改寫人類文明史，但有權利總結教訓。重要的教訓是：人類不可以對同類太囂張，更不可以對自然太囂張。這種囂張也包括文明的創造在內，如果這種創造沒有與自然保持和諧。你看世界上一切文明濃度高的地方都已不適合居住，說明問題的嚴重性已到達何等程度。文明，已經出現非人性化的危險。

文明的非人性化有多種表現。繁衍過度、消費過度、排放過度、競爭過度、占據空間過度、繁文縟節過度、知識炫示過度、雕蟲小技過度、心理曲折過度、口舌是非過度、文字垃圾過度、無效構建過度……對這一切災難的爆發式反抗，就是回歸自然。

我們正在慶幸中華文明延綿千年而未曾斷絕，但也應看到，正是這個優勢帶來了更沉重的過度積累。好事在這裡變成了壞事，榮耀在這裡走向了負面。因此新世紀中華文明的當務之急，是卸去重負，輕鬆地去面對自然，哪怕這些重負有歷史的榮譽、文明的光澤。即使珍珠寶貝壓得人透不過氣來的時候也應該捨

得卸下，因爲當人力難以承擔的時候它已經是一種非人性的存在。

中國在新世紀必然獲得更大的發展，對於這個前景現在已經很少有人懷疑。那麼，文明應該尋找新的職能了。在不發展的時候推動發展，在快速發展的時候控制和提醒一切反自然、反人性的惡果出現，這才是新文明的崗位所在。

與貧困和混亂相比，我們一定會擁有富裕和秩序，但更重要的，是美麗的安適，也就是哲人們嚮往的「詩意地居息」。我預計，中華文明的新魅力，將在這一點上著重展現，它與其他文明的比賽，也將在這一點上展開。

我突然設想，如果我們在世紀門檻前稍稍停步，大聲詢問兩千多年前的中國哲人們對這個問題的意見，那麼我相信，他們中的絕大多數（只有楊朱說不準兒）不會有太大分歧。對於文明堆積過度而傷害自然生態的現象，都會反對。

孔子會說，我歷來主張有節制的愉悅，與天和諧；墨子會說，我的主張比你更簡單，反對任何無謂的耗費和無用的積累；荀子則說，人的自私會破壞世界的簡單，因此一定要用嚴厲的懲罰把它扭轉過來……

微笑不語的是老子和莊子，他們似乎早就預見一切，最後終於開口：把文明和自然一起放在面前，我們只選自然。世人都在熙熙攘攘地比賽什麼？要講文明之道，唯一的道就是自然。

——這就是說，中國文化在最高層面上是一種做減法的文化，是一種嚮往簡單和自然的文化。正是這個本質，使它節省了很多靡費而保存了生命。

那麼，在這個已經過於擁擠和雜亂的年代，我們該怎麼辦，更加不言自明。

到達。

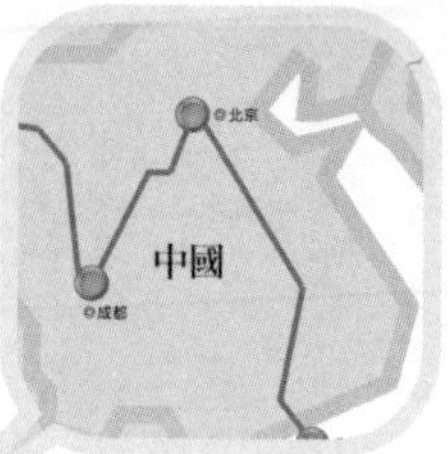

一〇二　今天我及時趕到

二〇〇〇年一月一日，尼泊爾至中國的邊城樟木，夜宿樟木賓館

從尼泊爾通向中國的一條最主要的口道，是一個峽谷。峽谷林木茂密，山崖下是深深的河流，山壁上有湍急的瀑布，都是雪山溶水。開始山坡上還有不少尼泊爾農民開墾的梯田，但越往北走山勢越險，後來只剩下一種鬼斧神工般的氣魄，逗弄著雲天間不斷變幻的光色。分明在預示，前面應該有大景象。

果然，在盤山公路上轉來轉去終於眼前豁然，遠處有天牆一般的巨大山峰把天際堵嚴了，因此也成了峽谷的終端。由於距離還遠，煙嵐緲緲地隱約成一種鉛灰色。

今天陽光特別好，雪山溶水加大，山壁上的瀑布瀉落到公路時無法全部納入涵洞，潺潺地在路面上流淌。我們幾輛車乾脆停下，取出洗刷工具，用這冰冷的水把每輛車細細地洗了一遍，直洗得錚光發亮。這就像快到家了，看到炊煙繚繞，趕快下到河灘洗把臉，用冷水平一平心跳。

確實不是一般的回國。我們是沿著西奈沙漠、戈蘭高地、伊朗山脈一步步量回來的，我們是捧掬著尼羅河、底格里斯河、印度河的水一口口喝回來的，我們是抹著千年的淚滴、揣著廢墟的嘆息一截截摸回來的，我們是背負著遠古的疑惑和現實的驚嚇一站站問回來的。

我們要把這一切帶回到一個地方；但那已經不止是一個地方，這些日子來它越來越強烈地籠罩住了我們的心靈，重新定義了我們的生命；當然說到底它還是一個地方，已經很近，就在前面，三個月後重相

見，我們在離別之後讀懂了它。

離別之後讀懂了它——這句話中包含著沉重的檢討。我們一直偎依它、吮吸它，卻又埋怨它、輕視它、責斥它。它花了幾千年的目光腳力走出了一條路，我們常常嘲笑它爲何不走另外一條。它好不容易在滄海橫流之中保住了一份家業、一份名譽、一份尊嚴，我們常常輕率地說保住這些幹什麼。我們嬌寵張狂，一會兒嫌它皺紋太多，一會兒嫌它臉色不好，這次離開它遠遠近近看了一圈，終於吃驚，終於慚愧，終於懊惱。

本來我們約好了返回的時間，因爲這個時間太重要。說實話，每天都想早一點回來，以便快點用全新的目光看它一眼，用全新聲調喊它一聲；但山高水阻，一路艱險，我們又不想跳過幾步，使這次重新見面變得過於輕易。於是心裡一直在矛盾著，慢了不好，快了也不好。終於到了今天，世紀的門檻和地理的門檻同時橫亙在眼前。

峽谷下的水聲越來越響，可見此處水勢更大了，扭頭從車窗看下去，已是萬丈天險。突然，如奇跡一般，峽谷上面出現了一座橫跨的大橋，橋很長，兩邊的橋頭都有建築。似有預感，立即停車，引頸看去，對面橋頭有一個白石築成的大門，上面分明用巨大的宋體金字，鐫刻著一個國家的名字。

我站住了，我的同伴全都站住了，誰也沒有出聲。只聽峽谷下的水聲響如雷鳴。

我在心底喊了一聲：祖國，今天我終於及時趕到。

我們這一代人生得太晚，沒有在你最需要的時候爲你說話。我們這些人又過於疏懶，沒有及早地去拜

訪你的遠親近鄰，來深入理解你的艱難行跡。我們還常常過於瑣碎，不了解粗線條、大輪廓上你的形象，只在枝枝節節上絮絮叨叨。但畢竟還來得及，新世紀剛剛來臨，我們總算已經及時趕到。

順便我要告訴我的讀者，這次出行和回來，一定會給我帶來很大的改變。人的一生，很多重要的轉折不一定需要很多時間。我在〈千年庭院〉一文中寫過，文革初期，我因父親被關、叔叔屈死、自己又被造反派轟逐而外出流浪，不期然地在長沙嶽麓書院逗留了幾個小時，竟轟然醒悟，重寫人生。那麼，這次已是整整三個多月，每天都有震驚，加在一起確實刻骨銘心。

尼泊爾海關正在橋的這端爲我們辦出境手續，我們還看到橋上站著不少人，一打聽，原來鳳凰衛視在這一帶很普及，很多住在樟木鎮的藏族居民在電視上知道了我們的行程主動前來歡迎。由幾位中年女性和一位大鬍子的老人帶領著，似乎已經爲我們準備了哈達和青稞酒。

這裡的海拔是一千九百米，過關後進樟木鎮，是二千六百米。空氣已經很涼，我在車上換了羽絨衣。

車隊又開動了，越過峽谷，穿過人群，慢慢地駛進那座白石大門。

尾聲

進入國境後，日記停寫，但已經形成的一種慣性一時停不下來，即有了感受就想寫下來告訴讀者。那麼就由著它，再寫幾句吧。

經過這麼一次考察，再來看國內的文化遺跡，就產生了不同的目光。

例如，那天我又站在敦煌石窟前了。由於剛從印度、尼泊爾過來，也就更宏觀地理解了敦煌。中華文明對外來文化的最大吸納就是佛教，但在吸納過程中又鮮明地表現了自己的文化選擇。敦煌造型與印度佛教形象的明顯區別姑且不論，從大的角度著眼，它也證明了中國佛教的藝術化、景觀化取向，這個取向可由大量其他佛教勝地作旁證。也就是說，佛教走向中國的世俗民間，以美爲中介。美使佛教通俗，又使它多義、自由、彈性，在和諧溫馨、賞心悅目中觀照現實人生，避免了它在自己故鄉的不幸遭遇。

剛這麼高興地想著，眼前又出現了那個藏經洞。今年是藏經洞發現一百周年，百年間這個小小的洞口吞吐了多少民族的傷感。我這次在其他幾個文明古國看到，那裡的遠年遺跡大多也是十八、十九世紀的西方考古學家們挖掘出來的，有些文物也運到了西方博物館，但那些國家好像沒有我們那麼傷感，有些遺跡邊上還樹立著西方考古學家的雕像。怎麼來看待這種差別呢？

答案也是這次考察給我的。不是由於中國人狹隘和小氣，根本原因在於其他那些古文明早已中斷，與後來生活在這塊土地上的人們不再存在暢通的文化血緣關係，而中華文明未曾中斷，因此當斯坦因、伯希

和等西方考古學家取走敦煌藏經洞文物，就像活生生從一個血脈連接的肌體上剜去一塊，當然疼痛無比。何況在時間上，敦煌藏經洞發現前的八十天，八國聯軍侵占北京，火燒圓明園，中華文明剛剛蒙受過奇恥大辱。因此對這個問題，當代評論者不能說得過於瀟灑和輕鬆。

這個季節去敦煌很冷，我和台灣來的節目主持人曾靜漪站在洞窟裡常常冷得渾身打顫。編導黃曉燕已凍得鼻子上懸掛涕水竟毫無感覺，被我們一再取笑。

見到另一位台灣來的主持人吳小莉已經是車隊進入四川之後的事了。她太有名，忙不堪言，但我覺得最有意思的是我們一起去看三星堆。一個很難說清來龍去脈的古文明遺跡，埋藏著無數美麗而怪異的高難度金屬鑄品，如果不是我們去了挖掘現場，幾乎會懷疑它的眞實性。但是考察過那麼多文明古國遺跡之後，我心中對早期人類的生態流脈已有了更自由的設想。我們在國外那些遺址中苦苦地追根溯源，考古學者和歷史學家們企圖把一切新發現的事物納入已發現的邏輯，但事實證明這種追溯的企圖最容易導致穿鑿附會。克里特文明果眞來自埃及？埃及文明果眞來自兩河？……都只是依稀朦朧，並無足以排他的結論。中國古人太喜歡記錄歷史，這是優點，但一切歷史太明晰了，反倒讓人生疑。有這麼一個奇奇怪怪的三星堆，讓我們約略知道李白《蜀道難》中「蠶叢及魚鳧，開國何茫然」的詩句並非隨意，知道屈原描述過的楚巫之美有遙遠的源頭，知道秦始皇統一中國之前應該有大量千姿百態的文明群落，這就夠了。一切偉大都有點神秘，留下一點神秘，也就是爲中華文明留下一點繼續開掘和解釋的可能性，實在很好。

另一件與吳小莉一起做的事是去四川大學與大學生見面。

對我們闖蕩十國的伙伴們而言，這是我們回國後第一次見到大學生。在國外險峻的長途上，憋了很多話，總想找一個場合傾吐，終於越來越明白，最佳的傾吐對象只能是大學生。

四川大學的學生們熱情洋溢，聽說我們下午要來，上午就來占位置了。結果，擠得人山人海，連校長、副校長也只能埋在無數站立著的人群背後的牆角。我主講，除小莉外，郭瀅和多數隊員都在場。學生們有很好的感受力，聲聲大笑，輕輕擦淚。時間實在不夠，直到不得不結束時，我還沒有來得及講完：這次我們究竟在哪些方面更深地理解了中華文明。

約好以後有機會再講，我們從密密層層的人海裡掙扎出來。

剛剛鬆一口氣，一群記者包圍上來，提出連珠炮般的問題：

「有人寫文章，說你們專看古蹟是一個老年人節目，你同意嗎？」「有人說，你們這次不去美國、澳大利亞是一種躲避，對嗎？」「聽說千禧之旅的構想是別人的？請予以澄清！」

「有人在報上宣布，你已經獲得了這本日記的預付稿酬，能證明嗎？」「北京有人在報紙上問，有好幾個女主持人與你們同行，你太太會不會反對？」

「最近有好幾個人在罵你，你準備什麼時候反擊？」「今天你能對他們說兩個字嗎？」

「有人發表文章，建議你面對盜版應該微笑不語；有人批評你在嶽麓書院演講，揭露盜版有失風度，請回應！」

「有人發表文章說，電視台就是廣告商，作爲一個文化人與他們聯姻，合適嗎？」

…………

這些問題其實與四川記者無關，他們只是轉述和詢問罷了，語氣充滿善意，但我還是抱頭逃奔，只是爲了不讓我的伙伴們聽見。這些伙伴，不管是大陸還是香港的司機、技師、攝像師，一路上不知受了多少苦，都成了我的生死之交，現在旅程還沒有結束，如果知道已經有人在報紙上如此說話，眞不知會有什麼反應。當然，我也怕吳小莉聽到，她雖然對大陸已經相當熟悉，但我想還不至於到了聽見這些聲音毫不吃驚的程度。

我無法回答這些問題，但對它們的出現又似乎全部知道。它們讓我快速地明白，我眞的回來了。

它們的出現不會改變我考察的結論，也不會影響我要向海內外同胞報告對中華文明重新認識的好心情。但是明顯的反差畢竟存在，而這種反差也關及文化。其實幾乎所有的中國人都深有感觸：只要有人走了一條比較艱險的路，做了一件比較像樣的事情，立即總會被一些聲音所掩埋，讓人沮喪的不是這些聲音的褒貶，而是這些聲音的層次；但是，不管它們處於什麼層次，總會拉扯著模糊的人數構成一個個包圍圈，足以使步履退縮、銳氣稍歇、計劃變形。

因此，很多人就會一再地對著中華文明發問：你那麼偉大，爲什麼又那麼使人勞累？

劉長樂先生昨天送給我一本叫《東方主義》的書，我隨手一翻就讀到一段話，是一個叫約翰·布侃（John Buchan）的人在一九二二年說的：

你有沒有想過中國的例子?中國有數以百萬計的好頭腦，卻被空洞花俏的玩意弄得創意殆盡，他們沒有方向，也沒有驅策的力量，因此所有努力加起來全是一場空。全世界都因此恥笑他們。

這是一九二二年，布侃先生不知道中國的過去和後來。中華文明的力量，不在於永遠不被人恥笑，而是遲早會結束被人恥笑的狀態。我們現在來讀這段話，已經不再痛苦，反而有點快慰。

但是，這段話中有一些關節仍然值得注意。我們在考察途中一再讚嘆中國古代對於「外傷」（如遠征、被奴役等）的努力避免，而這段話則描述了一段「內耗」結構。在這個結構中，聰明的頭腦加在一起必定什麼也不是，互相攻陷的理由又必定是空洞又花俏。

怎麼會產生這種現象呢？

我想起了已故的文化學者梁漱溟先生的一個觀點。八十年代中期年逾九十的梁先生在一個文化講習班上發言，說他不贊成「中國進步太慢」的說法，因為慢也會積累進步，但按中國傳統文化的程序，再過多少年也造不了飛機和衛星，因此關鍵不是慢，而是走了岔道，沒把心思放在物質文明上，而是放到了人際關係、人倫關係上了。

一開始把心思放在人際關係和人倫關係上並沒有什麼不好。與古希臘的抽象思辨相比，與古印度的厭棄人生和古埃及的封閉人世相比，中華文明的這種入世態度顯得那麼通俗和健康，這至少是它長壽的重要

原因；但是，由於太重視人際關係、人倫關係，這種關係也就成了一種重要的生存資源，是資源就必然引起爭奪，爭奪的主要方法是毀損對方的「人脈」和名譽，這就從正道變成了岔道。

在這條岔道上後來又遇上了「鬥爭哲學」，不少人更加習慣了對一切探索者和創造者的「圍堵」，更加磨礪了探微索隱、捕風捉影、穿鑿附會的技巧，因此問題就更加嚴重。這次我在考察途中一再拜託全隊夥伴一起留心一個問題：這些各有危難的國家，有沒有一些共同超過中華文明的優點？大家反覆觀察，最後終於有了一個結論，這些國家的國民從整體上比中國人單純。得出這個結論有點痛苦，因爲我們早已明白有些國家的文明生態是難以收拾的，但居然他們比我們單純！其實我們誰不知道，他們的單純就是只顧自己，不大捉摸別人，結果反而彼此輕鬆。

按照梁漱溟先生的意見，我們不必向他們學，只須重新喚回我們早期哲人留下的原則：彼此尊重，互相禮讓。

如果說，只顧自己、不捉摸別人是一種低層次的單純，那麼，中華文明本來就構建過一種更高層次的單純。

百般使命，只要人際關係複雜，便什麼也做不成；反之，山高路遠，只要人際關係單純，便怎麼也走得通。

因此，我把對中華文明前途的其它問題的探討，放在簡化人際關係的迷魂陣之後。

寫到這裡車隊已到山西的平遙古城。七年前我爲了探訪中國文化的一個重大失落，曾到這裡來苦苦尋找中國第一家票號日升昌的舊址，和傑出的理財大師雷履泰的身影。今天，一切都變了，日升昌已闢爲博物館，還鄭重地刻上了我在〈抱愧山西〉一文中的一段話，而雷履泰的故居也整理出來了。當地的各種人士，從官員到一般市民，見面總感謝我的那篇文章對晉中旅遊事業的推動，其實眞正要道聲感謝的是我，感謝這塊土地爲我提供了考察的題材、寫作的契機。

像平遙這樣一直公開向我表示感謝，而其實應該反過來接受我感謝的地方還有很多，這一路上就遇上好幾個。車隊的伙伴們對於我與這麼多遙遠的地方有如此密切的關係深感奇怪。我說，很多年了，我先把腳步，再把思考，最後把生命都溶入了這些地方，由此你們也會明白，當初我告別了什麼，逃離了什麼。我可能不會再走很多路，但要我返回那些逃離地，是不可能的了。

平遙的城牆保存完好，是聯合國確認的人類文化遺產。我陪著吳小莉在城牆上走了很久，心想萬里長城是農耕文明抵禦遊牧文明侵害的屏障，而像平遙古城那樣的一般城牆所抵禦的，則又恰恰是農耕文明。但在平遙，居然有那麼一群人主動地脫離城牆的保護遠行了，到天南海北去創建一種全新的市井文明。城牆在這些勇敢的晉商心目中只成了故鄉的記憶。無奈兵荒馬亂、時世不靖，這些遠行者終於都腰纏萬貫又滿目淒涼地回來了，重新回到城牆的保護之下。

下了城牆與隊員們一起到一處民居與老百姓放了一陣鞭炮，我又一個人來到雷履泰故居，追尋著這位

傑出老人的腳步。廣大讀者從我的文章中知道了他的名字和經歷，但我自己對他還有幾分陌生，因爲我至今沒有讀到過他的詩文，甚至沒有見過他的簽名，不知道他的眞實心情，只能推測他在成功之後悵然若失，經常會面對著古城牆出神。

在抵達平遙前，我們在臨汾祭拜了堯廟。前些天，我們又在陝西祭拜了黃陵。面對著中華民族的祖先，我們在路上積累起來的許多問題都想不起來了，只知深深鞠躬。祭拜黃陵時我們的祭文中有一句話：稟告始祖，此行成矣！

是的，此行成矣。

二〇〇〇年二月二日，於平遙古城，離結束「千禧之旅」還有三天。

補記

一，在伊拉克首都巴格達，經過千辛萬苦終於接通了香港的長途電話。台長王紀言先生問我有沒有可能爲這次旅程寫一首主題歌。我在一個兩米直徑的彈坑前徘徊片刻，便草擬一首：

千年走一回

千年走一回，
山高水又長，
車輪滾滾塵飛揚，
祖先託我來拜訪。
我是崑崙的雲，
我是黃河的浪，
我是涅槃的鳳凰再飛翔。

法老的陵墓，
巴比倫的牆，

希臘海濱夜潮起，
耶路撒冷秋風涼。
我是廢墟的淚，
我是隔代的傷，
恆河邊的梵鐘在何方？

千年走一回，
山高水又長。
東方有人長相憶，
祖先託我來拜訪。
我是屈原的夢，
我是李白的唱，
我是涅槃的鳳凰再飛翔！

這首歌後來由騰格爾先生演唱，氣勢奪人，情眞意切，令我滿意。車隊的全體夥伴均已學會，大家都很喜歡。魯豫說：「余老師，你說今後不寫文章了，那就寫流行歌吧。」我說好。

二，早在埃及金字塔底下，劉長樂先生建議我每天爲電視報導寫一段話，作爲專輯播出。我寫出傳去後，他們爲專輯取了一個題目叫「秋雨錄」，即我的筆錄。後來，考慮到我一個人每天一段很難保證，如果出現生病或半途回國等特殊情況，專輯怎麼維持？因此去掉我個人的名字，改爲「秋語錄」，即秋天話語，隊裡的每一個人都有權利寫。但由於既沒有生病也沒有離開，這個專輯始終由我在寫，最後一段是這樣的：

> 四個月冒險奔波，天天都思念著終點。今天我們到了，回頭一看，卻對數萬公里的尺尺寸寸產生了眷戀。那是人類文明的經絡系統，從今以後，那裡的全部冷暖疼痛，都會快速地傳遞到我的心間。
>
> 「千禧之旅」結束之時

謹此補記。

新人間叢書㊷

千年一嘆

作　者—余秋雨
主編—彭蕙仙
編輯—潘煊
校對—江淑卿
董事長
發行人—孫思照
總經理—莫昭平
總編輯—林馨琴
出版者—時報文化出版企業股份有限公司
108台北市和平西路三段二四〇號三樓
發行專線—(〇二)二三〇六—六八四二
讀者服務專線—〇八〇〇—二三一—七〇五・(〇二)二三〇四—七一〇三
讀者服務傳眞—(〇二)二三〇四—六八五八
郵撥—一九三四四七二四　時報文化出版公司
信箱—台北郵政七九～九九信箱
時報悅讀網—http://www.readingtimes.com.tw
電子郵件信箱—liter@readingtimes.com.tw
印刷—富昇彩色印刷股份有限公司
初版一刷—二〇〇〇年三月三十一日
初版二十四刷—二〇〇五年五月二十日
定價—新台幣四〇〇元
◎行政院新聞局局版北市業字第八十號

Printed in Taiwan
ISBN 957-13-3109-0

國家圖書館出版品預行編目資料

千年一嘆／余秋雨作． -- 初版. -- 臺北市：
時報文化, 2000〔民 89〕
面； 公分. --（新人間； 42）
ISBN 957-13-3109-0(平裝)

855　　　　　　　　　　89003814

編號：AK 0042	書名：千年一嘆
姓名：	性別：＿＿＿ 1.男　2.女
出生日期：　年　月　日	身份證字號：
＿＿＿ 學歷：1.小學　2.國 中　3.高中　4.大專　5.研究所（含以上）	
＿＿＿ 職業：1.學生　2.公務（含軍警）　3.家管　4.服務　5.金融　6.製造　7.資訊　8.大衆傳播　9.自由業　10.農漁牧　11.退休　12.其他	
地址：＿＿＿縣（市）＿＿＿鄉鎮區＿＿＿村＿＿＿里＿＿＿鄰＿＿＿路（街）＿＿＿段＿＿＿巷＿＿＿弄＿＿＿號＿＿＿樓　郵遞區號＿＿＿	

（下列資料請以數字填在每題前之空格處）

＿＿＿ **您從哪裡得知本書／**
1.書店　2.報紙廣告　3.報紙專欄　4.雜誌廣告　5.親友介紹
6.DM廣告傳單　7.其他＿＿＿

＿＿＿ **您希望我們爲您出版哪一類的作品／**
1.長篇小說　2.中、短篇小說　3.詩　4.戲劇　5.其他＿＿＿

您對本書的意見／
＿＿＿ 內　容／1.滿意　2.尚可　3.應改進
＿＿＿ 編　輯／1.滿意　2.尚可　3.應改進
＿＿＿ 封面設計／1.滿意　2.尚可　3.應改進
＿＿＿ 校　對／1.滿意　2.尚可　3.應改進
＿＿＿ 翻　譯／1.滿意　2.尚可　3.應改進
＿＿＿ 定　價／1.偏低　2.適中　3.偏高

您的建議／

＿＿＿＿＿＿＿＿＿＿＿＿＿＿＿＿＿＿＿＿
＿＿＿＿＿＿＿＿＿＿＿＿＿＿＿＿＿＿＿＿
＿＿＿＿＿＿＿＿＿＿＿＿＿＿＿＿＿＿＿＿

請沿虛線撕下後對折裝訂寄回，謝謝！

請沿虛線摺下裝訂，謝謝！

廣告回郵
北區郵政管理局登記證北台字1500號
免貼郵票

時報出版
CHINA TIMES PUBLISHING COMPANY
尊重智慧與創意的文化事業

地址：108台北市和平西路三段240號3樓
讀者服務專線：0800-231-705・(02)2304-7103
讀者服務傳眞：(02)2304-6858
郵撥：19344724 時報文化出版公司

請寄回這張服務卡（免貼郵票），您可以——
●隨時收到最新消息。
●參加專為您設計的各項回饋優惠活動。

新感覺・新人間・文學的新版圖

新人間

寄回本卡，掌握新人間系列的最新訊息